FACCIO MUSICA

EZIO BOSSO

FACCIO MUSICA
Scritti e pensieri sparsi

A cura di Alessia Capelletti

Prefazione di Quirino Principe

PIEMME

Pubblicato per

PIEMME

da Mondadori Libri S.p.A.
© 2021 Mondadori Libri S.p.A., Milano

ISBN 978-88-566-8061-4

I Edizione maggio 2021

Anno 2021-2022-2023 - Edizione 3 4 5 6 7 8 9 10

Finito di stampare presso Grafica Veneta S.p.A.
Via Malcanton, 2 – Trebaseleghe (PD)

Magico con la bacchetta, vero artista e cittadino

di Quirino Principe

Esiste una ragione speciale, probabilmente unica, tale da rendere inevitabile, almeno per me, che sia proprio io a ricordare Ezio Bosso, la sua grandezza di artista. Il suo essere un musicista tanto inusuale e tanto armato di ferri del suo mestiere da fare impallidire molti colleghi carichi di anni e di fama. Grande artista, pianista che cercava la verità del suono mediante lo stupore che suscitava negli ascoltatori e, di conseguenza, grande come uomo e come cittadino: il rapporto di causa e di effetto va inteso in *questa* direzione, poiché soltanto chi abbia veduto o udito vibrare o personalmente impugnato una bacchetta magica sa capire, del mondo, qualcosa di autentico nel midollo. Chiunque abbia prediletto quell'uomo (che vorrei modello possibile per un *homo sapiens* del futuro) sa che per lui la bacchetta direttoriale era "magica" poiché... «dopo che ho diretto per un paio d'ore, non sono più il mio "io" di prima: sono un essere magicamente diverso, poiché la bacchetta mi ha reso tale».

Una metamorfosi, se non magica, certo fatale e solenne come la consegna ricevuta da un cavaliere che viva nei versi di Chrétien de Troyes è quella che, nel nucleo di lui musicista, sveli nascosto un amabile ("cosa rara"!) e dolcemente ritroso filosofo della musica. Le sue interviste in forma di chiacchierate tra una scolaresca di adulti sono terreno fertile di aforismi, metafore, paradossi, gentilissime provocazioni. Ezio Bosso, morto quarantottenne a Bologna lo scorso

5

venerdì 15 maggio, era nato a Torino lunedì 13 settembre 1971. Della sua città natale, o almeno così mi piace pensare, aveva alcuni connotati di alta qualità nel pensiero: che la nobiltà intellettuale non sia classista, che il "carattere popolare si alto e nobile". Rimpiango di non averlo mai incontrato di persona, ma tra noi vi fu un contatto d'intesa a distanza (così mi dice chi fu intermediario) nel 2008, quando, nel Teatro all'Antica di Sabbioneta, Ezio trentasettenne realizzò un concerto contro la camorra (c'era, credo, anche Saviano) per lo spettacolo *Il cappotto di legno*, in cui egli, nel ruolo di contrabbassista, riuscì nobilitare mediante un intelligente arrangiamento di "classica" persino il rapper "Lucariello".

Ma la ragione di cui dicevo, quella di fondo, è questa: in realtà, ci hanno fatti incontrare, in uno spirito di condivisione, un suo perentorio comandamento estetico («Čajkovskij va ascoltato al massimo volume, affinché la magia si realizzi»), e un suo meraviglioso aforisma: «Se non fosse esistito Mozart non sarebbe esistito Čajkovskij, se non fosse esistito Čajkovskij, non esisterebbe Bosso». Facile la decifrazione, vero? La medesima ragione spiega ai lettori anche perché io mi sia abbandonato a memorie personali ricordando l'Ezio Bosso che ho nella mente, e perché, almeno questa volta, io abbia rinunciato al *plurale humilitatis* e scorrettamente, abbia usato la prima persona singolare.

Per gentile concessione de «IL SOLE 24 ORE»

Introduzione del curatore

La premessa fondamentale è che Ezio non ha mai voluto scrivere un libro, ergo questa raccolta di testi inediti o parzialmente inediti, ha come modelli di riferimento da un lato lo Zibaldone leopardiano, cioè una raccolta di scritti sparsi di varia occasione. D'altro canto, la declinazione contemporanea e digitale del tradizionale carteggio e lo studio costante di questo tipo di raccolte da parte di Ezio nel lavoro di scavo sui suoi autori di riferimento, per esempio Beethoven o Mendelssohn o Čajkovskij, è stata la ragione motrice di questo paziente lavoro: chi vorrà studiare e approfondire il percorso artistico del musicista Ezio Bosso ha il diritto di trovare uno strumento utile allo scopo, come lo ha sempre trovato Ezio. La seconda considerazione, in questo caso più personale, è che il fulminante talento linguistico di Ezio nel forgiare motti icastici di grande impatto e folgorante potenza comunicativa, rischia di prevalere sulla complessità del suo pensiero, riducendolo a una serie di frasi a effetto, la cui efficacia, e perciò diffusione, faceva sì che spesso fosse il primo a detestare quelle frasi così popolari e al contempo così travisate e banalizzate, come la celeberrima «La musica, come la vita, si fa in un solo modo: insieme». Frase che, dopo Sanremo 2016, non volle più pronunciare fino alla presentazione del secondo Che Storia è la Musica.

I testi qui raccolti coprono gli ultimi quattro anni di lavoro, quelli in cui Ezio sentì di aver finalmente raggiunto, come nella dodicesima stanza, la sua vocazione primigenia, la direzione d'orchestra, dopo un lunghissimo percorso come orchestrale, solista, camerista, compositore, direttore delle proprie musiche e finalmente direttore del grande repertorio classico, il suo sogno fin da bambino. Una posizione in cui poteva finalmente ricapitolare in un unico gesto, pienamente consapevole, tutte le esperienze maturate durante tale percorso.

I testi provengono principalmente da due fonti – il mio computer e il mio telefono – in quanto, dall'inizio della nostra collaborazione nella seconda metà del 2016, il metodo di lavoro ha sempre seguito il seguente schema per ogni uscita pubblica: lunghe conversazioni iniziali sui temi da proporre, che spesso registravo; una prima stesura del testo; una serie di rimaneggiamenti per iscritto e/o orale che potevano durare anche settimane; una lunga conversazione a uscita pubblica effettuata, che era sempre il nostro «momento sulle scale», italianizzazione della comune espressione francese «esprit dell'escalier», con cui si intende la fastidiosa sensazione a posteriori di non essersi espressi nel migliore dei modi nel momento in cui era necessario. Ezio era un perfezionista anche delle parole, non solo delle note, e così come erano necessari anni di riscrittura perché una sua composizione musicale giungesse alla forma definitiva, allo stesso modo le sue dichiarazioni pubbliche non lo soddisfacevano mai abbastanza ed erano costantemente ripensate per una nuova occasione.

La terza fonte sono le registrazioni o le prime bozze dei giornalisti che hanno seguito di più Ezio negli ultimi quattro anni.

Di tutti questi testi ho cercato sempre le prime versioni ancora non editate da me o dai giornalisti o dalla casa discografica, al fine di rendere un Ezio non censurato o alterato, se non da se stesso, per restituire al lettore anche le sue peculiarità linguistiche, così evidenti fin dal parlato, e vera cifra stilistica della sua ricerca verbale. Peculiarità che, rendendo a volte il testo a tratti oscuro, venivano normalizzate prima della pubblicazione. Ma in questa raccolta sono state lasciate intatte. Troverete dunque inalterati il suo gusto per l'accumulazione retorica, per l'anacoluto, la sua passione per gli incisi digressivi estremi, al termine dei quali pare che il filo del discorso sia smarrito, ma non era mai smarrito nella mente di Ezio, che, con lucidità impeccabile, trovava sempre quella chiusa icastica ed epigrammatica che sintetizzava il concetto cercato e corteggiato nel lungo volo pindarico in poche fulminanti parole. Perché Ezio aveva un talento innato da copywriter o da poeta simbolista, acmeista, e la sua prosa ne risentiva fortemente.

In questa raccolta troverete poi molti testi che non hanno mai visto la luce, perché erano destinati a uso interno o perché non si ebbe mai l'occasione giusta per renderli pubblici o perché dovevano ancora essere lavorati prima della pubblicazione.

In parte vi sono invece alcuni testi già editi e riproposti qui nella loro versione finale contestualizzata all'occasione.

È importante sottolineare che negli ultimi due anni Ezio faticava molto a scrivere e se scriveva, lo faceva solo da smartphone, pochissimo da pc, quindi i testi del 2019 e 2020 sono prevalentemente dettati al telefono o con vocali WhatsApp, che poi io trascrivevo e mandavo a lui via e-mail per ulteriore correzione, sempre orale.

Nella contestualizzazione dei singoli testi ho cercato di essere il più oggettiva possibile, evitando di proiettare sul lettore la mia visione e interpretazione dei fatti. Spero francamente di esserci riuscita senza averne però alcuna certezza. Due giornalisti – Giulia Vespoli e Paolo Romano – hanno voluto contestualizzare personalmente i loro testi e di questo sono loro ulteriormente grata.

Ringrazio infinitamente gli amici giornalisti che hanno messo a mia disposizione gli audio originali o le prime bozze dei loro pezzi per arricchire il materiale del mio archivio. In ordine alfabetico la mia riconoscenza va a Simona Antonucci, Stefano Bisacchi, Nicola Cattò, Stefania Fiorucci, Anna Leonardi, Donatella Longobardi, Valentina Losurdo, Giuseppina Manin, Matteo Menetti Cobellini, Alessandra Papa, Andrea Pedrinelli, Luca Pavanel, Valeria Potì, Paolo Romano, Ofelia Sisca, Concetto Vecchio, Giulia Vespoli, Giuseppe Videtti e Roberto Zichittella.

A titolo del tutto personale spero che questa raccolta di testi sottolinei i valori autentici di Ezio, quali studio intenso e minuzioso; competenza assoluta; condivisione orizzontale di tale competenza; dedizione incondizionata alla musica come espressione culturale fra le più alte, ma anche fra le più accessibili e potenzialmente democratiche grazie alla sua forte componente emozionale; senso di responsabilità verso la musica, se stessi e il prossimo; rispetto della musica e dei suoi protagonisti – pubblico incluso – come parte irrinunciabile della società civile; considerazione della musica come attività produttiva essenziale al corretto sviluppo intellettuale e culturale di ogni nazione. E se Ezio, la sua visione musicale e la sua Orchestra non hanno mai trovato la casa tanto agognata mentre era vivo, spero che di case tale visione ne trovi mille, milioni, per il bene più autentico dei cittadini tutti, soprattutto di quelli che credono di non averne bisogno.

Alessia Capelletti

Il mio nome è Ezio Bosso, e nella vita faccio la musica

Presentazione di se stesso
al pubblico tedesco, in bozza.
2017

Il mio nome è Ezio Bosso, e nella vita faccio la musica. E sono un uomo fortunato.

Qualche tempo fa un giornalista nel farmi una domanda mi ha detto: «Lei non ha avuto un percorso accademico», in realtà la domanda voleva volgere a come era stata la mia carriera, a come ero «nato» diciamo.

La mia risposta è stata come sempre sincera e diretta: la mia carriera è definita dalla mia vita.

Ora, parlare della mia vita non mi piace. Sono una persona riservata per natura.

Adesso molti collaboratori mi chiedono di scrivere qualcosa, di raccontare meglio la mia carriera. Pare che a voler far parlare solo la musica si creino incomprensioni. Che si possa dare un'impressione «sbagliata» soprattutto ai detrattori. Anche se è una cosa che non mi ha mai toccato. Piaci a chi piaci, non puoi piacere a tutti.

C'è un vecchio detto degli afro-americani: «Non puoi controllare quello che gli altri dicono di te. Ma devi sempre assicurarti che scrivano almeno correttamente il tuo nome».

E anche se spesso il mio nome viene scritto male – Enzo, Enzio, Ezzio –, penso sia un concetto bellissimo.

Non è facile, ve lo assicuro. Perché quello che sto facendo porta anche ricordi dolorosi, perché è difficile scegliere cosa è essenziale e cosa no, quando sei consapevole che lo è tutto, soprattutto il respirare. E poi perché io scrivo davvero male.

Ma di una cosa sono sicuro.

Ciò che ho fatto, ciò che ho raggiunto e ottenuto, esiste grazie al famoso concetto dell'«essermelo guadagnato» in ogni piccolo passo e dall'indiscutibile fatto di essere un essere fortunato, anche se chi vede le ruote o il mio corpo tende per pregiudizio a non pensarlo.

E soprattutto dall'esigenza della musica nella mia vita. Dall'avere desiderato la musica da sempre, e forse oggi azzarderei anche di essere evidentemente stato desiderato da essa da sempre. La mia famiglia non era abbiente e sono nato in un quartiere della Torino operaia degli anni Settanta.

Questa è la chiave per entrare in una parte di cosa ha definito la mia carriera, perché vi chiederete?

Perché la mentalità di un operaio, specialmente del Nord Italia, nei confronti dei suoi figli era solo quella di riuscire a dargli un futuro un poco migliore del suo, a farlo studiare quel tanto che gli permettesse una sicurezza, che lo portasse ad avere una stabilità economica che gli permettesse di aiutare anche la famiglia, ma senza troppe ambizioni.

Bisogna anche immaginare che i miei genitori erano molto più grandi della media e di me. Erano nati alla fine degli anni

Venti e il concetto che i figli – specie il minore – fossero destinati a prendersi cura anche economicamente della loro vecchiaia era una cosa normale, ancora si viveva un Dopoguerra che mischiava l'industria alla campagna.

Ora, vedete, la frase più ricorrente nelle classi meno abbienti di quei tempi, e una delle frasi che ho sentito dire fino allo sfinimento nella mia infanzia, è: «Noi non possiamo», «Non ce lo possiamo permettere».

In qualche modo Torino è ancora così, si divide per caste. Se sei figlio di operaio, resti operaio, se sei architetto, musicista, invece ecc.

Ma io non ero evidentemente un bambino come gli altri. Non ero particolarmente socievole e ho cominciato a parlare solo verso i tre anni e poco. Mi piaceva ascoltare e in più mi bloccavo, mi impietrivo, come mi racconta mio fratello maggiore, ma sorridevo davanti alla musica come se fosse tutta lì la felicità.

«Rubavo» la chitarra del mio fratello maggiore, che suonicchiava Jazz per passione e ci giocavo più volentieri che con qualsiasi altro giocattolo.

Quando arrivava il suono di un'orchestra dalle casse della radio o dello stereo, mi incantavo e mi immaginavo in mezzo a quei suoni.

Non vi dico quando vedevo un pianoforte, in cui volevo persino abitare…

E qui arriva la prima fortuna: mio fratello, di dodici anni più grande di me, suonava appunto un po' la chitarra jazz e per me lui era il mio punto di riferimento.

E fu lui a convincere i miei genitori che la musica ce l'avevo nel sangue.

Ovviamente i mezzi e anche il poco entusiasmo nell'accettare questa quasi imposizione di Fabio [*N.d.C.* Il fratello] – ho scoperto dopo che pagava lui l'affitto del pianoforte a casa – fece sì che mi mandarono a quattro anni da una zia acquisita di mio padre, che era diplomata in pianoforte.

La vecchia signora era della fine dell'Ottocento – e non è uno scherzo – e mi prese da lei, ci vissi praticamente i primi due anni. La signora era di una cattiveria tale che se allora detestavo, oggi ringrazio. Il primo anno, o meglio i primi mesi, non mi lasciava mettere le mani sul tanto anelato Steinway mezza coda che aveva a casa, perché prima di poter mettere le mani su quei tasti meravigliosi avrei dovuto imparare a leggere e scrivere la musica.

Così imparai il solfeggio prima delle parole scritte, anche perché non parlavo molto.

E questa è la seconda fortuna, perché per me il solfeggio è ed è sempre stato meraviglioso. Era stato un modo per guadagnare lo sgabello rialzato davanti a quel tesoro.

Continuai gli studi con lei fino anche dopo i dieci anni, quando entrai in Conservatorio.

Quando entrai lì, erano cinque anni che suonavo ed ero musicalmente al quinto anno di pianoforte, anche se con mani piccole, ma con una preparazione di solfeggio da diploma.

Sapevo a memoria ogni esercizio.

Ma qui venni manipolato dalla frase: «Non possiamo permettercelo», e anche da una piccola menzogna dei miei genitori, anche se per loro era per il mio bene indubbiamente. Mi convinsero a rinunciare al pianoforte dicendomi che quell'anno non c'erano posti di pianoforte disponibili e così dovetti scegliere uno strumento con lavoro assicurato: il fagotto.

Dopo neanche sei mesi avevo l'asma, e visto che mi avevano anche limato i denti perché troppo lunghi per la doppia ancia, avevo anche dei seri problemi dentali.

Ora arrivano la terza e la quarta fortuna.

La terza era che la musicalità, che era riconosciuta da tutti gli insegnanti, e il solfeggio così avanzato convinsero il direttore a tenermi cambiando strumento. E la quarta è che, grazie a quei mesi di fagotto, conoscevo le posizioni e le nature

14

di emissione di tutti gli strumenti a doppia ancia e ad ancia (dopo tre mesi avevo già fatto il programma del secondo anno).

Il direttore Ferrari, che era un uomo buono e musicista raffinato, aveva due posti, uno a pianoforte e uno a contrabbasso. Cosa oggi ancora fondamentale nel mio rapporto con l'orchestra in fase di concertazione.

Ovviamente i miei genitori scelsero il contrabbasso e mi convinsero che era la cosa più bella che potesse capitarmi. E in qualche modo lo è stata. Anche se è bene ricordare che, prima di cominciare il corso, mi portarono a casa del professor Serse, allora primo violoncello della Rai, per chiedergli consiglio, il quale dopo avermi esaminato le mani disse: «Non sono adatte a uno strumento ad arco. Dovrebbe continuare il pianoforte».

E infatti continuavo a studiare il pianoforte e a scrivere di nascosto brani per esso.

Ero – e sono – un ragazzino affamato di musica e quindi chiedevo ai miei compagni di insegnarmi i loro strumenti: per esempio prendevo lezioni da Marco di flauto, da Mattia di percussioni, più che altro infarinature. E non solo, la figlia della vecchia zia era una cantante lirica e andavo anche a lezione di canto da lei, per capire la respirazione del canto da applicare allo strumento.

Ah, dimenticavo, suonavo anche il flauto barocco da quando avevo cinque anni. Costava poco.

Ovviamente il contrabbasso non mi bastava e quindi avevo esaurito il repertorio a 13-14 anni e cominciavo a studiare quello per violoncello. Dalle *suites* di Bach – sì, Bach sempre – al concerto di Dvořák per violoncello, fino alle sonate di Beethoven, che trascrivevo mantenendo l'altezza originale per il contrabbasso. E continuavo a sognare di dirigere, cosa che continuavo anche a fare a casa con i dischi e le partiture, imparando il gesto.

E a studiare il pianoforte.

Tra i sedici e i diciassette anni mi diplomo in contrabbasso e prendo l'ottavo di pianoforte, ma era già dall'età di quattordici anni che suonavo e facevo concerti con le orchestre da camera dell'area torinese e vivevo musicalmente con persone, che mi sono vicine ancora adesso, di dieci anni più grandi di me.

In tutto questo è passato anche il periodo di ribellione, in cui per un po' ho suonato anche il basso in una band Mod/Ska. Sempre musica...

A sedici anni debutto come solista perché un signore gentile di nome Rabbath mi sente suonare e mi invita da solista con l'orchestra di Lione e di Brest.

Inizio a lavorare con tanti colleghi e in una tournée della European Community Youth Orchestra incontro un violinista slovacco, Tibor Kováč, che studiava a Vienna e che mi invita a fare concerti lì, avevo diciassette anni. Un'altra fortuna.

Mentre siamo in prova, un giorno mi dice che alla Hochschule insegnava Ludwig Streicher e mi conduce a conoscerlo. Ecco altre fortune in arrivo.

Lo incontro e mi ascolta subito – in realtà era già venuto di nascosto a sentire le prove – e mi dice, senza che glielo chiedessi: «Io ti prendo a studiare qui, ma tu vai a lezione anche dal Maestro Österreicher a direzione e vai da Schoecker a studiare composizione». Primo perché intanto continuavo a scrivere, perché gli studi di armonia li avevo fatti avanzati e a quei tempi mi sentivo un «dodecafonico/zappiano».

Il Maestro Österreicher era un uomo gentile e ironico; quando andai da lui prese una partitura di Beethoven e mi chiese dove erano i movimenti da evidenziare. Glielo dissi, e mi chiese se sapevo come si dava l'attacco della Quinta e improvvisai.

Disse: «Dove hai studiato?».

«A casa» risposi, «con i dischi».

Sì, a casa... sorridendo. Per tutti gli anni di Accademia, quando facevo qualcosa di buono inaspettatamente, diceva sempre: «Ha studiato a casa», e rideva e a volte mi chiamava «il direttore di case».

Il Maestro Streicher mi indirizzò a quegli studi, soprattutto perché, come mi disse lui: «Tu non sei e non sarai mai un contrabbassista. A te non basta». Ovviamente a quell'età ciò che ti diceva un «vecchio» lo prendevi con ribellione, ma intervenne il solito commento della famiglia: «Ma Maestro io non me lo posso permettere. Non ho i mezzi».

La sua risposta fu repentina e basata sul: «Tu pensa a studiare, il resto non è un problema». Anni dopo scoprii che la misteriosa borsa di studio assegnatami era in realtà un pagamento di retta da parte dei miei maestri.

Oggi ho capito che un vero Maestro non è chi ti dice cosa fare, ma chi capisce chi sei e ti indica il tuo cammino.

Per mantenermi agli studi ho avuto la fortuna di lavorare con tutti i gruppi da camera più importanti: da Wiener Kammerorchester a Wiener Residenzorchester, e tanti altri.

Al termine del triennio ho avuto problemi di militare e di famiglia, che non vi sto a raccontare. E sono rientrato in Italia. Di nuovo il «non ce lo possiamo permettere».

E ho lavorato da solista e da camerista facendo tournée in tutto il mondo e con tutte le orchestre maggiori di quel momento: Orchestra da Camera di Mantova, Cameristi Lombardi, Chamber Orchestra of Europe, per dirne alcune, dove ho incontrato per la prima volta Claudio Abbado.

Mi sono dedicato alla musica contemporanea in festival a Parigi, Ircam dove ho conosciuto e lavorato con musicisti straordinari, da Filippini a Gérard Caussé, a Wolfram Christ, da Laura Chislett, Roger Woodward a Rohan de Saram, da Rostropovič a Pretre, da Giulini a Kremer fino a un giovanissimo Fischer o un meno giovane Perahia, ma anche a Bruno Gelber, con cui passai un pomeriggio a Lugano e a cui feci sentire una sonata di Beethoven. Ricordo anche Salvatore Accardo, da cui andai a lezioni di arcate per violino o Angelo Campori, con cui parlavo di gesto e mi metteva alla prova sulla memoria, ma soprattutto John Cage, che avevo incontrato da bambino in Conservatorio e mi aveva difeso da un «cattivo» insegnante. Un episodio che Cage ricordava perfettamente – e John, al di là dell'episodio anche se il caso non esiste, mi sono poi reso conto quanto sia parte delle fondamenta della mia carriera e del mio pensiero musicale.

E questi vi assicuro che sono solo alcuni. Ce ne sono tantissimi altri e tantissimi compositori. Con tutti loro ebbi la fortuna di interagire e non solo musicalmente.

Quando ero in tournée, o lavoravo in orchestra, aiutavo a preparare brani accompagnando al pianoforte chi me lo chiedeva, altre volte per ridere improvvisavo opere al pianoforte.

Intanto scrivevo e sperimentavo col teatro e con la danza. La fame di musica non smette mai, anche perché la musica applicata pagava e lo avevo teorizzato come se fosse l'unica musica utile da scrivere oggi. Una teoria estetico-politica che partiva dal perché scrivere ancora musica dopo Beethoven. La musica è la mia vita. La mia vita è nella musica.

Avevo poco più di venti anni. Inizio anche a lavorare con l'Orchestra della Svizzera Italiana.

Inizio anche a tenere concerti da direttore e solista in ogni parte del mondo, ma ovviamente i soldi non bastano per mantenere anche i miei genitori; inoltre vado a prendere lezioni da Piero Bellugi e partecipo alle lezioni di Celibidache a Saluzzo e a Monaco. E anche quelli comunque sono costi.

Tutto questo fare si interrompe perché vado in crisi: di nuovo il «non ce lo possiamo permettere, non è il tuo destino, i poveri non possono avere carriere, ma devi trovare un posto sicuro» e a venticinque anni vinco il concorso come primo contrabbasso all'Opera di Roma.

Questo darà un tale dolore al mio mentore Streicher, che non mi parlerà più fino a poco prima della morte.

Gli anni in orchestra sono stati una scuola fondamentale per studiare le partiture di opere e sinfonie, perché ho sempre studiato le partiture e non solo la parte che dovevo suonare, per capire le dinamiche interne degli orchestrali, per vedere direttori più o meno bravi e i differenti approcci e metodi.

Mentre lavoro all'Opera di Roma continuo a scrivere musica da camera, per orchestra, mi appassiono alla musica cellulare e faccio ancora concerti come direttore e solista, quando posso. E continuo a studiare il pianoforte.

Nel 1998 incontro Gary Bertini che allora era direttore principale all'Opera. Un giorno mi convoca in camerino e mi dice: «Lei cosa ci fa qui? Si vede che lei è un direttore in nuce». E riparte il solito complesso.

Nel 1999 mi convince a raggiungerlo come assistente a Parigi e mollo tutto, ma purtroppo poco dopo comincerà ad avere problemi di salute e lascerà Parigi e io mi ritrovo con niente... ecco un po' meno di fortuna.

Rientro in Italia e rientro all'Opera di Roma per pochi mesi. Il dado è tratto.

Per sei mesi vado in Australia, a Melbourne, dove dirigo molta musica contemporanea e insegno musica di insieme al Victorian College of the Arts.

Intanto scrivo, scrivo per il teatro e per la danza, per commissioni e per il cinema e nel 2003 un mio quartetto per archi diventa la colonna sonora di un film di successo, che mi porta persino a una segnalazione agli Academy Awards come miglior musica. Per quella colonna sonora incido anche una nuova versione del concerto in Si Bemolle RV 437 di Vivaldi con l'orchestra da camera di Madrid e quell'incisione è annoverata tra le migliori incisioni del concerto nelle Guide all'Ascolto.

Per mantenere me, la mia compagna e aiutare la famiglia, lavoro tanto con la composizione, è un buon modo per mantenerci e continuare a studiare e a fare ciò in cui credo.

Nel 2005 si stacca il primo tendine del pollice e quindi di suonare il contrabbasso non se ne parla più. E sapete cosa? Per me è stata una liberazione. Ed è come se fosse la vita a farmi scegliere quello che non volevo ammettere. Dovevo focalizzarmi, ero pronto a togliere la rete di protezione o di umiltà. Si avverava ciò che aveva detto il mio Maestro.

Comincio a dirigere e scrivere a tempo pieno. Mi sposto a New York dove incontro Philip Glass: perché stavo incidendo con i suoi musicisti il mio quartetto per sassofoni per un film e mi sente suonare il pianoforte.

Ecco una frase che mi ha portato fortuna: «Ma tu sei nato per fare concerti al pianoforte!». E mi invita anche a lavorare da lui per un po'.

Da lì faccio concerti dirigendo e al pianoforte. Fondo un'orchestra d'archi e sperimento e faccio repertorio, approfondisco la musica barocca, fino a quella contemporanea.

Intanto cominciano a chiamarmi come direttore in giro per il mondo, per le mie composizioni e non solo.

Questa non è una biografia sia chiaro.

Sono solo alcune cose che hanno segnato la mia vita musicale.

Sono anni felici e meno felici.

Nel 2006 mi trasferisco definitivamente a Londra come compositore residente per un progetto tra BalletBoyz e Royal Ballet e lì mi fermo, ancora adesso la mia casa è lì; intanto lavoro molto in Australia e in Sud America.

In quegli anni la musica che scrivo diventa tra le più richieste nella danza e nel teatro in tutto il mondo, tra i primi tre nomi insieme a Pärt e Glass.

Tutti i maggiori coreografi come Wheeldon o Liang o Bonachela, da compagnie e da tutti i più importanti teatri del mondo, dalla Royal Opera House al Sydney Theatre, dalla Wiener Staatsoper al San Francisco Opera, al New York City Ballet, richiedono la musica che scrivo.

Tra commissioni e gruppi e solisti che mi chiedono partiture viaggio molto, soprattutto tra Stati Uniti e Australia per questo ma anche in Argentina e Cina e Giappone.

Nel 2010 mi viene offerta anche la direzione stabile dei London Strings, un'orchestra d'archi di grande formazione che voleva ricominciare.

In quell'anno dirigo tanto repertorio diverso, Haydn, Bee-thoven, Čajkovskij e anche molte prime opere, come la prima assoluta di Icarus on the Edge of Time di Glass e intanto lavoro molto anche col Regio di Torino. Divento soggetto di tesi di musicologia, di lettere e persino di architettura, e scrivono un paio di libri sulle mie idee musicali.

Tra la fine del 2010 e l'inizio del 2011 mi diagnosticano la malattia neurodegenerativa con cui convivo e, per non farmi mancare nulla, anche un glioblastoma cerebrale, faccio comunque un'ultima tournée come solista direttore a Sydney e in Australia.

L'ultima cosa che dirigo è la Sesta di Šostakovič, La Primavera, con l'Orchestra Giovanile Australiana, ma i sintomi sono sempre più pesanti.

Vengo operato e inizia il buio. Mesi e mesi di buio, anche fisico. Di perdita del linguaggio e musica... puf! Non c'è più. Ricordo tutto, ma non riesco a connettere. La musica è sparita.

E i trattamenti, prima per la malattia e la chemioterapia per il tumore dopo, distruggono anche molto del mio corpo. Lo cambiano.

Parlo di questa parte della mia vita solo perché ha a che vedere con la musica e il pianoforte.

Ma ecco qual è la fortuna principale: la musica grazie alla disciplina che mi ha insegnato e al fatto che in musica i problemi sono opportunità e grazie alla memoria eidetica e quindi quella di ricordare tutto ciò che avevo suonato (sì, mi ricordo tutto ciò che ho suonato o diretto così come ricordo ogni tipo di lettura o avvenimento o frase sentita, così me la tiro un po' se lo dico) mi ha aiutato a trovare tecniche per reimpostare il linguaggio, per connettere sinapsi in altro modo.

Sono stati tanti passi brevi e dolorosi e il mio amico Relja Lukic, primo violoncello del Teatro Regio di Torino, e il mio amico Giacomo Agazzini, primo violino del Quartetto di Torino, mi hanno aiutato a riprendere a suonare il pianoforte. Passo a passo, nota a nota, partendo dai tanti piano trio che avevo scritto e da Schubert e da Bach.

E quel ricominciare non solo mi ha aiutato a riprendere lucidità e coordinazione. Ma soprattutto mi ha ridato gioia. O meglio, una nuova gioia.

E mi ha aiutato a sentirmi libero come mai, come mi sentivo da bambino. Ogni giorno, ogni volta che poggio le mani sui tasti. Come accadeva dopo il solfeggio.

E quella frase che mi aveva accompagnato, forse anche tormentato, quel «noi non possiamo», mi ha aiutato a farla finalmente svanire.

Anche se è ricomparsa a tratti, per questioni fisiche.

E ha confermato che è proprio così. La musica trascende e ci fa trascendere. Dai nostri difetti come dalle nostre difficoltà.

È stata una vera rinascita, sì l'ho vissuta come una rinascita, ma con la memoria di una vita passata o tante vite passate.

Ed è stata una grande fortuna.

Se me lo chiedono, a oggi rispondo che ho sei anni.

Sono anni – che continuano ancora adesso – dove studio e studio e intanto mi curo, disciplina quotidiana di musica e terapia.

Il pianoforte mi ha riportato a vivere di musica e con la musica.

Ogni sei mesi per circa un mese faccio una terapia, che mi fa fare qualche passo indietro. Ma quando riprendo le forze, ricomincio dal pianoforte. È la prima cosa che faccio. Il pianoforte alla fine è sempre stato il mio strumento.

La mia natura quella del direttore.

Sono un direttore che dirige col pianoforte e scrive della musica insomma.

E da sempre ogni oltre limite. Il minimo è cento. Che sia al pianoforte, con la bacchetta o con la matita. Studiare o suonare in concerto sono la stessa cosa.

Sono la stessa gioia, ricerca, impegno e desiderio di dare. Oggi anche di più. O forse ne sono solo più consapevole anche per via dell'età.

Ho sempre sostenuto che bisogna suonare come se fosse l'ultima volta anche a casa o in prova.

Nel 2013 Mario Brunello, il virtuoso di violoncello italiano, mi scrive una lettera gentile chiedendomi di incontrarmi. Aveva conosciuto la musica che scrivo.

Per un caso fortunato, stava comprando casa a Londra e mi venne a trovare. Da quel pomeriggio insieme è nata una bella collaborazione, ma soprattutto un'altra fortuna.

Avevo scritto una sonata per violoncello e lui mi propose di fare dei concerti a repertorio misto insieme. Ricompare un'altra volta il: «Il mio corpo non è in grado...», ma la sua risposta fu: «Certo che sei in grado, intanto cominciamo a studiare. Poi vedremo». E quella frase è stata davvero un'altra mia fortuna perché è anche grazie a lui se sono tornato a fare concerti.

Nel 2014 riprendo a fare qualche concertino in più da camera soprattutto in duo con lui e la prima apparizione per un brano anche da direttore, come quella per la *Fantasia per Violino e Orchestra* con la London Symphony Orchestra e Sergej Krylov solista.

Nel 2015 dirigo quaranta minuti della mia Quarta sinfonia *Alma Mater* commissionata dall'Università di Bologna, ma capisco che per la direzione mi mancano ancora le forze e perdo anche l'abilità a camminare una settimana dopo, e a settembre del 2015 incido il mio primo disco di solo pianoforte e diventa un caso e persino un disco d'oro con circa 50.000 copie vendute.

Un caso unico visto che finisce nei primi posti delle classifiche pop ed è un disco che contiene Bach, Chopin, Sgambati e Cage e una sonata per pianoforte scritta da me di quarantacinque minuti senza interruzione.

Nel 2016, a febbraio, vado a un famoso programma televisivo per parlare di musica cosiddetta classica e dell'importanza della musica nella vita. Durante il brano che eseguo si collegano 14 milioni di persone e diventa un caso internazionale.

Il giorno dopo parto per Vilnius dove Sergej mi invita a dirigere mezzo concerto con la Lithuanian Chamber Orchestra e suonare al clavicembalo il resto del programma. Per non stancarmi.

E grazie a quella trasmissione faccio tanti concerti e vengo seguito da 100.000 persone in teatri di tutta Italia. Anche persone che non erano mai state a un recital di musica cosiddetta classica vengono a sentire Bach, Chopin, Beethoven, Cage, Debussy e Bosso e ne escono entusiaste, con una media di due standing ovation per concerto.

Ancora di più mi rendo conto di quanto sia fondamentale il ruolo sociale che ho come musicista e il mio ruolo di divulgatore, anche se il termine non mi piace e lo uso per convenzione.

A marzo gli amici della Fenice di Venezia mi chiedono di debuttare l'ottobre seguente con loro – e ri-debuttare con me stesso – insieme a Mendelssohn, la prima sinfonia che ho diretto da studente, Bach e il concerto per violino da me scritto ancora con Krylov solista.

E allora provo a vedere se il mio corpo ce la fa, vista anche l'esperienza bolognese non fortunata.

E ce la fa: e sono anche quattro standing ovation in quel teatro.

Sono rinato anche come direttore.

A dicembre, dopo un concerto importante e di grande successo con il Comunale di Bologna, vengo nominato Direttore Principale Ospite del Teatro Comunale di Bologna.

E questi che metto qui, vi assicuro che sono solo gli avvenimenti salienti di ciò che ho avuto la fortuna di vivere, ci sarebbero tante altre cose sulla mia formazione e carriera. Troppe.

Impegni nel sociale, progetti di ogni tipo e collaborazioni in tanti ambiti.

E questo riguarda solo la parte musicale della mia vita.

Siamo nel 2017 e io mi sveglio ogni giorno e ogni giorno faccio i miei esercizi, le mie routine con la stessa disciplina del 2011, quella che mi ha insegnato la musica. Quando mi alzo mi metto al pianoforte, tutto il repertorio lo riprendo in mano da Bach in poi, fino a che le forze reggono, come sempre studio le partiture orchestrali e scrivo a volte musica, anche se oggi è quello che mi viene più difficile.

Posso suonare solo con il mio pianoforte Steinway, perché viene preparato dal mio amico Giulio Passadori (un'altra fortuna della mia vita) con delle caratteristiche che mi aiutano a suonare. Perché se no mi si «rompono» le dita.

Ma questo è anche un enorme vantaggio musicale, questa preparazione mi ha aiutato a esaltare altre sonorità e dinamiche estreme. E a conoscere più da vicino le meccaniche dello strumento. Sono anche andato a lezione di accordatura e preparazione nel loro laboratorio storico.

E poi, diciamolo, girare col proprio pianoforte mi fa un anche po' supercool, tipo Benedetti Michelangeli in fondo.

Come dice la musica: il problema non esiste, è un'opportunità.

E quindi a ogni concerto partiamo tutti insieme.

Devo al pianoforte anche il fatto di aver salvato la musica nella mia vita e di avermi fatto tornare a vivere CON, PER e DI musica. Di avermi fatto ritornare a fare concerti.

E la musica unita all'amore di chi mi vuole bene, ha salvato questa parte di vita.

E la musica inoltre mi ha aiutato a guadagnare anche ogni passo della mia «carriera» e mi ha regalato una vita bellissima.

Finisse anche domani. Finirebbe col sorriso, lo so perché l'ho già provato.

Ora, tornando alla domanda di quel giornalista, nella storia ci sono sempre stati due tipi di musicisti: quelli che si dedicavano a uno strumento o a una specialità e quelli che si dedicavano alla musica nella sua totalità.

In fondo, tanto per citare i più conosciuti – ovviamente senza paragoni essendo un microbo io – Mozart suonava il clavicembalo, il violino e la viola, scriveva musica e la «dirigeva»; e Beethoven suonava il fortepiano, il violino, scriveva e dirigeva. Mendelssohn suonava il pianoforte, scriveva, dirigeva e cantava in un coro. Suonavano musica da camera e in orchestra all'occorrenza.

E di esempi così ce ne sono tanti, come tante varianti: Toscanini era un violoncellista in orchestra; Giulini un violista; Mehta un contrabbassista; e ci sono virtuosi che diventano – o ci provano – direttori o direttori che scrivono e suonano e scrivono anche colonne sonore come Maazel.

Ditemi quindi, il mio percorso non è accademico o qualcuno ha dimenticato che cosa sia l'accademia nella sua essenza?

Perché a me pare di avere l'accademia in ogni sua forma nella mia vita.

E soprattutto, da quando è diventato un male o una cosa particolare?

Forse dimentichiamo troppo spesso che cosa sia o cosa possa essere la vita di un musicista, di un uomo che ha dedicato la vita alla musica.

Ricordiamo solo la parte più superficiale, quella davanti agli occhi, e usando solo il pregiudizio di un metodo che in realtà nulla ha a che vedere con l'accademia e soprattutto con l'amore per la musica.

Perché poi, se guardo alle vite di tutti quei grandi, non ci vedo tanta differenza con ciò che vi descrivo, e sono conscio del tesoro delle loro esperienze che li fanno ricordare oggi come compositori (e basta...) perché le partiture sono ciò che lasciamo a chi viene dopo di noi.

Bisognerebbe ricordare che nella musica c'è sempre la vita di un essere umano.

E continuo a pensare che l'unica cosa con cui definire un uomo, che vive la musica, sia ciò che fa, come la fa e quando la fa.

Quando scegli la musica è lei che definisce una vita.

Anche perché se mi rileggo, mi sembra di tirarmela. Chi mi conosce bene sa che preferisco parlare di ciò che sto facendo e non di ciò che ho fatto. E preferisco parlare di altro. Per me la musica – e la mia esperienza con essa – è anche una cosa estremamente intima.

Infatti frequento pochi musicisti.

Soprattutto, la musica mi ha insegnato che i curriculum non dimostrano nulla e che alla fine parla (o scrive) solo lei.

Mi chiamo Ezio, nella vita faccio la musica. E sono un uomo fortunato.

E questa è l'unica cosa che vorrei dover dire per parlare di me.

Questo testo è frutto di molte settimane di riflessione e confronto dialettico molto serrato. Ezio non la voleva scrivere, voleva presentarsi in Germania con una biografia «normale» e sintetica, non personale: detestava da sempre l'idea di dover citare maestri, mentori e collaborazioni per consolidare il proprio curriculum, in quanto ha sempre considerato questa prassi come uno svilimento della musica in sé, quindi ogni nome qui citato fu per lui «una forzatura» richiesta da terzi. Ma alla fine le esigenze e le pressioni della discografica tedesca prevalsero e Ezio si rassegnò. Il testo è dunque frutto di mille ripensamenti e rifacimenti, ma anche di una certa tristezza, la ricorrente tristezza di dover scendere a patti con esigenze che non sentiva proprie.

2016

...And the Things That Remain

Testo editato per il booklet
dell'omonimo album.
Ezio Bosso racconta
...And the Things That Remain.
2016

And the Things That Remain è il titolo di un trio per violino, violoncello e pianoforte che ho scritto poco tempo fa. Riguarda quel pensiero, quella domanda che a un certo punto ci facciamo, inevitabilmente: cosa resta di tutto alla fine, cosa resta dopo? Cosa rimane di noi e cosa ci è rimasto?

È un trio che sono ancora pudico a far sentire, perché è nato nel silenzio più assoluto. E in quel silenzio, come al solito, ho posto quelle domande a chi era intorno a me e a chiunque potessi farle. Ho anche iniziato a collezionare fatti degli altri. Ho raccolto e sto ancora raccogliendo parole e persino testimonianze, qualsiasi cosa – anche oggetti – avesse il senso di una risposta per le persone a cui mi rivolgevo: fotografie, poesie, lettere, suoni, pitture. Forse le cose più toccanti sono le vecchie fotografie che ritraggono i genitori e ricordo una frase: «Io derivo da quel sorriso e di loro mi resta lo stesso sorriso».

Ecco, anche questa piccola antologia rappresenta in fondo alcune delle cose che sono rimaste, e anche in questo caso ho chiesto ed ho condiviso con altri le scelte. Cose rimaste, scritte da me e scelte da chi amo, da chi mi segue; sia chiaro, anche qualcosa scelto da me in prima persona: non è che ho lasciato fare tutto ad altri...

Spero sia, così: un piccolo viaggio del tempo di Ezio, in quei dieci anni di vita e di registrazioni. In ogni forma: in orchestra, in quartetto, come direttore organista e come pianista, ovviamente.

Una delle magie della musica è far viaggiare nel tempo, fermarlo, dilatarlo o abbreviarlo. Come il viaggio in un buco nero di un uomo dello spazio. Sarò felice se vi piaceranno queste scelte; ovviamente io avrei incluso più brani ma, insomma, quelli scelti formano già due dischi, mi ha detto la Sony Classical, la mia nuova casa della musica... È questo il primo lavoro insieme e ho deciso di includere anche brani nuovi. Uno è *Uncoditioned, Following A Bird* che credo ormai sia il brano più conosciuto che abbia scritto, ma qui è in una versione nuova e antica allo stesso tempo (sempre quel potere magico e libero): quella per violoncello e pianoforte che derivava da quella per violino. Chissà che non incida anche quella un giorno, così avrete possibilità di scegliere quella che più vi rappresenta.

L'altro brano è un elemento meteorologico che non avevo mai avuto il coraggio di raccontare fino in fondo, forse perché è quello che più spaventa: la grandine, che in inglese si dice *hailstones* e *hailstorm* (è proprio vero, suona tutto più fighetto in inglese...).

È l'elemento più devastante che esista e anche più assurdo,

è davvero il cielo che cade sulla terra, come raccontavano i celti, e nessuno ama quel fenomeno che proviene dai cumulonembi più grandi e imponenti che chiamano anche «nuvole re». Si ha paura della grandine, il suo rumore violento e la sua imponenza vengo accostati dai più a dolori lancinanti e profondi. L'ho finito poche ore prima di cominciare a registrare. Con me, al violoncello, il mio compagno di sempre, il mio «Brate» come ci chiamiamo tra di noi: Relja Lukic. Il suo suono è davvero una delle voci che io non posso descrivere, la sentirete in questo disco. E non potevo non chiedergli di essere con me in questa prima avventura, questo altro "aprir di stanze" nella nuova casa della musica a cui appartengo.

Dove l'abbiamo fatto? Ovviamente nel mio amato Teatro Sociale della mia amata Gualtieri e, questa volta, per esagerare, abbiamo anche ripreso in video le registrazioni, per farvelo visitare ed essere con noi!

Troppa roba? Ma no, in fondo è bello cucinare tanto per chi si ama, e poi funziona così per me, cerco di fare tutto fino all'ultimo respiro, di sorridere, di dare, di provare a fare meglio ed esser meglio.

Neanche a farlo apposta ho scoperto che questa frase è consonante con alcune poesie della nostra Emily (Dickinson).

Eccone una:

Some things that fly there be –
Birds – Hours – the Bumblebee –
Of these no Elegy.

Some things that stay there be–
Grief – Hills – Eternity–
Nor this behooveth me.

There are, that resting, rise.

Can I expound the skies?
How still the Riddle lies!

Mentre scrivo penso ancora, e ancora, a quelle cose che restano, e realizzo che le registrazioni, i dischi, sono proprio una di quelle cose che restano.

È spesso ciò che resta del suono, dell'idea, del tocco e soprattutto di un momento preciso della vita di un musicista.

Sono quelle fotografie...

P.S. Un giorno spero di farvi sentire quel trio opera 100... *And The Things That Remain*. Buon viaggio.

2017

Tutta la mia vita
è stata incentrata sulla musica

Integrale dell'EPK in inglese
per Sony Germania.
Aprile 2017*

Tutta la mia vita è stata incentrata sulla musica: ero così piccolo quando ho iniziato a sentirmi attratto dalla musica, che onestamente non ricordo nemmeno quanti anni avessi. Ma indicativamente sin da quando avevo tre o quattro anni, avevo bisogno di toccare gli strumenti musicali, di avvicinarli, di ascoltare musica. È strano, ma per me era più divertente che giocare con gli altri bambini.
Se ne accorse mio fratello maggiore e fu lui ad andare dai miei genitori a dirgli che secondo lui, io avevo bisogno di musica. Così ho iniziato a studiare e sto ancora studiando. Sin da allora la musica per me è stata lavoro. Ora posso dire che è il

* Traduzione italiana del redattore. EPK è un video promozionale che viene prodotto per ogni uscita discografica importante per introdurre l'artista e il suo lavoro sia agli addetti ai lavori sia al pubblico.

mio lavoro, ma già allora per me era «lavoro», perché studiare musica, fare pratica, lavorare su te stesso tutti i giorni con serietà è lavoro. È il lavoro di tutta la mia vita. E alla fine sono stato così fortunato da trovare lavoro come musicista e questo è il lavoro migliore che tu possa trovare nella tua vita. Il mio primo strumento è stato il pianoforte. Sono passato al contrabbasso per necessità economica della mia famiglia ma sono sempre stato un contrabbassista inusuale: suonavo tutto il repertorio per violoncello e anche qualche Capriccio di Paganini, ma anche in tutto il periodo della mia vita come contrabbassista non ho mai smesso di studiare pianoforte, anche se sono sempre stato oberato di lavoro in orchestra.

La mia prima composizione era orribile ed era una sorta di Élégie per pianoforte. Non so più dove sia, penso da qualche parte a casa dei miei genitori. Avevo al massimo dodici anni o forse meno, e ricordo chiaramente che scrissi tutto il pezzo con una penna rossa. Scrivere musica è sempre stato per me un bisogno. Ho iniziato l'attività concertistica in orchestra e da solista a quindici anni, ciò nonostante comporre è sempre stato parte della mia vita. Nella mia vita non ho mai avuto la percezione che ci fossero confini fra le attività musicali: la musica è musica. E sono stato fortunato a poterla vivere sotto molteplici aspetti: sono stato fortunato a viverla da musicista in orchestra dove ho imparato tante cose, anche se il mio primo mentore mi ha sempre detto che avrei dovuto studiare non solo contrabbasso, ma anche composizione e direzione d'orchestra perché per lui era già evidente che il contrabbasso non mi avrebbe reso felice, perché in realtà io volevo studiare – o meglio suonare – tutti gli strumenti, dal violoncello al violino, ma anche l'oboe. Ovviamente lì per lì, da adolescente, non gli diedi retta, volevo diventare il più grande virtuoso di contrabbasso che ci fosse, anzi della storia, ma col senno di poi è evidente che il mio destino era già lì in quelle parole e in quella intuizione. La verità è che tutto è stato contemporaneo in me, tant'è che alla fine mi sono diplomato anche in pianoforte, anche se non l'ho mai considerato una possibilità di lavoro perché ero, e tuttora sono, un mediocre pianista. Alla fine il concetto è che ho lasciato che la vita mi seguisse e la musica è diventata la mia vita.

Noi siamo ciò che amiamo, noi siamo il risultato dell'amore, perciò quando componiamo, quando creiamo partiamo da ciò che amiamo. Ed è inutile e, a parer mio, anche un po' stupido, pensare di essere il futuro, ma la vera responsabilità di un compositore è di essere il ponte che collega il presente col futuro. Poi io preferisco dire: scrivere musica. E non comporre musica, mi sento uno scrittore di musica.

Comunque, quando scrivi musica per me entri in un flusso di secoli che non si è mai interrotto, nella mia musica c'è tutto ciò che ho ascoltato, suonato, diretto, tutte le partiture che ho studiato. Dopo di che ho la tecnica necessaria per porre tutto ciò sulla carta con la penna, ponendo me stesso nel solco di quella eredità che parte da Bach, da Beethoven, Chopin, Mendelssohn e Cage e colleghi più giovani come Philip Glass, e alla fine sono troppi per nominarli tutti.

A me non piace la gente che dice: «La mia musica», per me la musica è di tutti, perché quando dirigo Beethoven, è di Beethoven, ma è anche di Ezio e dell'orchestra che suona con Ezio e, ugualmente, quando scrivi musica, non sei tu: parte della tua esperienza, della tua vita è nelle note, ma in quelle stesse note ci sono tutte le note che tu hai studiato, sentito, suonato, diretto, quelle che hai amato e quelle che hai odiato, quelle con cui hai combattuto.

La storia che sta dietro *The 12th Room*, che peraltro è il titolo della mia sonata per pianoforte in sol minore, come capita spesso, parte da qualche cosa che ho studiato. Spesso la musica per me è anche una scusa per andare più in profondità su temi che non ho mai studiato se non superficialmente. Ho scritto *Oceans* e così mi sono dedicato per mesi allo studio dell'oceanografia, ho scritto musica sul tema degli elementi climatici e così ho studiato meteorologia. *The 12th Room*

dunque è nato da un'esperienza personale, diciamo non felice: nella mia vita c'è una stanza dove io devo stare periodicamente per un po', è buia, è grande ma è davvero buia, ed è
triste, decisamente spiacevole, non mi piace andare lì, ma la
musica mi ha sempre dimostrato che i problemi non esistono,
i problemi sono opportunità. Allora ho iniziato a studiare l'i-
dea di stanza in tutti i suoi significati. Gli esseri umani sono
buffi, ci scordiamo un sacco di cose meravigliose. L'invenzione della stanza è nata nel momento in cui ci siamo fermati
e da lì sono partito studiando l'etimologia, in inglese la parola *room* significa anche spazio, fare spazio. Sono arrivato al
primo teosofo che se ne è occupato, Madame Blavatsky, che
sosteneva che la base della vita sono 12 stanze, dove nella nostra concezione del tempo, la dodicesima è l'ultima. Helena
Blavatsky dice che una teoria tibetana[1] dimenticata e proibita
sostiene che quando arrivi alla dodicesima stanza sei in grado
di ricordare la tua prima stanza, che è quella che si suppone
noi non si possa mai ricordare in quanto è la nostra nascita o
addirittura la nostra esistenza in grembo a nostra madre. Ma
quando nella dodicesima stanza riesci a ricordare la prima,
Madame Blavatsky dice che allora sei pronto per una rinascita,
una nuova partenza. Poi le stanze sono simboli, e ancora ho
pensato a quanto la musica sia stata influenzata dalle stanze,
penso a Chopin che scrive una delle opere più rivoluziona-
rie per pianoforte, i *Preludi*, mentre ha un problema con una
stanza, cioè non ha una stanza: Chopin è stato un uomo davvero, davvero sfortunato! Quando rimane senza una stanza
in Maiorca, si rifugia in Bach ed è il primo compositore del
suo tempo a riprendere dall'ispirazione del clavicembalo ben
temperato e quindi trova la sua stanza nella stanza musicale
di Bach. E Bach? Bach è il compositore delle stanze, infatti

1 *N.d.C.* La nobile russa filosofa, saggista, occultista, medium e simbolista
   Helena Blavatsky fu la prima donna ad arrivare in Tibet e a importare in
   Occidente le culture mistiche orientali.

parte delle sue *Cantate*, ha una parte chiamata «stanza», dove stanza significa anche canzone, preghiera.

Poi mi piace giocare sul fatto che Bach è famoso per le sue suite e la suite di solito è la stanza migliore di un hotel perciò è perfetto. E anche Cage, per un problema con una stanza in Francia, ha composto questo meraviglioso, meraviglioso pezzo chiamato *In a Landscape*. E quando gli hanno chiesto le ragioni di questo strano componimento, direi un idillio senza spazio ma dove tutto è perfettamente al suo posto, rispose: «Perché mi trovavo in questa buia e brutta stanza e piena di cattivo odore, e ho dovuto immaginare un panorama che mi permettesse di stare lì». Iniziò a misurare gli spazi tra la porta e un quadro, tra il quadro e una lampada, tra la lampada e la finestra, e da questi numeri iniziò questo pezzo incredibile, anche tecnicamente. E anche Sgambati e Rachmaninov sono connessi a stanze. Perciò la storia della musica è piena di stanze che l'hanno influenzata.

Per me Claudio Abbado è stato una luce. Ho avuto la fortuna di essere suo amico e mi sono considerato suo allievo. Da ragazzo sono stato un orchestrale sotto la sua bacchetta, avevo ventidue anni. E tornando al tema dell'amore: quando ami e rispetti il pensiero di qualcuno, cerchi di svilupparlo. Claudio mi ha sempre detto che dovevo cercare di essere parte della musica, perché quando sei parte della musica, non sei solo un uomo con la bacchetta, ma sei in ogni musicista che suona con te, sei il primo violino e l'ultimo violino.

Io, per esempio, lavoro molto con le ultime file, perché sono anche loro i miei ragazzi, perché noi siamo tutti un'unica voce.

In tal senso per me la musica è davvero la mappa verso l'utopia e l'utopia è l'orchestra come società ideale, dove ognuno lavora duro per migliorare se stesso; attenzione: non per diventare il migliore, ma per migliorare, perché quando migliori, anche il tuo compagno, seduto accanto a te, migliora. Poi io credo che per tutti i grandi musicisti il primo punto, parlando di musica, sia ascoltare. Il musicista migliore non è mai quello che suona più forte o più veloce o più preciso, cioè ci vuole anche questo, ma quello migliore rimane quello che sa ascoltare e che si sa modellare su ciò che sente e sul suono comune. Questa è magia, ma con la musica questa impalpabile terra di utopia la puoi toccare, diventa fisica, reale. A me piace lavorare per capire come la musica possa migliorare la società e anche in questo ricordo Abbado. E alla fine mi viene da dire che questa esperienza della musica è così magica, così bella, così unica che bisogna lavorare e lottare perché si continui in questa direzione e non si torni alla musica ostaggio dei Superman, dei tiranni. Perché c'è un solo modo per fare la musica ed è insieme, perché siamo lì insieme, e così è anche la vita: siamo responsabili per i musicisti che suonano con noi, non importa come mettiamo le mani, ce le mettiamo tutti e parimenti siamo responsabili per il musicista mai considerato, il pubblico, perché siamo uniti nella musica. Nel profondo sogno di rincontrare Claudio un giorno e spero che mi dica: «Bravo!».

La mia filosofia è che il repertorio si decide sempre con l'orchestra e la prima domanda che faccio a ogni invito è: «Cosa ti piacerebbe suonare con me? Me lo devi dire tu, come posso aiutare?». L'*Italiana* di Mendelssohn me l'ha proposta l'orchestra della Fenice e da quel punto centrale ho pensato a un programma ideato apposta per completare quella proposta, e ho proposto Bach. Poi mi hanno chiesto una mia composizione e io ho proposto il mio concerto per violino, che mi permetteva di raccontare una storia non narrata, ma che sta lì che aspetta, perché vede in Italia io faccio concerti in cui parlo molto, diciamo da divulgatore. Mi piace raccontare storie alla gente sperando che entrino sempre più dentro alla musica, perché la musica non è solo estetica, la musica parla di noi. E così è nato questo percorso dove Mendelssohn è colui che ha, diciamo, ridato più luce a Bach, che è il padre della musica occidentale, e Bosso porta quel periodo della sua vita in cui a Londra stavo lavorando intensamente con il mio *ensemble* d'archi cercando nuove strade di virtuosismo e anche nuove strade concettuali. Il concerto per violino nasce in quel periodo, nel 2004, ma la versione che ho usato in Fenice, dato che io cambio continuamente le mie composizioni, è diversa: io riscrivo, perfeziono, ripenso continuamente la mia musica, non sono mai soddisfatto fino in fondo. Comunque, in questa versione ultima, nella struttura del finale, prima della coda, ho inserito un piccolo omaggio a quello che viene considerato uno dei più importanti concerti per violino in assoluto, cioè il concerto per violino di Mendelssohn, quel momento meraviglioso in cui il violino inizia la cadenza e l'orchestra attacca il tema; ecco, io ho preso questa idea nell'ultimo movimento, ma quando il violino inizia una sorta di arpeggiato, tutti i temi che hai ascoltato durante il concerto arrivano tutti insieme in una sorta di fuga, e questa fuga crea una nuova melodia, che ricapitola tutti i temi. Questo è il mio omaggio al mio amato Mendelssohn e allo stesso tempo al mio amato Bach.

La differenza tra i musicisti del passato e i musicisti di oggi è che oggi devi confrontarti con la tecnologia: per alcuni questo può essere un problema, ma per altri, tra cui me, è invece un'opportunità per creare una nuova esperienza della musica. Quando registri, il tuo scopo non deve essere perfetto, ma devi pensare a porre l'ascoltatore nella posizione migliore di un concerto virtuale, perciò io vivo a fianco del tecnico del suono a ogni passo, e il mio tecnico del suono di riferimento è il meraviglioso Michael Seberich, con cui condivido i miei pensieri, nota per nota. La verità è che mi diverto molto a registrare musica, ma poi non mi diverto affatto a riascoltarmi, ma mi sforzo, cerco di non essere me stesso, di trascendere me stesso, perché la musica ha bisogno di trascendenza. Alla fine, se il disco è una foto, io non voglio una mia foto perfetta, ma voglio una foto di cui il pubblico, l'ascoltatore possa magicamente sentirsi parte di quella foto, protagonista di quella foto, possa sentirsi dentro quella foto.

Dirigere il pianoforte, suonare con l'orchestra

Intervista a Ezio Bosso
a cura di Andrea Pedrinelli
(critico musicale, autore dell'Orazione civile
Blind Date per Claudio Abbado)
su commissione di Sony Classical.

La musica che accoglie il visitatore del Maestro Ezio Bosso fin dal suo cortile si accorda magnificamente, col sole di oggi. E sentirsi avvolti di note e luce, in fondo, non è che la miglior premessa possibile a quanto il Maestro dirà: passando dalla tastiera del pianoforte al registratore, dalla dimensione dello studio a quella del testimoniarne gli esiti. Nella quiete di un pomeriggio di marzo, Ezio Bosso riflette su direzione d'orchestra, Mendelssohn e Bach, Claudio Abbado e Arturo Toscanini restando sempre, però, al fianco del suo «fratellone», come lo chiama, ovvero al fianco del suo pianoforte: lo strumento della vita cui ha deciso di concedere una pausa, per tornare finalmente al podio dopo sette lunghi anni di assenza dalla direzione d'orchestra. Ché è questa, la faccenda che siamo venuti qui a indagare; è questo, il fulcro dell'interrogatorio cui costringiamo il Maestro. Un caffè, poi lo spartito di Bach viene posato sulle corde del pianoforte e si può iniziare.

Da dove prende le mosse il direttore d'orchestra Ezio Bosso? Quando nasce, esattamente?

Vede, da bambino il mio gioco era «dirigere» i dischi... La prima volta che vidi un'orchestra in azione dev'essere stato a quattro o cinque anni, di certo ero un bambinetto. E credo di aver pensato subito che volevo starci io, al posto di quel signore dai capelli bianchi che si vedeva anche da lontano, che possedeva un'incredibile magia e che faceva notare quali strumenti si prendevano la scena. Se non ricordo male si trattava di un'opera di Prokof'ev.

Nel tempo lei è diventato amico del Maestro Claudio Abbado: nel suo dirigere l'orchestra c'è il portato artistico ed etico di Abbado?

Quello che ha fatto Claudio è stato fondamentale, sia per la mia visione della musica che per la mia vita. Il concetto che la musica si fa soltanto tutti insieme, e che bisogna suonare «con» l'orchestra anziché dirigerla, è decisivo. La musica è un benessere, anzi il centro del benessere dell'essere umano: e per rispettare ciò l'approccio del coinvolgimento e l'idea del dirigere «insieme» sono importantissimi. La generazione di Abbado ha chiarito un principio che reputo fondamentale: il migliore non è chi suona più veloce, chi suona più forte, chi è più preciso; il migliore è chi ascolta di più gli altri, il direttore d'orchestra ha anzitutto la funzione di far esprimere al meglio chi ha intorno. Però io sono anche figlio di John Cage, e quindi con alcuni aspetti del far musica ho un rapporto diverso da quello che poteva avere Claudio. Prenda i silenzi: per Cage il silenzio non esiste, tutto ciò che accade è parte del fenomeno musicale. Perciò io dico sempre agli orchestrali che bisogna ricordarsi di uno strumento in più: lo spazio. La musica non è statica, è ovunque. E anche un respiro o una pausa che si interrompono in modo inatteso possono far scoprire qualcosa di utile al percorso artistico. Ecco, il mio approccio all'interpretazione sul podio è basato pure su questo, sulla parte della musica che non possiamo controllare. I grandi titani del Novecento pretendevano, di controllare tutto: per uno come me, invece, ciò che accade mentre si suona non è mai un problema. Un'opportunità, piuttosto.

Si possono dunque già nel 2017 ipotizzare delle caratteristiche nuove, per il direttore d'orchestra del XXI secolo?

Sicuramente sì. Molto è cambiato. Intanto ci sono conoscenze maggiori, con un maggiore accesso a una babele di possibilità interpretative figlie della musicologia, di ricerche storiche, di studi filologici... Poi è cambiato il pubblico: e penso che il direttore d'orchestra ora debba essere più divulgativo di quanto non potesse essere un Toscanini. Inoltre se anche alla sua epoca si studiavano gli altri direttori, noi oggi possiamo facilmente ascoltare, e spesso pure vedere, in un certo senso, tre secoli di direzione d'orchestra; alla fine dunque abbiamo quasi l'obbligo, di curare meglio il testo che proponiamo dal podio. Poi vi è l'aspetto della tecnica dei musicisti. Chi suonava con Toscanini non aveva la potenzialità dei musicisti di oggi, la loro qualità è cresciuta tantissimo: ciò comporta che se Toscanini doveva imporsi e basare tutto sulla non-fiducia verso gli orchestrali, l'evoluzione del ruolo ha portato al dover imparare a tirar fuori il meglio da loro. Se Toscanini insomma poteva permettersi una visione sua, intoccabile, dello spartito, e un suono diciamo così «garantito», oggi dopo essere passati per Furtwängler, Karajan, Celibidache o Kleiber si è arrivati a non poterci più limitare a un pensiero fermo, per puntare invece su una ricchezza di conoscenze da condividere. E oggi è questo, che credo sia la base di ogni interpretazione.

Quanto conta per l'interpretazione del direttore Bosso il fatto di essere stato egli per primo orchestrale, contrabbassista di diversi organici?

Aiuta tantissimo: per forza. Per me è stata una grande fortuna, oltre che una palestra. Del resto la mia famiglia non aveva grandi mezzi, il contrabbasso permetteva di lavorare. Mi sento ancora un uomo d'orchestra: e lavoro con gli orchestrali dal podio come quando ero nelle loro fila. Peraltro non è una faccenda rara, Toscanini stesso era un violoncellista e Giulini, forse il più bravo a creare musica partendo dalla connessione del suo sguardo con quello dei musicisti, veniva dalla viola. Spesso ci si dimentica che nella storia della direzione d'orchestra il mio non è poi un caso tanto anomalo.

Sicuramente però la sua carriera non è stata classica nel senso stretto del termine. A cosa è stato dovuto il suo percorso tanto lontano dai cliché?

La mia carriera deriva dal vivere, da ciò che mi è accaduto e da ciò che mi era possibile in certi momenti. Lo stesso fatto di essere partito come virtuoso del contrabbasso, come le dicevo, derivò dal verificare che quello era uno strumento che poteva darmi da vivere; la mia famiglia purtroppo era convinta fosse impossibile che io potessi diventare pianista o direttore d'orchestra. Poi ebbi la fortuna di incontrare Streicher che mi fece iscrivere all'Accademia di Vienna, sì, ma imponendomi di seguirvi i corsi di composizione e direzione d'orchestra: «Tu non devi solo suonare, devi scrivere e dirigere». La musica in fondo ce l'ho dentro da sempre, ho imparato a leggerla prima ancora di toccare il pianoforte perché la mia prima insegnante pretendeva così: ed è evidente che io la musica la voglio. Il come sono arrivato a vivere di musica dipende poi da come sono accadute le cose, ma dietro a ogni mia scelta c'è sempre stata l'intenzione di fare la musica che faccio ora. Anche il percorso accademico l'ho dunque vissuto a livello sostanziale, non certo formale: credo che tutto ciò che si fa possa arricchire il pensiero musicale e far crescere il ruolo della persona nella musica, e ci credo perché l'ho sperimentato. Ultimamente sono stato etichettato come pianista *tout court*, ma è stata solo la conseguenza dell'esposizione mediatica di certe apparizioni televisive. Io suono «con» il pianoforte, parafrasando Glenn Gould, non sono un pianista. Il punto è questo: noi musicisti siamo persone che credono nella musica e non viviamo in campane di vetro. Neppure nell'Ottocento i musicisti vivevano chiusi in una scatola. A volte la vita ti porta a fare il primo contrabbasso e così girando il mondo in quel ruolo impari e ti arricchisci dentro.

Ora lei comunque si allontana dal pianoforte per tornare sul podio; l'ultima volta era stato dirigendo Mahler a Ferrara nel 2010, per volontà di Abbado. Cosa si aspetta da questo ritorno alla direzione d'orchestra, e perché un'assenza tanto lunga?

Ovviamente l'assenza è dipesa da questioni meramente fisiche: oggi finalmente il mio corpo mi consente di tornare a quanto per vari anni, oggettivamente, mi è stato impossibile fare. Diciamo che torno a fare ciò che ho dentro, torno a mettermi al servizio della musica nel ruolo che più sento mio. Io sono un direttore d'orchestra che scrive musica e suona il pianoforte. Anzi, tendenzialmente io dirigo pure il pianoforte; e suono «con» l'orchestra, come le dicevo prima. Oggi? Ho voglia di crescere, soprattutto.

C'è differenza tra la ricerca espressiva del Bosso direttore e quella del Bosso pianista?

No, è la stessa. Infatti al pianoforte sperimento anche la ricerca del suono, delle tecniche di tocco, di voci diverse: perché applico allo strumento il pensiero della direzione, che prevale anche quando compongo. E che potrei sintetizzare nella dinamica del partire dal niente per arrivare a ciò che era impensabile, perché non c'è limite nel piano e nel forte, e non c'è limite nella musica. Se sono arrivato al pianoforte è stato proprio partendo dall'interpretazione del direttore d'orchestra, non è accaduto il contrario: la direzione è un fatto centrale anche rispetto all'Ezio che suona e all'Ezio che scrive. Pure quando studio il pianoforte, il mio approccio è legato a quello che c'è dietro le note, la mia espressività pianistica deriva da un pensiero di interpretazione.

Però al piano suona lei e dal podio fa suonare altri: in che modo lei, da direttore, trasmette loro le sue intenzioni musicali?

Tramite competenza, studio… e consapevolezza degli strumenti, il sapere quando faticano e quando esplodono. Parlo di una consapevolezza non solo teorica, beninteso: bisogna anche parlare lo stesso linguaggio in pratica, cosa che si ottiene solo ascoltando. Se ascolto il fagotto, imparo la lingua del fagotto. Vede, da una parte ovviamente c'è una ricerca da direttore: le arcate le metto io sulle partiture, seguendo quanto trovo nelle edizioni filologiche piuttosto che nelle prime edizioni. Le partiture sono dunque le mappe e la mappa va seguita: ma non restandone in balia, a volte si impara anche che la rotta un poco si può muovere. Perché i musicisti, lo ripeto, sono persone: se il primo oboe ha un suono aperto, che senso ha che io pretenda da lui un suono chiuso perché ai tempi di Mendelssohn, a mio avviso, il suono era chiuso? Bisogna sfruttarle, le potenzialità dei musicisti: sempre in un ambito di chiarezza nei loro confronti e pensando che quello che conta di più rimane il braccio. Il tuo gesto già dice al collega dove e come muoversi, l'importante è guardarsi. E ascoltarsi.

Ha citato Mendelssohn. Con quale scopo artistico per il suo ritorno sul podio ha messo in fila appunto Mendelssohn, Bach e il suo Esoconcerto?

La scelta del repertorio è nata rispettando la lezione di Abbado, ma andando al contempo oltre essa, come del resto avevo già fatto con la London Symphony Orchestra prima dei sette anni di pausa. In pratica, ho chiesto all'orchestra su cosa ritenesse utile lavorare con me, per poi proporre loro cosa aggiungere alla loro proposta e perché. L'orchestra ha suggerito l'*Italiana* di Mendelssohn, assente da tempo dal suo repertorio, dicendomi che gli sarebbe piaciuto farla confrontandosi con le mie idee. Dopodiché ho pensato cosa abbinare a quell'opera. Mendelssohn è colui che ha fatto riscoprire Bach e nella sua musica di Bach ce n'è tanto: i suoi filtri fugati sono bachiani, anche certi spostamenti d'accento che danno senso di sbilanciamento lo sono. Così in Mendelssohn io cerco Bach e nel terzo movimento della sinfonia lo faccio sentire molto. Bosso poi è figlio sia di Mendelssohn che di Bach e infatti il mio *Esoconcerto* contiene molte cose relative a loro. Soprattutto vi è un omaggio formale alla cadenza del

Concerto per violino Op. 64 di Mendelssohn, che trasformo in qualcosa di bachiano con l'orchestra che, dopo l'arpeggio del solista, riassume tutti i temi dell'opera, ma in forma a canone e fugata. La musica è una catena...

È soddisfatto di quanto propone in questo album dopo aver riascoltato tutto in studio dove, ci si dice, ha condotto un lavoro molto attento sul suono?

La mia cultura del suono non prevede abbellimenti, ma un avvolgere l'ascoltatore: e fargli vivere l'esperienza che ho avuto io stando nel posto dove si sente al meglio l'orchestra. Il disco deve dunque essere una fotografia dell'istante in cui si è fatta la musica, e per questo ne curo ogni aspetto sonoro dalle prese dei microfoni in poi: ma questionando con i fonici perché non voglio che venga fuori «più bello», voglio che si senta «com'è». E sono sincero: qui a riascoltarmi, cosa che peraltro non amo fare, mi sono stupito e commosso. C'è un gruppo, in questo disco, che suona «insieme». Nel secondo movimento della sinfonia *Italiana* c'è un Saltarello nato in Mendelssohn dalla visione di un funerale a Napoli, in cui io personalmente riconosco che ha assistito al rito della taranta; ebbene, tale carnalità che ho raccontato ai musicisti ora nell'album si sente, come si sentono le eco di tanti aneddoti che ho esposto loro mentre lavoravamo alle opere partendo dalle vite reali degli autori.

Da oggi in poi, quale ritiene sia il ruolo di Ezio Bosso direttore d'orchestra nei confronti di musica e pubblico? C'è un'etica, nel suo far musica?

C'è sempre stata. Essendo una grande fortuna, la musica è anche una grande responsabilità. Si chiede il tempo, agli altri: bisogna restituirglielo in più e non in meno, guadagnato e non perso. Oggi sento che il mio obiettivo deve essere condividere benessere, nel senso di moltiplicarlo. E cercherò di farlo con ogni mezzo possibile, che io torni a «dirigere» un pianoforte o continui a suonare «con» un'orchestra.

La musica ci rende belli

Appunti per una futura intervista per «Visto»
con Stefania Fiorucci,
perché un intellettuale vero parla anche
coi media popolari, anzi, di più.
4 maggio 2017

Infanzia/adolescenza.
Della musica da piccolo credo mi incuriosisse tutto, se parliamo del prima di arrivare a studiarla. Cosa che continuo a fare tuttora. Il suono, com'era possibile che da un oggetto ne venisse fuori tanta magia, la bellezza incomprensibile, la bellezza del gesto nel farlo e di chi lo fa. Sono davvero troppe le cose che mi incuriosivano allora come oggi. Qui vorrei dire che la musica ci rende belli. Io per esempio sono bruttino, ma quando dirigo sembro bellino. E mi sento anche bellino, supero i complessi estetici del mio stato, come dico sempre, trascendo me stesso anche esteticamente. E sono giunto alla conclusione che se un direttore è bello quando dirige, proba-

bilmente è anche bravo e da ascoltare, perché in quella bellezza ottenuta all'abbandono alla musica, alla trascendenza del sé, c'è già un sintomo di approccio corretto. Ma forse è meglio se non lo dico.

Magari racconto che da adolescente taciturno e timido scrivevo poesie, le mie poesie affamate di vita e di amore, piccoli racconti. E giocavo a basket e avrei voluto giocare a rugby, ma non passai i test medici, perché ero asmatico. Ho sempre avuto fame di studio, anche del teatro e della dizione. Così come delle lingue.

La mia adolescenza non è così diversa dalle altre adolescenze. Piena di umori e cuore infranto e brufoli e scarpe sempre troppo strette. L'unica differenza era che allo strumento tutto questo svaniva, allora come oggi, questo non è cambiato. E aiutava a farlo passare più velocemente. Da un altro lato arrivo da una famiglia dove il senso di responsabilità era molto evidente e quindi cercavo di crescere in fretta per aiutare, per portare i soldi a casa.

Ho tanti ricordi dolci: la nonna con cui parlare mentre cucina e chiederle come si fa questo o quello. I baci della buonanotte, il pigiama giallo con i Superman che ero convinto fosse quello per fare i sogni belli. Le storie della guerra del mio papà, che le rendeva buffe e gli occhi di mamma. Il balcone di casa su cui andare a guardare il cielo. Ma ne ho uno che è chiaro anche nei colori tutt'ora ed è mio fratello Fabio che viene a prendermi all'asilo con il suo motorino Ciao appena vinto a un concorso per giovani disegnatori. Era un giorno di primavera e mi fece una sorpresa: una piccola scatola di zolfanelli, di quelle rettangolari con la carta abrasiva ai lati, che dentro conteneva delle minuscole costruzioni di legno.

Le persone che mi hanno fatto crescere come uomo o che mi hanno fatto crescere come musicista, hanno fatto crescere lo stesso uomo-musicista e non si può distinguere tra una crescita e l'altra, che poi nella vita di un musicista sono parte della stessa cosa. Chi incontriamo nel nostro cammino determina anche chi diventiamo, chi siamo. Nel bene e nel male, anche chi ci ha fatto male. Anche chi forse ci ha privato di un pezzo. È parte fondante della vita che conduciamo, L'Incontro. E avere memoria (anche se per me forse è più facile) è fondamentale per riconoscere e riconoscersi. Per capire che anche qualcosa o qualcuno che ci ha ferito in realtà ha avuto un ruolo dentro la nostra esistenza.

La vita all'estero.
Sono curioso, per cui ho sempre preso il tempo di «fuggire» ed esplorare i posti che ho avuto la fortuna di visitare, senza cartine o mappe turistiche, ma cercando di conoscere chi era lì, chi ci viveva. Sono un uomo fortunato che ha viaggiato molto, un po' in ogni dove e arrivando con una ragione precisa, e meravigliosa, la musica. Un lavoro che ti connette subito alle persone che lavorano con te e di cui diventi ospite, e questo mi ha permesso di vedere con occhi più vicini i luoghi e la popolazione. Ancora adesso è così, non cerco la pasta e assaggio il sapore del luogo. Non si capisce un luogo senza sentirne i suoi sapori e profumi dal mio punto di vista. Ho passato anni ovviamente con la valigia in mano e con quei giorni in cui ti svegli in una camera d'albergo e non ricordi dove sei. Ma non smetterò mai di ripeterlo, con la fortuna della musica ovunque andassi quel luogo diveniva casa…

Ascolti adolescenziali.
Ascoltavo di tutto, gli Who, i Jam, canzoni sparse, d'amore o di ribellione. Da ballare o cantare a squarciagola. Ma la grinta continuava (e continua) a darmela una sinfonia di Beethoven o di Mozart, di Mahler e Čajkovskij e dei tanti altri a cui appartengo. Perché alla musica si appartiene. Può piacerci tutta la musica, ma ce n'è sempre una che copre esattamente la nostra essenza e per me sta lì.

Amicizie di oggi e di ieri.
Alcune amicizie rimangono sempre con te, come mio fratello che è amico da sempre o i miei amici Mods di piazza Statuto a Torino e gli Statuto con Oskar da quarantuno anni e da cui torno quando posso (anche se sia chiaro, con gli Statuto ci ho suonato sì e no un anno e mezzo e al quarto concerto mi hanno cacciato per eccesso di note), il mio amico di sempre Nicola di Bologna, vicini dopo quasi trent'anni, e altri incontrati negli anni.

Ispirazione in composizione.
La vita, l'esistenza, il mondo, tutti gli aspetti che lo compongono: dalla luce alle nuvole, dal carbonio ai cartelli stradali. O forse non lo so nemmeno io da dove parto. Non mi ispiro, studio. E non compongo, ma ricordo musica. Ricordo tutta la musica che ho suonato o diretto ed è una grande fortuna, e come dico sempre, a volte ne ricordo alcune che non sono state mai scritte e devo metterle su carta.

Il piacere di dirigere l'orchestra, la gente comune non lo capisce: è il principio della bacchetta magica, immagini di essere seduto nel posto dove si ascolta meglio al mondo e che grazie alla punta di quella bacchetta si scateni ogni forma di suono. Di sentimento, dove il passato incontra il presente e diventa futuro. Dove gli sguardi creano suono. Non è forse proprio magia questa?

La malattia e il Bosso «esempio».
Non mi percepisco come un esempio e non so dire perché alcuni mi ritengono tale. Sono una persona che ascolta e ha sempre cercato di aiutare. Non lo so. Sono un uomo fortunato, la musica mi ha insegnato anche la disciplina e il concetto che in musica i problemi non esistono, ma sono opportunità: per capire, per cambiare qualcosa che non andava. Questo è ciò

che cerco di mettere nei miei giorni. Credo nel sorriso più che negli esempi. Lo ripeto spesso: ricordiamoci di sorridere in giro perché un sorriso magari non cambia la vita, ma cambia un momento. E quel momento può cambiare una giornata. E quella giornata può cambiare la vita di una persona.

Ezio «personaggio».
Ricordate che sono una persona e non un personaggio.

Passioni extramusicali.
Leggere, guardare film e le serie tv, magari scoprendole sul web prima che arrivino confezionate, e cucinare per le persone che amo. Mi piacciono le tavole, mi piace il cibo buono, il rito della tavola imbandita. Ho ancora la mentalità del povero: cucino il triplo di quello che serve perché magari hanno ancora fame o arrivano ospiti in più. Mi piace la cucina di tradizione, non quella fighetta, troppo concettuale o rivisitata.

Dove vive bene la musica.
Il problema non è il Paese dove ma il Paese dove la musica non ha attenzione e questo è proprio l'Italia. La musica manca dai grandi media e questo porta a poca attenzione, manca la pluralità e l'unico pensiero che vedo è ciò che funziona o no. Quando invece la musica è fondamentale per l'esistenza, per essere liberi di scegliere. La musica porta conoscenza e invece soprattutto quella a cui appartengo viene relegata a «Cenerentola». Eppure la richiesta delle persone è chiara, si ha desiderio di più musica e non viene rispettato. Che pena. Basterebbe così poco in fondo. La colonna sonora della mia vita, la musica in sé, quella a cui appartengo e quella a cui appartenere e servire. Se volete, chiamatela Classica, io la chiamo Libera.

Vivo la musica
come una responsabilità

Appunti per I Quaderni
del Teatro La Pergola di Firenze.
5 maggio 2017

La musica.
La musica è una fortuna che ci siamo andati a cercare. Dal mio punto di vista la musica è essenziale nelle vite di ognuno di noi, e ricopre tutte le esigenze della nostra esistenza.

La musica ha una natura maieutica che porta alla conoscenza, più la frequentiamo e più scopriamo, impariamo e siamo liberi. Ci connette con il passato, ci rende presenti l'uno per l'altro e ci insegna il futuro.

Ma soprattutto, come dico sempre, ci insegna la cosa più importante. Ad ascoltare, ad ascoltarci l'un l'altro.

Musica per cinema e balletto.
Vivo la musica come una responsabilità. Qualcosa per cui essere a servizio e onorare. Lo stesso pensiero ce l'ho che stia studiando o suonando per qualcuno. Ce l'ho quando ascolto le esigenze delle orchestre con cui lavoro e ovviamente ascolto e imparo dalle richieste e dalle esigenze anche delle altre arti con cui posso collaborare. Mi metto al loro servizio, o meglio, metto le mie conoscenze al loro servizio. In realtà non cambia molto nel rigore che c'è tra scrittura da concerto o quella da programma. Cambia lo spazio e il tempo in cui esprimere le stesse fondamenta insite nella musica stessa.

La prassi del musicista in azione nel mondo.
Non credo che la prassi cambi da un luogo a un altro, cambiano magari le prime reazioni del pubblico forse, ma infine il percorso diventa comune. Anche se sarò sincero, il concetto: la musica è un linguaggio universale è un luogo comune. E un principio tipico della presunzione della cultura cosiddetta occidentale. È antropologicamente provato che certe musiche possono irritare alcune popolazioni e la percezione del suono è differente in tanti luoghi. Ci sono persino popoli che temono la musica e nella loro cultura non esiste. Ma gli strumenti per rendere più vicino attraverso il suono esistono in ogni dove.
Trovando il suono comune.
Difatti dovremmo parlare di suono più che di musica.
In ogni caso l'unica cosa universale per me è il sorriso.

Claudio Abbado
Associazione Mozart14, Alessandra Abbado.
Claudio è stato ed è un faro acceso. Spesso mi accorgo quanto ancora sia presente in me in qualche modo. Il suo insegnamento e quello che la Mozart14 continua a portare avanti con

dedizione e passione sono basi da cui dovremmo tutti partire. Per essere una società migliore. Perché la musica è un esempio di società migliore e anche questo me lo ha insegnato lui. In Italia si dovrebbe parlare di più di musica e celebrare (e nel suo caso nemmeno quello) di meno, ma ricordare di più persone come Claudio. La mia paura è proprio che vengano dimenticati i suoi insegnamenti in musica.

Beethoven.
È il mio papà dico sempre, in fondo è nato tutto da lui. Lo dico sorridendo ma non troppo. In qualche modo sì, mi rende felice ogni volta che è nei programmi che devo affrontare. Ma in realtà è più nelle basi, nel pensiero. E appunto grazie al suo insegnamento di essere liberi anche da se stessi posso dire tranquillamente che non esiste l'artista preferito. La risposta su Beethoven padre è nata dalla domanda classica e stupida del: «Chi è il tuo musicista preferito?». A cui normalmente rispondo: «È come chiedere a un bambino se vuole più bene alla mamma o al papà. Ecco, posso dire che mio papà è Beethoven».

Essere musicisti.
Cosa sia essere musicisti in generale non lo so, ne conosco tanti arrabbiati e lamentosi. O che si prendono davvero troppo sul serio. Fare la musica – per me – è uno stato di gioia assoluta se si trascende. Essere musicisti può essere tante cose, anche solo un mestiere come un altro.

Direttore d'orchestra.
Essere direttore comporta continui e differenti stati emotivi. La musica è vita ed è vita insieme ad altri. C'è quel momento di terrore che arriva un secondo prima di alzare la bacchetta

alla prima prova, quello del risolvere in uno sguardo e in un gesto un problema insieme a un collega dell'orchestra che ti rende orgoglioso.

E quello del sorriso già nostalgico della chiusa dell'ultimo accordo.

Qui banalmente, così alla spicciolata, gli stati emotivi sono già tre, ma ce ne sono tanti e tanti altri che non so se mi basterebbe un libro solo per elencarli tutti.

Dico sempre che la musica comincia sempre molto prima di quel che pensiamo e finisce molto dopo di quel che pensiamo.

Che l'ultima nota è un nuovo inizio per chi sta intorno ma anche per noi, la musica muta, tramuta e matura e segue la nostra strada e si moltiplica in altre.

Un aneddoto sulle prime esperienze in musica da ragazzino.

Eravamo con i miei genitori in un negozio di spartiti musicali di una prozia paterna.

Un vecchio negozio impolverato e confuso, con le pareti a tiretti, quei cassettini a finestrella da cui uscivano le partiture in orizzontale, e io mi sentivo così bene lì dentro. Poi vidi il primo pianoforte, credo fosse uno Steinway mezza coda. E rimasi impietrito. Come se persino il suono fosse svanito. Ricordo il vuoto intorno a me. Mi portarono via in uno stato catatonico. Ricordo mio padre che mi prende in braccio e io che continuavo a fissare quel pianoforte ancora fuori dalla porta. Ancora oggi ho dentro quel silenzio e quel pianoforte ce l'ho negli occhi. Avevo poco più di tre anni, credo.

And the Things That Remain… *il tempo, le cose che rimangono*
A mio avviso, le cose che restano sono quelle che cerchi. Sono quelle che lasci. Soprattutto che lasci libere di mutare. Non sono oggetti.

La musica ne è esempio ed eccezione perché è un atto d'amore. Le note sono piccoli oggetti che racchiudono tutto, il tempo di una persona, il suo sentimento, persino la società e il tempo che quella persona vive, la sua ricerca e i suoi pensieri.

Quelle note e quei segni che lasciamo e ci hanno lasciato restano per diventare di qualcùn altro, per diventare di chi le suona, di chi le ascolta, di chi le scrive e al tempo stesso connettere i tempi per essere catena di vita. Per ispirare.

Presente che non è passato e ponte libero per il futuro.

Ce lo insegnano Bach, Monteverdi, Beethoven, Mozart, per citarne pochissimi, e tutti coloro che non a caso continuiamo a interpretare, suonare, immaginare.

Tutti quei musicisti a cui continuiamo ad appartenere e a farci appartenere.

Per questo la chiamo musica libera.

E le cose che restano, sicuramente, sono per natura quelle che siamo in grado di rendere libere.

La vita stessa è sempre la prima fonte d'ispirazione

Intervista per lanciare il concerto a Berlino per pianoforte solo presso il Radialsystem.
26 giugno 2017

Ezio non era affatto felice del luogo scelto da Sony Berlino per il suo concerto, in quanto lo sentiva di matrice troppo «trasversale». Per Ezio il mondo di lingua tedesca era il tempio della tradizione cameristica e sinfonica e in quella cornice per lui ideale voleva trovarsi. Nei giorni che precedettero il concerto, si andò in visita alla sala dei Berliner e all'archivio di Stato dove da poco la famiglia Abbado aveva donato tutte le partiture del Maestro.

Ispirazione.
La vita stessa è sempre la prima fonte d'ispirazione, gli incontri, le persone, tutto ciò che fa parte nel bene e nel

male, gli elementi che compongono il mondo e il percorso esistenziale.

E persino i cartelli stradali. È lo studio in realtà la vera ispirazione. Lo studio che parte sempre dalla musica e porta però a qualsiasi argomento, all'approfondimento porta a delle note che inevitabilmente devo mettere su carta. Più che altro ricordo musica non scritta.

Infanzia e musica.
Ho iniziato prestissimo a essere affascinato, irresistibilmente attratto dalla musica.

A quattro anni ero un bambino taciturno e ascoltavo molto più di quanto parlassi.

Quando mio padre ascoltava la musica, io mi mettevo in centro alla stanza e fingevo di dirigerla.

La musica è stato un istinto molto prima di essere una scelta razionale.

I tuoi album preferiti.
Per un musicista è totalmente impossibile scegliere cinque o sei o cento album.

C'è troppa musica essenziale nella mia vita per operare una scelta così restrittiva.

Berlino.
Berlino mi ricorda la mia giovinezza, i tanti periodi trascorsi a Berlino, un amore adolescenziale per cui percorrere chilometri e chilometri, il dualismo con la Vienna in cui studiavo, la gioia che mi ha dato la città e anche il rimpianto di non esserci tornato per così tanto tempo. Ma ora arrivo!
Poi i posti del cuore, in primis la sala dei Berliner, il suo suono speciale e il fascino che ha su di me quest'orchestra.

Mondo senza musica.
Senza musica il mondo sarebbe già finito prima della mia nascita e io non avrei ragione di pormi il problema.

L'ultimo disco che hai comprato.
L'integrale delle *Sinfonie* di Beethoven nell'ultima registrazione di Claudio Abbado coi Berliner credo, ne compro troppa.

Sogni di collaborazioni.
Non sarei sincero e lo dico anche con imbarazzo, ma coi Berliner.

La tua migliore esperienza musicale o da musicista o da spettatore.
L'ultima tournée Abbado-Berliner a Santa Cecilia a Roma. Un'energia oltre l'immaginabile

Tecnologia e ispirazione.
Sono un uomo del mio tempo e uso la tecnologia, ma la tengo relegata nella parte finale del processo creativo, ad aiutarmi nelle parti staccate o a far sentire le mie intenzioni a un solista, a volte uso il sampling per i concerti solistici da intervallare al metronomo. Dunque essa ha un ruolo nelle finiture, ma mai prima, perché credo debba rimanere uno strumento utile, nulla più.

I tuoi amici e il tuo lavoro.
Mio fratello è stato il mio primo sostenitore: senza il suo supporto non sarei mai riuscito a convincere la mia famiglia a studiare la musica. Era una famiglia di estrazione operaia e l'i-

dea di una carriera musicale sembrava ai miei genitori troppo aliena dalle nostre possibilità. Mio fratello invece capì che era la mia strada e che da quella non potevo prescindere. Gli sarò sempre grato. Mia sorella è felice perché mi vuole bene e vede che la musica mi fa bene. Inoltre da qualche anno vive a Berlino e quindi lo è ancora di più, visto che la musica mi porta persino ad andare a casa sua per la prima volta.

Non ho il fisico per un ente lirico

Bologna, Teatro Comunale

Dopo la nomina a Direttore Principale Ospite per iniziativa del Sindaco di Bologna, Presidente della Fondazione Teatro Comunale, Ezio inizia con grande successo di pubblico la sua attività musicale secondo i suoi principi filosofici, a partire dalle prove aperte, non solo quelle del teatro, la cui apertura diventa nel pensiero di Ezio anche un atto di civiltà verso Bologna per il recupero di piazza Verdi, ma aprendo anche la porta di casa sua, ai musicisti, a chi lavora in teatro, insomma a chiunque voglia andare a parlare del futuro, delle idee mai espresse, a chiunque voglia sognare con lui per il teatro un futuro migliore. Questa dislocazione di una parte della nuova fucina del fare, dagli uffici del teatro a una casa privata, nella logica naturale per Ezio del «salotto-fucina», peraltro non nuova in contesti culturali, viene usata come appiglio polemico dall'ampio fronte del risentimento che il successo di Bosso ha sempre generato. Così un numero limitato di musicisti appende nella bacheca del teatro una lettera in cui «si denuncia» tale salotto-fucina, contrario alla prassi; la lettera viene data da una mano anonima ai giornali bolognesi che la pubblicano come «scoop», scatenando una bagarre locale che presto, data la celebrità di Ezio, supera le mura bolognesi.

Il 18 maggio 2017, Ezio, colto di sorpresa e amareggiato dall'eco mediatico di una questione che poteva serenamente essere risolta con un semplice dialogo interno, scrive a tutta la direzione del teatro la seguente e-mail:

Con preghiera e urgenza che venga mandata a tutti i lavoratori e appesa in bacheca.

A proposito della lettera a me pervenuta solo il giorno sedici maggio dopo aver appreso dalla stampa della sua esistenza e a proposito di alcune dichiarazioni di colleghi dell'orchestra ci tengo a precisare quanto segue:

La lettera contiene inesattezze inaccettabili così come le dichiarazioni date alla stampa, ovvero:

1. Non sono mai stati organizzati da me incontri presso la mia abitazione di ordine programmatico o gestionale e tantomeno via sms ma mi sono reso pubblicamente disponibile a incontrare tutti estendendo e chiedendo la partecipazione più larga per parlare insieme del mio ruolo e dei miei programmi.

2. Alla stampa ho dichiarato solo solidarietà, apprezzamento a orchestra e coro e desiderio di coinvolgerli il più possibile in ogni aspetto della vita del teatro condividendo insieme. È evidente che anche

la mia dichiarazione: «l'orchestra e il coro vogliono fare» era solo per favorirvi.

3. La direzione e il sovrintendente erano al corrente di ogni mio incontro, con la dirigenza, come con esponenti dell'amministrazione così come di eventuali sponsor e quant'altro, dando con entusiasmo sia un assenso al pensiero portato sia assenso per ragioni puramente pratiche: come tutti sapete ho problemi di deambulazione e questo semplifica ogni attività. [*N.d.C.* Il Teatro Comunale di Bologna non ha un vero e proprio accesso disabili all'ingresso uffici.]

4. Mi risulta invece che girassero veti via sms all'incontrarmi e se fosse vero questo sarebbe un fatto estremamente grave nei confronti miei e del teatro.

Spero e quindi mi rendo disponibile, per un confronto urgente con tutti i lavoratori, le sigle sindacali, la sovrintendenza e i promotori di questa lettera priva di senso e troppo piena di inesattezze. E avere un confronto aperto per fare chiarezza anche su ciò che sta succedendo e le conseguenze create dandola alla stampa prima di un confronto.

Sempre il 18 maggio invia la seguente dichiarazione ai media bolognesi. Molto provato e preoccupato per le proprie condizioni di salute, Ezio Bosso tiene a precisare:

Un chiarimento a proposito delle notizie apparse sulla stampa cittadina riguardo al mio rapporto con il Comune e la città di Bologna. Confermo il mio impegno a continuare la collaborazione e il lavoro con il sindaco Virginio Merola per la città e la cultura come valore, e sono in piena sintonia con lui. Le sue dichiarazioni di ieri, di cui lo ringrazio, sono importanti e indicano la via per trovare una soluzione che però non può partire da me. I miei progetti a Bologna, come il mio concerto in piazza Maggiore previsto per le giornate del G7 Ambiente, vanno avanti con lo stesso entusiasmo di sempre.

*Per evitare le inutili e sterili polemiche mediatiche, che seguirono questo carteggio, polemiche che peraltro incidevano profondamente sulle sue condizioni psicofisiche, Ezio diede le dimissioni mantenendo solo l'impegno del concerto già pianificato il 5 giugno in piazza Maggiore per la Giornata Mondiale dell'Ambiente, ma purtroppo anche l'enorme successo di una piazza gremita da 12.000 persone in assoluto e composto silenzio, con addirittura una specie di sospensione corale del respiro quando l'*Incompiuta *di Schubert chiuse il programma in un delicatissimo pianissimo, fu di nuovo offuscato da una polemica, sempre mediatica, legata a un incidente accaduto durante le prove in piazza Maggiore.*

Il 7 giugno 2017, Ezio chiedeva che fosse inviato ai media il seguente testo, qui riportato prima delle normalizzazioni di rito:

In merito alle polemiche seguite alla pubblicazione del «Corriere di Bologna» sulle prove del concerto per la Giornata Mondiale dell'Ambiente, il Maestro Ezio Bosso e il suo team di lavoro desiderano fare alcune importanti precisazioni.
Dichiarando «Non ho il fisico per un ente lirico», il Maestro Bosso aveva, con l'ironia che lo contraddistingue, confermato le sue dimissioni dal ruolo di Direttore Principale Ospite del Teatro Comunale di Bologna, dimissioni che oggi riconferma con serenità; la stessa serenità con cui ha voluto sul palco di piazza Maggiore l'orchestra del teatro proprio per uscire da un incarico, ma non dalla sua vicinanza ai lavoratori del teatro e il suo supporto. E con amicizia, distensione e mutuo rispetto.
Le prove erano pubbliche, ergo né Bosso né il suo team di lavoro potevano avere controllo alcuno sulle presenze in piazza

e sulle conseguenze pubbliche della dialettica Direttore-Orchestra, che di solito accade in privato e non ha risalto sui media, se non nell'aneddotica di settore.

Chiunque insinui che l'uscita del «Corriere» sia stata in qualche modo suggerita da Bosso o da membri nel suo team, ignora non solo la filosofia di vita e lavoro del Maestro, ma anche i danni fisici, neurologici, che la tensione di queste polemiche causa a una persona nelle sue condizioni di salute.

Il Maestro Bosso dichiara:

Voglio ringraziare pubblicamente l'Orchestra del Teatro Comunale di Bologna per il concerto straordinario sotto ogni punto di vista ottenuto insieme. Sia dal punto di vista artistico, musicale e di successo popolare. Gli incidenti capitano ma non sono quelli da ricordare. È una regola di vita per me. Bisogna solo ricordare l'eccezionale concerto fatto insieme, la gente felice, la musica che portiamo che dimostra quanto unisce e fa crescere, il divulgare ed entusiasmare migliaia di persone con la musica della nostra tradizione, che è il nostro ruolo.

Solo di questo vorrei si parlasse.

Li ringrazio per la disponibilità che hanno avuto, per i tanti apprezzamenti come musicista dimostrati da loro e la solidarietà reciproca manifestata in un momento dove tutti noi siamo stati malamente interpretati e provati pesantemente da narrazioni non complete, certo può succedere, ma siamo andati oltre e lo abbiamo dimostrato il giorno seguente.

Li ringrazio per la disponibilità a venire tutti e ripeto tutti persino a fare una prova di assestamento non decisa dalla direzione, ma voluta da loro e fuori dall'orario e a titolo gratuito.

Una prestazione che dimostra proprio l'amore per la musica, del lavoro che svolgono e del rispetto e l'amicizia che ci avvicina.

Ringrazio tutti coloro che si sono fermati quella sera ben oltre l'orario per avere un confronto franco e infine disteso nell'arrivare a esprimere solidarietà e rispetto reciproci e chiarire che la prova eliminata non era un problema di desiderio, anzi, e aver avuto finalmente anche chiarimenti su quale fossero le idee e il mio ruolo, ri-conoscendoci (che bella parola) anche vittime della stessa narrazione parziale.

Voglio veramente chiudere questo rapporto nella massima serenità perché sono una persona che davvero non può sopportare fisicamente il peso di questo stress emotivo e che sta portando un esaurimento che ha ripercussioni sul mio corpo. Stress non voluto dall'orchestra e vissuto anche con ansia da loro.

Ho sempre detto e ribadisco che per me il direttore d'orchestra è un lavoro basato su empatia e sintonia, quindi sin dai primi segnali di disagio ho dato le mie dimissioni. E le ho date proprio per non creare problemi o tensioni inutili e dolorose per tutti. Sono entrato per aiutare (e a titolo gratuito) con un progetto a largo respiro e proprio per rivalutare e difendere il lavoro dei miei colleghi.

E non per creare inutili polemiche.

Evidentemente le dimissioni non sono bastate e mi spiace, perché per tanti anni sono stato un orchestrale anch'io e ho il massimo rispetto di una categoria a cui sento di appartenere. Chiunque mi conosca sa quali conseguenze devastanti queste ansie mi provocano e non mi trovo certo nelle condizioni di poter ignorare i consigli dei medici che mi hanno in cura. Parto domani per la tournée europea e italiana, quindi sarò fisicamente lontano dalla città per diverso tempo. Spero dunque che anche questa coincidenza, unita alla conferma delle dimissioni, possa ridare alla città, ai media e in primis al teatro e all'orchestra quella serenità di cui tutti abbiamo bisogno.

Le polemiche in quei mesi durissimi, non furono solo riportate e pubblicamente discusse dai media emiliani e nazionali, ma ebbero anche pesantissime conseguenze sui social, particolarmente su Facebook, dove Ezio fu fatto oggetto di continui attacchi molto pesanti e nella trentennale frequentazione del mondo classico della scrivente, molto al di sotto della linea del decoro e con toni mai sperimentati prima nella normale dialettica del settore. Fu un'esperienza oggettivamente traumatizzante per tutti, inclusa la scrivente, ma per lui così traumatizzante da spingerlo a uscire dalla sua proverbiale riservatezza sulle sue condizioni di salute da parlarne, anzi peggio, da scriverne addirittura in una lettera destinata ai media. Non capitò mai più.

Studio Aperto,
il Zusammenmusizieren

Testo elaborato per la pubblicazione nelle
pagine di cultura del quotidiano «la Repubblica»
come approfondimento del format inventato
da Ezio detto Studio Aperto, poi usato in seguito
per le presentazioni del format fuori Torino
e da Palazzo Barolo.

Un salone barocco meraviglioso pieno di gente, bambini, ragazzi, adulti, anziani. Chi con lo strumento in mano, chi con la curiosità negli occhi. Sguardi preoccupati di un giudizio o espressioni un po' arroganti, ma che sai nascondono la stessa preoccupazione degli altri. Mani che vagano in pianoforti immaginari, voci che si schiariscono e tamponi di oboi e flauti che scoppiettano a vuoto.

Si chiama Studio Aperto, il Zusammenmusizieren [*N.d.C.* "Fare musica insieme" in tedesco] come l'ho intitolato in onore agli ideali di benessere, divulgazione e funzione sociale della musica che ho imparato dal troppo poco compianto Claudio [*N.d.C.* Claudio Abbado]. Un uomo con cui ho avuto la fortuna di condividere musica, idee, sogni e rinascite da un male grazie alla musica. E col quale in qualche modo continuo a condividere l'impegno di divulgare e di far del bene con la musica e perseguire i suoi principi, anche attraverso la mia collaborazione come ambasciatore dell'Associazione Mozart14 presieduta dalla figlia Alessandra.

Ecco, quel salone ne è la prima descrizione, è condividere tutto, ogni errore e ogni passaggio perfetto. Condividere le mani e le orecchie, condividere quelle aspettative che vengono puntualmente deviate verso un percorso diverso. Ma soprattutto sono tutti quegli sguardi a cui non chiedo nulla se non restare ad ascoltare.

In quel salone facciamo lezione insieme, nessuno deve pagare nulla se non l'ingresso al palazzo che ci ospita nel suo salone d'onore e che dà anche l'accesso alla visita guidata di un luogo pieno di bellezza e storia.

E così, dal bambino Marco che suona il suo preludio *Viola* alla giovane professionista che porta la difficilissima sonata di Hindemith per viola; dalla cantante che deve preparare la sua futura Violetta ai due fricchettoni che suonano i pan drums con i pantaloni lilla, passiamo giornate sfiancanti quanto appaganti per me.

Allo Studio Aperto tutti hanno diritto a essere ascoltati senza ordine gerarchico di alcun genere.

«Chi ci vuole mettere le mani?» È la frase che dico per cominciare e che ripeto diverse volte durante la giornata. E da quella frase, prima timide e poi sempre più entusiaste, si sollevano mani.

Allo Studio Aperto non ci sono liste, chi ci mette le mani dice al momento che cosa suonerà e io prima che inizi chiedo se conosce la storia del brano che sta per eseguire.

Perché una delle chiavi per capire cosa si suona è proprio sapere da dove proviene, la sua genesi.

«Dentro una nota c'è tutto il teatro di cui hai bisogno» ho detto una volta a una giovane attrice-cantante che lamentava una difficoltà espressiva, ma che in realtà era semplicemente soffocata da mille gesti che distraevano dall'unica esigenza che aveva: il suono.

E grazie a quel confronto anche io ho imparato qualcosa di importante e ho cominciato a riflettere o meglio a ricordare il valore più profondo delle note.

Quella frase detta in maniera spontanea, mi ha portato a riflettere, a superare anche quella parte che diventa quasi automatica dopo tanti anni di «onorato servizio» e che ti fa andare sicuro nella tua conoscenza, ma che poi ti fa dimenticare qualche pezzo fondamentale della tua esistenza di musicista, dando per scontato il bello a cui tendiamo.

Un po' come quando scrivi un messaggio: è vero che un cuore emoticon e un cuore in parole hanno lo stesso significato in fondo, ma io continuo a leggere nel secondo caso *grazie di cuore* e nel primo *grazie di disegnino di un cuore*.

Ma digressioni telefoniche a parte – così me la sono tirata da giovane ma legato alle tradizioni e difensore della lingua – quel giorno mi sono reso conto o meglio mi sono ricordato, che dentro una singola nota non c'è solo tutto il teatro del mondo, ma c'è tutta la vita. C'è tutta la vita di una persona, perché di questo parliamo e troppo spesso ci dimentichiamo che chi ha scritto quella musica non era un mezzobusto o un ritratto dall'espressione po' trombonesca, ma era una persona. E dentro quella nota – altresì detta «cacarella di mosca» in napoletano – c'è tutta la sua vita, il suo tempo, la storia che lo accompagna, la sua ricerca, i suoi sentimenti, ciò in cui crede e anche le sue fragilità e insicurezze.

Anche se da tempo il mio approccio interpretativo si basa fortemente su una parte di approfondimento storico non solo in senso estetico o filologico, ma anche umano dell'autore in sé – cosa facile in fondo convivo con uno scrittore di musica da quarantacinque anni e non sono mai riuscito a cacciarlo – questo era un tassello che avevo forse un po' trascurato, ma che è fondamentale. In una nota c'è tutto questo e nelle migliaia di note e punti e trattini e cunei che compongono una partitura c'è tutto il percorso. E quando suoniamo, lo liberiamo a noi stessi e a chi ascolta con noi aggiungendo lo stesso ammontare di vita che ha messo chi ha scritto. Per questo abbiamo la responsabilità non solo di rispettare le note suonando impeccabilmente, ma anche di approfondire cercando, studiando ogni aspetto possibile nascosto in quelle note che – come dico sempre ai miei colleghi giovani o meno – compongono quella mappa meravigliosa che è una partitura e questa è una delle tante opportunità che ci dà la musica.

Perché la partitura è una mappa da seguire ma anche da cui alzare gli occhi per godersi il paesaggio e non rischiare di andare a sbattere contro un muro; da imparare a memoria e ripercorrere in ogni istante che ne sentiamo esigenza.

Un'altra magia che si compie, perché la musica ha anche questo potere, fa viaggiare nel tempo e nello spazio, fa vedere senza bisogno di guardare, fa conoscere i luoghi evitando le noiosissime serate di visione di diapositive di un tempo, o dell'imbarazzante «guarda qui» in telefoni sempre troppo piccoli per mostrare abbastanza.

Quello che dico non è una novità, è un dato di fatto, ma che troppo spesso viene trascurato o ignorato persino dai musicisti stessi, che troppo frequentemente si affidano a un approccio puramente formale, da Superman, non considerando gli strumenti da dare all'altro e a mio avviso non considerandolo proprio.

Era ciò che già diceva il «mio babbo» Beethoven che definiva la sua Settima sinfonia – che sto preparando in questi giorni per il mio debutto a Santa Cecilia – proprio la mappa per l'utopia. O che troviamo in Mendelssohn nella Quarta sinfonia – che esce in questi giorni in un album dal vivo registrato alla Fenice di Venezia l'autunno scorso – e che appunto si intitola *Italiana* e nasconde in ogni nota esperienze in Italia, luci romane, colori veneziani, funerali napoletani e riti di tarantolati come in appunti di viaggio o meglio come una mappa aborigena ci indica luoghi in cui «nutrirci» come nelle vie dei canti: gli aborigeni la sanno molto più lunga di noi.

La musica non è (solo) un momento di intrattenimento o di emozione fugace. La musica è un'esigenza, è una magia che noi essere umani ci siamo andati a cercare sostenendo, da presuntuosi quali siamo, di averla inventata. E ogni nota che ci hanno lasciato e che lasciamo scrivendo, contiene tutta quella magia. Chi mi conosce sa che nella musica credo fermamente e che sono convinto che oggi più che mai tutti dovremmo crederci di più, per credere anche in noi stessi, per ricordarci tra le altre cose che siamo belli, solo buffi e ce lo dimentichiamo. Tanti confondono la mia frase sulla musica libera e pensano che significhi «fai un po' quello che ti va, esprimiti come vuoi», ma per me non è così. Io chiamo la musica cosiddetta – impropriamente – classica, «libera» perché è scevra dagli ego, dai pregiudizi, dalle manipolazioni e per osmosi libera tutti coloro che partecipano, perché ogni nota, pur contenendo tutto ciò che dicevo prima, non appartiene più a chi l'ha scritta, ma a tutti, e diventa Ezio o Maria o Claudio quando la interpretano o Maria, Claudio, Ezio quando la ascoltano, o meglio, tutti diventiamo quella musica, vibriamo nella stessa nota.

E le note in qualche modo si legano a tutte le altre note del passato.

La musica libera è una catena infinita di vita che attraversa secoli e confini ed è una delle ragioni per cui dopo centinaia di anni continuiamo ad aver esigenza di Monteverdi, Bach, Beethoven, Mozart o Brahms e tutti gli altri che non sto a citare. Non perché sia solo bella, ma perché le apparteniamo.

Quel vibrare unisoni in due o in migliaia provoca fenomeni fisici e neurologici benefici fino ad arrivare a curare, per la stessa ragione per cui le mucche fanno più latte, i lieviti del vino «lavorano» più felici, i nostri neuroni vanno a riequilibrarsi e le cellule ad agire nel migliore dei modi.

La musica ci rende belli, dico sempre che rende bellino persino me. Ci rende tutti belli nel momento in cui tocchiamo uno strumento o impugniamo la bacchetta – non posso confermare quando prendiamo la matita per scriverla perché non ho elementi, ma se tanto mi dà tanto... Leviga i difetti, ci illumina e anche questo è una magia: fa sparire persino le mie ruote.

Fateci caso, provate a vedere le foto dei musicisti mentre suonano. O a guardarvi quando cantate a casa.

Perché la musica libera è basata sul trascendere, noi non esistiamo ed esistiamo. Le apparteniamo quanto ci appartiene.

Ed è per questo che fare musica è una responsabilità che va oltre il dovere di restituire a chi ascolta il tempo che ci regala. È una responsabilità che passa in ogni nota, in quell'eredità eterna che dobbiamo trasmettere e anche per questo credo che tutto il sapere che ci lega a essa debba essere condiviso, non per fare i fighetti, ma per condividere l'aiuto che ci ha dato nel comprenderla. Raccontare la musica a chi non la conosce rende liberi perché ci avvicina in fenomeno empatico a quella che è un'altra magia della musica: insegnarci ad ascoltare anziché subire.

E che sia negli asili, Conservatori o scuole, negli ospedali o nelle carceri, nelle sale da concerto, in tv o con le cuffie, bisogna divulgarla, cioè renderla di tutti con ogni mezzo possibile, che sia lo Studio Aperto o un concerto in Fenice, in ogni momento c'è la più importante ragione per cui è libera e continua a starci vicino da centinaia e centinaia di anni: perché alla fine di tutto una musica per essere davvero libera entra nella pancia, passa per il cuore e fa muovere la testa.

E quando queste tre cose si muovono insieme diventiamo noi stessi davvero liberi.

Scrivere musica, come dico sempre è un atto d'amore. Chi scrive la musica lo fa per lasciarla a qualcun altro. Un atto di generosità, quello di dedicarsi all'altro ma che come in ogni amore vero non ci annienta. E l'amore è l'unico gesto di coraggio che esista.

Teatro Verdi di Trieste

Si annuncia il nuovo ruolo di Ezio
a direttore stabile residente del Teatro Lirico
Giuseppe Verdi di Trieste.
25 settembre 2017.
Ezio dichiara:

È per me un onore meraviglioso trovare oggi a Trieste la casa ideale per la musica che amo, quella che preferisco definire «libera» e non bloccarla nella definizione di «classica» perché credo che esprima meglio il senso di patrimonio comune attraverso i secoli che essa rappresenta per tutti noi. È stata anche una bellissima sorpresa trovare nel Teatro Verdi di Trieste una squadra di lavoro così preparata, motivata, entusiasta, rigorosa, affiatata, positiva, davvero un gruppo di persone che vuole fare musica insieme al meglio, senza sprechi ma senza intaccare la qualità, primo baluardo di difesa della nostra musica libera contro le difficoltà di questi nostri tempi difficili, che mettono sempre a repentaglio la missione prima dei teatri con compromessi poco rispettosi di chi siamo e soprattutto di ciò che rappresenta nel mondo il repertorio che difendiamo. Insomma, quella famiglia da raggiungere. In una città meravigliosa che respira e fa respirare cultura nella sua accezione più alta e profonda. Con la poesia a cui mi sento affine. A Trieste ho trovato tutto ciò che ho sempre desiderato insomma, ciò che ho cercato, dichiarato e per cui vivo: coerenza ed entusiasmo, un'orchestra e coro pronti anche a migliorare, pur essendo già grandi professionisti reattivi, collaborativi; una dirigenza di spessore e grande preparazione, ma con senso di semplicità, scevra dall'arroganza che troppo spesso incontriamo oggi, ma con quel rigore fondamentale in chi riconosce la responsabilità del proprio ruolo e con il desiderio più importante: quello quotidiano del migliorarsi, coscienti che questo concateni il miglioramento di ogni «compagno di viaggio». E soprattutto rispetto e ascolto dell'altro e vero amore per ciò che fanno. Erano pronti, era tutto perfetto, mi hanno detto che alla loro famiglia mancava solo una bacchetta e mi hanno chiesto di raggiungerli, e io gli ho messo la mia sul tavolo con tutto il cuore, con tutto me stesso.

Spenderò ogni mia energia per dare a questo teatro e alla città tutta il meglio di me, i sogni che ho cullato per anni preparandomi con la meticolosità che chi mi conosce davvero sa essere la mia prima caratteristica come musicista: studio, impegno, nessun risparmio di me stesso di fronte all'obiettivo artistico. Dedicandomi quotidianamente e spendendo tempo insieme al teatro, ai suoi preziosi lavoratori e a Trieste e i suoi cittadini. Città che amo, come ben si sa. Faccio fatica a trovare le parole per dirvi quanto io sia felice e motivato, con quel senso di gratitudine più profondo, quello che non basta dire ma esiste nei gesti, e commosso ma con le lacrime!

Da oggi mi sento di appartenere a un teatro e a una città che ama la cultura e la musica a cui appartengo. E non vedo l'ora che i nostri gesti, il nostro lavoro e soprattutto la musica a cui apparteniamo e che ci appartiene, parlino al posto mio con tutta la forza, l'energia, la poesia, la vita che essa porta con sé attraverso i secoli fino a noi. Da oggi, se volete, chiamatemi pure Mulo Musicante.

A pochi mesi dall'esperienza bruciante di Bologna, Ezio viene chiamato dal Teatro Verdi e l'entusiasmo è alle stelle perché la ricerca di una casa musicale è la vera ricerca del Maestro e lo sarà fino all'ultimo giorno di vita. I rapporti però si complicarono presto, tanto da chiudersi il 28 maggio 2018 con un accordo di riservatezza tra le parti. Il commento più autentico di Ezio uscì, come al solito, in un bruciante Witz autoironico in cui condensava magistralmente sia la sua incapacità psicologica di integrarsi in una routine burocratica sia l'incapacità delle istituzioni musicali di scendere a patti con un approccio diverso da quello irrigidito dalla consuetudine: «Non ho il fisico per un ente lirico. Finirò per scrivermelo su una maglietta».

Trieste
«porto di tutte le possibilità»

Dopo la delusione di Bologna, la nuova «casa»
di Trieste, una nuova avventura.
Testo preparato da Ezio per il quotidiano
«Il Piccolo» in occasione del suo primo
concerto a casa.

Trieste è l'unica città ad avere la sua piazza principale aperta
e per giunta aperta sul mare. Eppure le condizioni meteo di
Trieste suggerirebbero un'architettura più raccolta, ma non qui
a Trieste. La sua piazza aperta ai venti, alle onde, all'approdo
è la metafora da cui vorrei partire per raccontarla in musica
e anche per narrare dei sogni che nutro per quel teatro che
mi ha accolto a braccia aperte e che sta proprio sul mare. E
partirei da un grande musicista di mente e cuore aperti, che
qui ha debuttato e dal repertorio che scelse: Claudio Abbado
che per il suo debutto friulano scelse Čajkovskij, poi Maria
d'Alessandria di Ghedini, scelta coraggiosa a dimostrare che
sentiva il pubblico di Trieste aperto, disposto ad affrontare

sfide culturali impegnative, come il vento che sfida la città. Li conosceva i triestini e aveva capito che non erano pubblico di provincia, ma mitteleuropeo, gente che non si nasconde in un pensiero comodo. Questa poi è una storia di viaggio, famosa per le sue ambientazioni marine e per il suo profumo d'Oriente, un'opera che sa di acqua salata e di viaggi, perfetta per le strade di Trieste così europee, nordiche ma aperte al Mediterraneo. Poi *L'amore delle tre melarance* di Prokofiev, un altro slavo, che a sua volta scelse una favola popolare italiana con libretto russo e francese per il debutto in America. Qui c'è già tutto: la commistione delle culture, il viaggio per mare, l'apertura. Ma io sono Ezio, chiamo Beethoven papà, vivo nel culto di Bach e della sua disciplina fatta di estro, sono stato educato in Austria e mi struggo per i «figli», per il fragile Schubert e per la sensibilità così slava, malinconica, infantile ed entusiasta di Čajkovskij, Dvořák e Bruckner. Gli parlerei di quell'abbraccio con la Mitteleuropa che le montagne non hanno mai ostacolato e di quei legami che nulla ha mai spezzato, di Trieste «porto di tutte le possibilità». Gli direi che in musica si può raccontare l'apertura, la forza, il romanticismo e anche la melancolia di Trieste e, con un filo di immodestia, lo inviterei al mio concerto di domani così: «Stiamo bene insieme sai? Lavoriamo duro per onorare anche te». Questo non sarà un semplice concerto, perché non esistono i semplici concerti e perché noi del teatro – l'orchestra, il coro, le maestranze, la direzione e io – vogliamo inaugurare un nuovo modo di partecipare a teatro. Metteremo tutta la cura e la ricerca della perfezione imprescindibile per chi fa musica. Metteremo quel trascendere l'io singolo, quel sacrificio comune fondamentale per onorare la musica a cui apparteniamo; noi vi porteremo in un programma che è un racconto, a volte di una vita, a volte dei desideri, dei sogni di chi la musica la vive. Ve la racconteremo, ricordando a chi già sa o svelando a chi ancora non sa ciò che studiamo. Saremo partitura insieme. Un modo nuovo. Un concerto a cui partecipare e non solo andare.

Domani partiremo da Piotr e da quell'ouverture di Mozart che cambiò la vita di uno studente di Legge e lo fece diventare uno dei geni della musica. Vi parleremo dei suoi desideri, dei suoi dolori. Grazie alla *Serenata per Archi* attraverseremo il suo cambiamento di uomo e musicista per arrivare al grande mistero che ognuno dovrà vivere, come lo definiva lui stesso: la Sesta sinfonia. L'ultima. Dicono sia un testamento, ma vi assicuro che ogni composizione di chi vive la sua vita per la musica lo è. Come lo è ogni nota. Io vi posso solo anticipare che è tutta la vita, e tutte le vite possibili sono in essa. Se dovessi dare un titolo alla serata di domani sarebbe: «la musica che cambia la vita che cambia la musica». Ma se volete scoprirlo, venite a teatro con noi. Io dirigerò e sarò narratore. Ne parleremo insieme. Darò forse qualche chiave per aprire o ricordare porte. Ma il resto si svelerà solo con ciò che serve davvero: la musica insieme. E in questa lettera ci sono tutti i miei sogni per il mio futuro al Verdi: un teatro aperto come la piazza di Trieste, dove passare e ascoltare una prova anche solo per venti minuti di pausa, dove incontrarsi per caso e scambiarsi un sorriso strappato dall'emozione della musica e sentirsi più ricchi almeno per un momento. So che nell'Italia di oggi, coi mille legacci, è difficile, ma io credo che il lavoro e l'impegno costante ci avvicinino ogni giorno di più all'utopia, nota per nota. Perché dentro i sogni ci sono anche quelli che nemmeno ti accorgi che sono già realizzati, come quello di essere «il direttore di Trieste» come mi chiamano tanti che mi incontrano in giro. Ma soprattutto essere quel lavoratore triestinamente instancabile che è qui per fare sempre meglio insieme ai miei colleghi, di cui vorrei essere fraterno garante, e a tutti voi, perché il Verdi sia sempre certezza di bellezza, trascendenza, orgoglio ed eccellenza dove rifugiarsi. Mi chiamo Ezio, nella vita faccio musica, sono nato due volte, sono un Mulo Musicante, amo Trieste. E quando ami hai voglia di dare senza chiedere, e soprattutto fai sogni che, neanche ti accorgi, ma diventano futuro.

Questo non è (solo) un disco

Testo solo parzialmente editato
per la presentazione dell'album
The Venice Concert.

Questo non è (solo) un disco per me, ma è proprio l'essenza di tutto ciò accade quando faccio la musica. C'è la fortuna di poter vivere la musica. C'è l'essenza della mia fortuna. Come venisse racchiusa in uno scrigno prezioso. C'è dentro ogni sfumatura della magia che è fare quello che faccio.

Forse per questo mi piace come si dice in inglese: *album*. Perché album significa tante cose. Immaginate quell'album di fotografie di un tempo, quello che prendendolo in mano raccontava la storia di un avvenimento, o di una famiglia, o di una persona. Ecco, in fondo capisco meglio perché si debbano chiamare album. Non nella loro accezione più superficiale in quanto mere raccolte di brani. Ma perché racchiudono storia, sentimenti profondi, tempo, luoghi perduti o cambiati e i nostri occhi viaggiano dentro quegli scatti.

Come dico sempre la musica ci dà la possibilità persino di viaggiare nel tempo, di ritrovarci a centinaia di anni di distanza, e in luoghi visti dagli occhi di una donna o di un uomo di quel tempo che li regala a un altro essere umano di oggi. E in qualche modo i dischi, ancora più dei concerti in fondo, ci fanno partecipare al momento in cui quel viaggio viene messo in atto.

E qui c'è proprio tutto. Proprio perché non è (solo) un disco, questo è un concerto, e quindi andare a quel concerto in qualche modo. È un luogo, è una storia composta da tante storie.

Vivo la musica come una responsabilità. Anche la scelta di un programma di concerto per me è parte di quella responsabilità. La responsabilità del tempo di chi mi regala il suo tempo, permettendo alla musica e a me di vivere.

E quindi come ha avuto inizio questa esperienza che avete tra le mani?

È cominciato con degli amici, l'Orchestra Filarmonica della Fenice, che circa un anno prima del concerto che state per ascoltare o state già ascoltando, sono venuti a trovarmi dicendomi: «Vogliamo lavorare con te e faremo di tutto per farlo». Con tanto sforzo e tanta fortuna ci sono riusciti. Anche perché durante quel primo incontro io non sapevo ancora se sarei riuscito a dirigere un programma intero.

Circa sei mesi dopo ci siamo rivisti in un albergo di Mestre e mi hanno detto che erano pronti e io ho risposto che non sapevo se lo ero, ma che sì che lo avrei fatto.

Come sempre, per me è fondamentale chiedere agli altri cosa desiderano fare insieme a me. Chiedo alle orchestre di dirmi in cosa posso essere utile.

E da questo principio in cui vivo, è nata la loro richiesta di fare la Sinfonia n. 4 Op. 90 di Mendelssohn detta *Italiana*, ma anche il desiderio di suonare qualcosa di scritto da me. Allora ci ho pensato e ho controbattuto: va bene facciamo Bach, Bosso e Mendelssohn. Strano connubio, vero?

Invece no perché, vedete, e partendo dalla fine, senza Mendelssohn, Bach sarebbe stato dimenticato, la storia di Bach è una storia di un uomo complesso e meraviglioso che non ha avuto solo quel riconoscimento universale che tutti vediamo oggi. Alla sua morte le sue partiture sono andate perdute, disperse dagli eredi per tante ragioni. Distanza per alcuni, debolezza per altri, mancanza di energia o di archivio quando era in vita e anche un po' di rivalsa di un figlio. Ma Felix amava Bach, era per lui un esempio e un capostipite, esattamente come lo era Beethoven, che per Felix era come un padre musicale. E infatti oltre a suonare, dirigere, comporre musica straordinaria, il nostro Felix cantava anche nell'unico coro che ai suoi tempi cantava ancora Bach: il Bach Chor di Berlino.

Proprio questa sua frequentazione gli ha dato accesso alle partiture de la cantata Passione secondo Matteo che ha ricostruito Mendelssohn stesso e che alla nuova esecuzione fu un successo tale da far cercare Bach a tutti, a fare in modo che le partiture di Bach tornassero in circolazione. Ed ecco una ragione ma ce n'è un'altra che svelerò dopo.

Ora Mendelssohn per Bosso è come un fratello. Per me è un riferimento il suo uso, la sua ricerca di nuovi timbri e il suo rispetto per la forma, ma cambiandola verso nuove essenze, ed è un uomo che ha segnato con convinzione e amore per la musica grandi cambiamenti.

In fondo è lui che traghetta il romanticismo dalle regole ancora classiche.

Mendelssohn si considerava figlio di Beethoven anche con tutto il peso dal doversene distaccare. Una delle critiche che gli venivano mosse di più era: «somigli troppo a Beethoven», e, a volte, quando ti dicono così cominci a frustrarti. Perché tu produci solo ciò che ami, e quando ami un padre prendi i suoi insegnamenti e cerchi di migliorare anche per renderlo orgoglioso.

Anche per questo la musica è un'enorme catena di vita e amore, e chi cerca di spezzarla a mio avviso non ama.

Ora, come molti sanno quando mi chiedono i miei compositori di riferimento dico sempre che è come chiedere se vuoi più bene alla mamma o al papà e aggiungo: comunque mio papà è Beethoven. Non solo, visto che il caso non esiste, questa è stata anche la prima sinfonia che ho diretto durante gli studi.

È una delle sinfonie con cui parlai un anno prima della sua dipartita con un caro amico, Claudio Abbado, che mi raccontava di come gli sarebbe piaciuto rivedere alcune cose.

E qui arriviamo quindi a cosa c'entra *Esoconcerto*.

Esoconcerto è il primo concerto per violino e orchestra che ho scritto ed è basato sui tre principi della creazione e i tre principi del concerto.

Eso è un gioco di parole proprio con il principio di esoterismo, il passaggio alla conoscenza, la passione e i passi che deve sostenere nella forma di mistero, di segreto non svelabile.

In musica e in creazione sono obbligati, proprio per trascendere, e ogni musicista è legato a quel mistero che si tramanda da secoli e secoli. Essendo segreto ovviamente non ve lo posso dire, ma potrete cercarlo, perché ascoltando qualsiasi musica si svelano molte più cose di quelle che si vedono.

Eso è la rappresentazione di un percorso iniziatico. Quello di ogni creatore di arte. Compresa la paura dell'abbandono e della solitudine.

Due cose nascoste ve le dico, però: una è il mio amato Bach e il suo amore per Vivaldi nei concerti per violino, e l'altra è proprio che al suo interno c'è un omaggio a un concerto che ha rivoluzionato la storia dei concerti per violino, il Concerto per violino Op. 64 in mi maggiore di Mendelssohn. Lo troverete alla cadenza... Ma non vi svelo di più.

Ecco che, come per magia, l'ultimo arrivato fa da ponte per gli altri due. E in fondo è così, perché noi che mettiamo le mani, noi interpreti, siamo soprattutto ponti; del ieri con l'oggi e con il domani.

Ma vi ho citato Vivaldi e l'amore di Bach per esso e qui arriviamo a un altro perché. Vivaldi era di Venezia e Bach ne era così appassionato che lo prendeva come modello, trascriveva persino i suoi concerti e brani, così ho scelto il terzo brandeburghese che è considerato uno dei più vivaldiani. Con i miei amici dell'orchestra ho lavorato a un suono che legasse l'antico alla modernità degli strumenti che usavamo, abbiamo utilizzato il più possibile il rispetto delle sonorità e del tipo di arcate, dei suoi tempi, mantenuto quel senso di ricerca sperimentale presente in questi concerti e cercato quell'entusiasmo, quelle dinamiche di direzione e di tradizione. In fondo, in modo iconoclastico, sembra quasi rock and roll se parlassi di avvenimenti accaduti trecento anni dopo. Per fare un esempio, Bach ispirato dal modo di Vivaldi li scriveva quasi suonando direttamente con i suoi musicisti. Come una band.

Un'altra piccola curiosità: questo concerto non ha un adagio, solo una cadenza di due accordi e Bach stesso dice che tra quei due accordi si poteva eseguire l'adagio di un altro concerto o improvvisare una cadenza articolata. Capite quando dico che la musica impropriamente chiamata classica è libera?

Ebbene qui c'è un altro piccolo aneddoto divertente sulla passione di Bach per Vivaldi.

Come vi ho detto, trascriveva tante cose del Veneziano al punto che trascrisse per organo un adagio famosissimo, allora come oggi, un adagio di un concerto per oboe, ma sì dai, quello di *Anonimo Veneziano*! Peccato che Bach si fosse confuso e quel concerto non fosse di Vivaldi ma di Alessandro Marcello!

Allora ho deciso di fare un'improvvisazione sulla trascrizione bachiana come cadenza dell'adagio. Per onorare la città che mi ospitava ma anche per sorridere, per pensare a Bach e a quanto volesse essere veneziano.

Quanta Venezia... essendo tra l'altro Bosso diplomato a Venezia poi...

E insomma arriviamo a quanto l'Italia abbia influenzato

capolavori oltre ad averne prodotti. La sinfonia *Italiana* è proprio una visione dell'Italia. I suoi quattro movimenti sono proprio descrizioni del viaggio di Felix in Italia.

Bisogna anche sapere che Mendelssohn era anche un acquerellista dotato, e molta della sua musica è legata a ciò che vedeva. Nel 1829 Mendelssohn e sua moglie partono per quello che veniva chiamato il Gran Tour, una moda lanciata da Goethe, in parole povere il più grande intellettuale dei tempi. Non si era artisti completi se non si visitava l'Italia a parer di Goethe. Venezia, Firenze, Roma, Napoli, le città principali. Ed ecco che, durante questo viaggio, il nostro scrive questa sinfonia che verrà poi eseguita nel 1833 a Londra (dove vive Bosso, tra l'altro... mi perseguitano!).

Il mio principio di interpretazione è questo, come dico sempre ai miei colleghi o ai ragazzi che studiano con me: le note sono l'ultimo gesto di un uomo, del tempo che vive e delle sue tradizioni musicali, della sua ricerca, ma anche della sua esperienza e dei suoi sentimenti. Per noi interpreti quelle note sono il primo gesto per far incontrare quell'uomo a chi ci ascolta. Siamo il tramite. Per questo, oltre al pensiero musicale, bisogna cercare il tempo, le idee e anche le esperienze. Studiare la storia per capire la partitura, studiare gli strumenti, come funzionavano a quel tempo per farli viaggiare con quelli di oggi, studiare le tradizioni e cercare ogni indicazione possibile lasciata dal compositore.

Studiare la musica è un'opportunità per studiare tutto.

E con Mendelssohn e questa sinfonia è persino facile. Tra le lettere che scrive alla sorella, i suoi appunti e le sue idee in genere, egli ci indica i sentieri da seguire nella partitura. Ed ecco che il primo movimento lui stesso lo definisce «l'impatto con la luce d'Italia», e la sua frenesia e gioia e complessità, dal timore pregiudiziale alla gioia del vivere di un uomo tedesco che vede i colori dell'Italia (azzarderei) Roma non ancora capitale. O il chiaro-scuro in quel capolavoro di dolore e speranza che è l'*Andante con moto*, dove egli stesso racconta di aver assistito con stupore a un funerale a Napoli e di come lo impressionasse quel cupo nero di tutti, della carrozza e dei cavalli e quel dolore delle comari che poi lasciava spazio a quella luce immensa e a quella speranza di vita che vedeva intorno. E mentre è a Venezia racconta di questa poesia sulle fate di Goethe proprio scritta a Venezia e da cui prende spunto (checché ne dicano i detrattori, definendolo solo un esercizio di stile mozartiano) per l'ambiente magico che tanto ricorda il *Sogno di una notte di mezza estate* nel minuetto, il terzo tempo. Per andare di nuovo al Sud dove assiste al rito dei tarantolati e quell'esperienza lo segna, quel passaggio violento che sfocia in convulsioni e grida, quella spiritualità così carnale e legata alla terra che finisce in liberazione. Immaginate cosa dovesse essere per un uomo dell'Ottocento assistere a qualcosa del genere. E si crea il Saltarello, che distingue nel titolo dalla tarantella forse anche un po' per questo essendoci già la tarantella di Ricci o quella di Rossini che sono brani leggeri e allegretti.

Ecco, anche tutto questo è dentro quelle note, perché fa parte del mio studiare. Del nostro studiare e mi piace esaltare anche le «storie» che incontro studiando.

È in parte dentro le scelte di una velocità o di un far sentire una voce più di un'altra o di un accento segnato dall'autore.

Ma la musica è appunto esoterica e comprende troppe cose da dover descrivere. Alla fine c'è solo lei. E pur avendo in sé sempre una storia, è essa stessa la storia più bella, perché è quella che non puoi raccontare. Puoi solo indicare il cammino. Essere il cantore di una mappa, un po' come le vie dei canti degli aborigeni australiani.

Ci sono più cose in cielo e in terra che in tutta la tua filosofia, come dice il buon Orazio ad Amleto.

Insomma, questo non è (solo) un disco, ma un racconto, un viaggio, uno spazio in cui entrare e un concerto cui andare.

L'idea anche di suono che troverete qui, non è solo ascoltare ma partecipare, è un po' una filosofia che accompagna tutte le registrazioni che faccio e proprio per questo con il mio amico Michael Seberich, l'ingegnere del suono, abbiamo lavorato con cura a ogni dettaglio sulla verità del suono, del momento, cercando di ottenere quel suono che se lo metti a tutto volume ti senti parte dell'orchestra, dello spazio, di chi era lì, e della storia nella storia di quell'istante.

Perché, da quando esistono, le registrazioni penso siano, soprattutto per chi la fa, un'opportunità, un modo per continuare a far musica e a crescere. Dove puoi respirare insieme anche da casa e portare il respiro in quel momento passato che diventa il tuo oggi. Il tempo a portata di mano... La musica è vita e dà vita, e farò sempre di tutto per farla vivere.

E curare una registrazione è come risuonare e dirigere e fare autocritica e conoscersi ancora più a fondo.

Perché la musica è una fortuna che va condivisa.

Perché appunto è un'opportunità infinita. La bellezza che genera bellezza. La conoscenza che genera conoscenza e rende liberi.

Ecco perché questo non è (solo) un disco. Perché contiene troppe cose: la passione di settanta persone e di un solista meraviglioso come il mio amico Sergej [*N.d.C.* Krylov], e la storia di ognuno di noi.

E c'è il Seicento e l'Ottocento e il 2004 e poi il 2016 e il 22 ottobre.

E perché per me ogni volta che suono è una rinascita, ma in questo caso è davvero un nascere di nuovo in tanti aspetti. Perché quel giorno ce l'ho fatta, grazie a tutti i miei compagni di viaggio. Perché mi sono sentito come quel volatile mitologico.

Perché c'è la musica da cui provengo e quella che ha generato e perché quando si rinasce c'è tanto da scoprire. Non a caso tutto ciò avviene in quel teatro che ha proprio il nome adatto.

Questo è un album magico, che racconta tutto questo e altro ancora:

La musica ha il potere di far rinascere una musica ogni volta che viene suonata. E questo oggetto ogni volta che verrà usato ha il potere di far rinascere tutto questo.

Forse sarebbe meglio chiamarla semplicemente magia...

Benvenuti al teatro più bello del mondo che non a caso si chiama: La Fenice.

STRADIVARIfestival
Chamber Orchestra

Il primo virgolettato nel primo comunicato stampa sulla nascita della sua prima formazione, allora STRADIVARIfestival Chamber Orchestra, poi EPO.
29 agosto 2017

È un progetto che nasce per lo STRADIVARIfestival *sotto la supervisione di Ezio Bosso, al fine di creare un gruppo orchestrale d'archi da portare al debutto nell'ambito della prestigiosa rassegna intitolata al più grande liutaio della storia.*
L'ensemble raccoglie musicisti provenienti dalle migliori orchestre e compagini cameristiche italiane ed europee, capace di spaziare con disinvoltura nei repertori, negli stili e nel tempo, appunto: «da Bach a Bosso». Un gruppo nato con una vocazione per la musica come arte trascendente attraverso un'approfondita ricerca, rigore e meticoloso studio. Ma anche del profondo senso di appartenenza, del coinvolgimento, del sacrificio, dell'amore per la condivisione, dell'amicizia e della divulgazione.

Caratteristiche di quel principio ormai noto e così caro al Maestro: quello del «fare musica insieme». L'unica vera strada per arrivare alla musica come gesto liberatorio, di crescita sociale e individuale, di abbattimento delle barriere di ogni tipo, fondamentale per l'esistenza umana e per la musica stessa.

La musica ci rende fratelli, è ciò che provo per ogni musicista con cui abbia avuto la fortuna di collaborare, ma è anche ciò che penso ogni volta che la condividiamo. Che «si mettano le mani» o no. È una delle tante magie che crea. In quel tempo che trascende ogni tempo.

«Fratello» ha un'origine meravigliosa; deriva dal sanscrito *bhar*, «nutrirsi insieme, sostenersi».

Grazie allo STRADIVARIfestival sono felice di presentarvi alcuni dei fratelli incontrati nella mia fortunata vita, alcuni sono con me praticamente da sempre, altri li ho incontrati un po' per volta. E i fratelli sognano insieme, perché anche il sogno è un nutrimento fondamentale.

Da Bach a Bosso

Virgolettato per concerto
al Centro Arti e Scienze Golinelli,
ottobre 2017

«Da Bach a Bosso: una costante di tutta la mia esperienza musicale, il padre di ogni musicista che attraverso i secoli dialoga quotidianamente con tutti noi, fonte d'ispirazione continua per chiunque faccia musica, l'artista in cui vi è in nuce tutto il pensiero musicale, nonché primo compositore che chiarisce inequivocabilmente le relazioni strettissime tra musica e matematica, anch'essa a sua volta madre di ogni scienza, fondamento ineludibile dei progressi tecnologici contemporanei. Bach è da sempre pietra fondante del mio lavoro e questo happening sarà un nuovo capitolo di un lunghissimo dialogo che non finisce mai di riservare sorprese a me e al mio pubblico.»

La fama
è una forma di solitudine

Intervista con Stefano Bisacchi
per il sito Connessiallopera.
27 ottobre 2017

Siamo qui all'inizio della nuova esperienza a Trieste dopo i fatti di Bologna: una nuova casa esattamente di fronte al Teatro Verdi, una nuova casa per la musica nel teatro stesso, la speranza di mettere radici e poter lavorare con tranquillità e continuità, coltivando le proprie idee e consolidando un rapporto con il pubblico della città.

Il concerto inaugurale della Stagione sinfonica del Teatro Verdi di Trieste, tenutosi lo scorso 10 settembre, ha visto trionfare il Maestro Ezio Bosso in veste di direttore e pianista con un programma dedicato a Beethoven e a musiche dello stesso Bosso. Pochi giorni dopo, la notizia della nomina del medesimo al ruolo di direttore stabile e residente, pure accolta con entusiasmo tanto dal pubblico che dal teatro, ha riacceso le sediziose voci che gli si levano intorno da qualche tempo. Forse perché arrivava dopo l'*affaire* di Bologna o forse perché si parla di un musicista il cui nome è oggi popolarissimo, ma di cui, verrebbe da dire, si conosce ancora poco al di fuori dei circuiti strettamente musicali. Infatti, quanto più l'onda emozionale generata dalla partecipazione di Bosso al Festival di Sanremo faceva circolare il suo nome, tanto maggiormente il musicista sembrava venire sommerso da pregiudizi e incomprensioni. Questa dicotomia tra la sua storia, il suo curriculum – e il personaggio, come viene percepito – è stato il punto da cui ho voluto partire nell'intervistarlo, pur sapendo che le domande rischiavano di essere sgradite, e io con esse. Tre parole fanno da *leitmotiv* dell'incontro: Memoria, Pregiudizio, Curiosità. Sintetizzano l'etica musicale di Ezio Bosso e la dimensione sociale dell'artista e dell'uomo.

Maestro, come convivono in lei il personaggio mediatico esploso dopo la sua partecipazione al Festival di Sanremo e il musicista che c'è dietro quel personaggio?

Sanremo è stata l'occasione per presentare quello che avevo fatto in quarantadue anni, un appuntamento fra un concerto e l'altro. Riempivo i teatri anche prima di stare male. Ho vissuto in Inghilterra tanti anni e questa apparizione al Festival l'ho fatta per spirito di servizio nei confronti della musica, a cui dedico tutto me stesso.

Ma quell'appuntamento ha scatenato reazioni accese.

«La fama è una forma di solitudine» diceva Márquez. La popolarità nel nostro Paese è una colpa. È principalmente un problema sociologico, tutto italiano. Il concetto che abbiamo di popolarità è oggi legato al vacuo. Da noi, più che altrove, non c'è memoria. Finché i detrattori sono persone semplici, mi passi il termine, la cosa può essere comprensibile, ma quando a esserlo è chi ha gli strumenti e la cultura per giudicare, non è ammissibile. I detrattori sono coloro che hanno dimenticato.

Lei sente di parlare a due pubblici diversi: quello che frequenta il teatro e quello che la conosce attraverso i media?

Io cerco di avere un linguaggio aperto a tutte le persone. Non credo ci siano due pubblici. Quando una persona decide di maltrattare un'altra per quello che pensa, non può dire di essere più colta di una che si accosta a Beethoven per la prima volta.

Ma quanto è importante la cultura musicale nella fruizione della musica, in particolare di quella classica o cosiddetta «colta»?

Ci sono gli idioti della classica e gli idioti della musica leggera. Idiota in senso etimologico, dal greco ἰδιώτης. Quindi persone chiuse in sé. Quando un esperto parla di un programma che prevede l'esecuzione di Beethoven, ma di quel programma vede solo che sia stato eseguito anche Bosso, è una persona che dimostra di non capire, di avere dimenticato. Bisogna essere curiosi.

Qual è il livello della cultura musicale in Italia?

Il pubblico italiano è un pubblico misto, come tutti i pubblici, ma abbiamo meno accesso alla musica rispetto ad altri, se guardiamo ai media. A giugno, ero sul primo canale della televisione lituana in prima serata, con un celebre soprano e si parlava di musica. Questo è un modo per educare o, meglio, rieducare il pubblico. Non c'è una cultura musicale diffusa. Oggi la televisione non lascia entrare nei palinsesti il repertorio cosiddetto classico. La poca attitudine scolastica è un'altra parte importante di questa colpa.

Lei ha lavorato con grandi orchestre e solisti, affrontando autori che spaziano da Bach ad Arvo Pärt, Schubert e Puccini. Mi pare tuttavia di avere colto una certa confusione – parlo sempre dei commenti del pubblico che frequenta i social – nel collocare la sua musica e lei come musicista, fra classica e pop. È una mia impressione o crede sia effettivamente così?

Oggi abbiamo mancanza di curiosità, è un fatto endemico e diffuso. Anche relegare la musica ai supereroi e non alle persone è una parte di questo aspetto. Bisogna conoscere di più. Anche per chi fa musica l'applauso finale non deve bastare. Deve essere anzi lo sprone per aprirsi a un nuovo mondo, a migliorarsi. Chi fa musica è un operatore culturale. La musica è memoria per natura. Il suono è la nostra prima memoria a partire dal grembo materno. La musica cosiddetta classica, che è la più suggestiva, è quella più potente di tutte. Se ascoltassimo di più, certe incomprensioni non ci sarebbero.

Viene frequentemente citata la sua esperienza con gli Statuto.

La mia partecipazione agli Statuto è un episodio da chiarire. Ci sono stato un anno e mi hanno cacciato per eccesso di note. Sono stato anch'io un teenager, mi piaceva e mi piacciono il rock, la cultura giovanile. Ma la musica esiste solo in due modi: credendoci o non credendoci. Anche gli Who facevano musica seriamente provando e studiando otto ore al giorno. I generi sono relativi: sono diversi sistemi. Tutti i popoli al mondo hanno musica e un sistema proprio, solo un popolo al mondo non ha una sua forma musicale: in Micronesia.

L'eclettismo è una componente della contemporaneità?

Ciò che oggi è contemporaneo, domani è storia. Oggi noi abbiamo snaturato la musica. È un pensiero post nazista, un pensiero adorniano male interpretato. L'eclettismo non esiste. Esiste la storia. Quando Mendelssohn presenta per la prima volta l'*Italiana* a Londra, esegue anche Rossini, Bach e poi Mendelssohn. Siamo nel 1833 e cosa fa dunque? Dirige e scrive. Esegue la musica già esistente e quella nuova, la sua. Anomalo, per me, è volere essere una cosa soltanto, non il fatto di volere provare. Anomalo è chiudersi in un preconcetto e non sperimentare.

Come vive dunque lei il personaggio Bosso e il mondo dei media?

La parola personaggio la detesto. I personaggi sono nei fumetti. Io sono una persona e un musicista. Il fenomeno di FB è di una violenza inaudita e mi ha fatto anche male. Il pregiudizio inoltre è sempre controproducente, sia quando è positivo perché crea aspettative che magari non vengono poi attese, sia quando è negativo. La funzione della musica è di eliminare il pregiudizio. Jung diceva che la rabbia deve trasformarsi in creatività. Beethoven è stato sepolto dai pregiudizi ma li ha convogliati in creatività e ha liberato tutti i musicisti, letteralmente. Prima vivevano come schiavi.

Parliamo del musicista dunque. Il suo catalogo di compositore è molto vasto e vario. Lei ha scritto per il teatro e il cinema. C'è differenza nel linguaggio?

Agli albori del cinema tutti, a parte forse Puccini, volevano fare il cinema. Il cinema veniva considerato una nuova forma di opera. Scrivere per il cinema è come scrivere per la danza: i ritmi, le forme, gli schemi sono quelli. Ma comporre è comporre. Bisogna inventare nuove sonorità usando quello che già esiste. Sostenere che esistono compositori che fanno solo una cosa è antimusicale. Fare cose e generi diversi è una necessità, un mettersi alla prova. Pensiamo del resto a quanto Maazel ha scritto per il cinema e pensiamo a Stravinskij che ha scritto tantissimo per il balletto ma la sua musica è diventata poi più famosa dei balletti di Fokine e Nijinsky.

Il compositore cerca se stesso e si mette alla prova sperimentando. Non bisogna creare pregiudizi su se stessi. Per questo io parlo di musica libera piuttosto che di musica classica. Ti costringe a essere ponte fra passato e futuro, a liberarti da te stesso.

La nostra è una società che ha bisogno di definire e non ti permette di essere te stesso.

Come vede oggi il rapporto fra pubblico e teatro, quello d'opera in particolare?

Mi piace la definizione inglese che trovo poeticissima: *Opera House.*

Il mondo è cambiato molto e i teatri oggi devono essere Case della Musica, per educare. I teatri più piccoli oggi possono essere più importanti di quelli grandi assumendo un ruolo diverso, andando oltre l'opera stessa.

Nell'opera tutto è musica, anche chi sposta la sedia fa musica e tutto e tutti aprono le porte a un sogno. È una macchina complessa fatta di tante persone.

La vera magia sta in quello che c'è dietro alla facciata. La battaglia oggi è fare vedere che nulla è superfluo.

Cos'è l'opera oggi?

Fra poco noi apriamo con Evgenij Onegin. È la prima opera dandy della storia. Parla di un personaggio attualissimo oggi, ma nasce da un testo di Puškin. Quindi l'opera concentra tante cose e aspetti e va ben oltre la bellezza della musica. In quelle tre, quattro ore c'è una società che vive in armonia. Da questa armonia e da questi valori dobbiamo ripartire oggi. Ci sarebbero allora meno incomprensioni e problemi.

Quale formula, secondo lei, dovrebbe adottare un teatro per coniugare esigenze di bilancio e il suo ruolo formativo nei confronti del pubblico? E qual è il ruolo di un musicista nella società contemporanea?

Non deve esserci vergogna a fare titoli tradizionali e in modo tradizionale. Qui a Trieste cerchiamo di essere una casa per la musica. È una cosa fondamentale per tutti.

Noi siamo schiacciati dal non rispetto dell'Articolo 9 della Costituzione (*la Repubblica promuove lo sviluppo della cultura e la ricerca scientifica e tecnica. Tutela il paesaggio e il patrimonio storico e artistico della Nazione*). E noti che cultura, scienza, tecnica, paesaggio e storia sono uniti.

Un Teatro d'Opera rende oggi quello che c'era ieri senza essere un museo e quindi lo tutela. Non basta più «suonare bene», perché oggi è cosa diffusa, bisogna suonare con una identità che diventi identità stessa della comunità. Una identità che attrae le persone da fuori perché lì si suona così, in quel particolare modo. È questa l'ambizione più alta di un musicista.

Mi permette una domanda cattiva che, più o meno velatamente, è circolata: quanto il nome Ezio Bosso, anche in considerazione di quanto ha detto, rischia di essere parte di un'operazione di marketing piuttosto che di una scelta artistica?

Quando un teatro chiama Kaufmann, quando chiamavano Abbado, è marketing o scelta artistica? Definirle solo «operazione di marketing» è un problema di chi effettivamente è ignorante. Anche la mia nomina a Bologna era stata fatta per il mio valore come musicista. Che Sanremo lo abbia azzerato è un problema di analfabetismo di ritorno. Certo che la nomina è stata fatta anche per la fama.

Ma mi permetta di essere più cattivo: ci sono in questo Paese anche nomine fatte per raccomandazione. Quando si nomina un musicista lo si nomina per come lavora.

La proposta di Trieste mi è arrivata dopo che mi hanno visto lavorare qui con l'orchestra, che mi hanno sentito parlare con i colleghi. Asserire che è stata operazione di marketing è dare degli incompetenti anche al direttore artistico e al sovrintendente.

Lei proviene da una tradizione prevalentemente sinfonica, ma in futuro dovrà dirigere anche opere qui a Trieste.
Cosa vorrebbe dirigere?

Mi auguro ci siano le risorse per fare nuove opere liriche. Tanti anni fa chi faceva il direttore sinfonico era quello che, nell'immaginario, aveva più da dire. Ma anche Abbado, quando ricevette l'incarico di direttore stabile alla Scala, aveva diretto poche opere.

In questo momento ci sono cose che non farei: Verdi, per esempio, che pure amo tantissimo e mi piacerebbe dirigere. Ma fisicamente, adesso, sarebbe troppo. Ma forse in futuro lo farò. Quindi non saprei dirle cosa vorrei dirigere. Ci sono attitudini, certo, ma quella che va rivista è la storia della musica e dei direttori. Voglio provare.

Credo che si debba tornare a fare i musicisti, cosa che non è facile in una situazione economica che ci vede in trincea. Partendo da queste riflessioni, è nata la mia scelta di essere qui in teatro quotidianamente, a lavorare con l'orchestra e il coro.

Quale progetto vorrebbe realizzare a Trieste?

Mi piacerebbe istituire una lettura aperta alle persone, non solo ai giovani, a tutti. Farne un appuntamento musicale.

Se si potrà, vorrei aprire tutte le prove come già si fa in molti paesi esteri. Ma in Italia diventa un problema burocratico.

Aprire le prove per fare musica insieme, per fare capire come si fa musica. È educativo, per chi assiste alle prove, sentire l'errore e capire come lo si corregge. È una cosa che aiuta. Socialmente.

Quali saranno i suoi prossimi impegni qui a Trieste?

Il prossimo impegno a Trieste sarà il concerto del 23 dicembre. Sarà un racconto sul Natale e di Natale attraverso la storia della musica di diversi autori.

Mi piace il Natale perché tutti si dicono «Buon Natale» a prescindere dalla religione. È l'effetto più bello del Natale e quindi mi piace fare conoscere il Natale per come lo hanno vissuto diversi compositori.

Per concludere. Prima la musica poi le parole. Deposta la bacchetta e chiuso il pianoforte, cosa ama leggere Ezio Bosso?

Sono appassionato di letteratura americana. Sono un divoratore di libri e sono pochi, forse nessuno, quelli che ho lasciato. Rileggo anche due, tre, quattro volte certi titoli. Vengo da una famiglia letteraria dove mio padre faceva debiti per comprare i libri. Leggo dalla saggistica alla narrativa. Mi incuriosisce come uno scrive e non solo quello che scrive. Amo *Mattatoio n. 5* che è per me il più bel libro scritto sulla pace. Anche qui non ho pregiudizi. Pregiudizio, violenza e razzismo derivano dall'ignoranza. Ma ignoranza non è solo non conoscere, ignoranza è non avere memoria.

Le Muse infatti ricordano, nell'etimologia greca, Muse, memoria e il mantis, il veggente, hanno la medesima radice...

Infatti. La Musa ricorda. Senza memoria nascono i pregiudizi. FB fa pensare a tutti di essere esperti e famosi. Avere cento like fa pensare di avere colpito nel segno, e chi ne ha un milione allora dovrebbe essere un dio? C'è una violenza nel linguaggio che non mi appartiene e che non appartiene a chi non ha pregiudizi. Ho deciso di stare in disparte su FB dove pubblico solo pensieri che sono forme poetiche. Ho capito che uno schiaffo in pubblico si sente più di una carezza che è sempre silenziosa. Ma alla fine si parla sempre dello schiaffo. Come Bologna.

Ne vuole parlare?

Certo. A Bologna c'era qualcuno che non mi voleva, ma non era l'orchestra. Si era creato un clima in cui non potevo lavorare. Tutto è nato da una lettera con una richiesta di chiarimenti, perché mi incontravo a casa mia, che non è discosta dal Comunale, con alcuni dei musicisti dell'orchestra. Una lettera di due persone appesa in bacheca, una cosa interna e che è stata recapitata ai giornali e ne è nato un caso, che di musicale non aveva nulla. Si è detto che sono stato protestato dall'orchestra, ma non è vero. Ancora oggi gli orchestrali mi invitano ad andare a dirigere là. Certo, anche la mia nomina a Trieste è stata accompagnata da polemiche. Su FB è nato un gruppo contro questa nomina. Sono solo nove persone, di cui quattro di Bologna. Sono pregiudizi, non si tratta di musica.

Tre parole ricorrono insistenti: Memoria, Pregiudizio, Curiosità. Una le sintetizza: Musica.

E quando mi alzo, ci salutiamo e il Maestro si avvia verso il teatro, aggiunge: «Sa, io non ho mai fatto musica "del cuore" come si è pensato dopo Sanremo. Ho sempre fatto musica "col cuore"».

2018

La musica,
come tutta la bellezza,
è una necessità

Appunti per l'intervista
con Anna Leonardi per il mensile «Tracce».
Febbraio 2018

Cos'è la musica?

È la domanda più difficile che esista. La musica è ciò che abbiamo dentro, è ciò in cui esistiamo, in cui ci muoviamo. Il vento che scuote gli alberi, la pioggia sul mare… ma anche la tristezza e la gioia sono suoni. La natura ha tutta la musica che esiste. Il creato è già musicalmente fatto. La musica c'è a prescindere da noi. L'uomo è andato a cercarla per poter scrivere questa grandiosità, per poterla ripetere quando non c'è. Perché la musica, come tutta la bellezza, è una necessità. Quindi la vera domanda non è «cos'è la musica per me?», ma «cosa posso fare io per la musica?».

E cosa può fare?

Questa domanda è ciò che mi spinge a suonare e a superare i tanti limiti che la vita mi impone. La musica mi chiede di non essere più me stesso, di diventare l'altro. Di comprenderlo, cioè di «prenderlo con me». La musica è questo sacrificio. Sacrificio inteso nel suo significato etimologico più bello che è «dedicarsi al sacro». Non è una rinuncia, anzi, è proprio donandoci all'altro che possiamo partecipare di questa sacralità.

Claudio Abbado diceva che la musica è la nostra cura.

La musica ci aiuta a vivere. Ci fa stare bene. Ma non è una questione d'umore, la musica non è un corroborante di emozioni. Chi scrive musica lo fa per trovare un legame con qualcosa che è meravigliosamente inspiegabile. Infatti, non esiste religione al mondo che non abbia la musica al suo fianco. La musica cura i solchi della nostra anima perché ci dà un punto di accesso immediato alla nostra essenza. Ci riconosciamo parte di quel disegno non controllabile, di quel mistero di cui già partecipiamo.

Inizi.

Avevo tre anni, o giù di lì, insomma ero molto piccolo quando ho iniziato a sentirmi attratto dalle note, dagli strumenti. Sì, poi c'era anche la merenda e il gioco, ma io cercavo soprattutto la musica. Perché ero più felice quando c'era. A quattro anni i miei genitori mi hanno mandato a lezione di pianoforte da una zia. Mio papà faceva il tranviere, mia mamma lavorava alla Fiat. Gente semplice che si indebitava per i libri, per la cultura. A dieci anni sono andato in orchestra, suonavo il fagotto, perché era uno strumento che non voleva nessuno. Poi, dopo sei mesi, mi hanno scoperto l'asma e allora il direttore, pur di non mandarmi via, mi ha dato l'unico posto libero: il contrabbasso. Io ho sempre accettato tutto. La musica è sempre arrivata nella mia vita come un aiuto. Ed è arrivata a me, forse, perché ne avevo più bisogno di altri. È lei che mi fa sentire amato. E sentirsi amati è sempre una grande responsabilità.

«Grazie a lei, nel disco c'è anche il suo respiro.»
«La musica è come la vita, la si può fare in un modo solo, insieme.»

Perché dobbiamo completarla. La partitura è scritta sulla carta, la posso leggere, e poi, se chiudo lo spartito, lei continua a esistere. Ma è incompleta fino a quando quei suoni non vengono eseguiti. La musica ha bisogno, per compiersi, del nostro andare insieme. Che cos'è in fondo l'intonazione? Non una questione puramente tecnica, ma significa «avere lo stesso tono», cioè lo stesso modo di dire la stessa cosa. E perché questo accada, dobbiamo vivere lo stesso sacrificio.

Nell'orchestra si realizza la società ideale. La partitura è la nostra costituzione, ma poi c'è bisogno dell'impegno di tutti. Il direttore deve prendersi cura dei suoi musicisti, deve conoscerli, conoscere le loro problematiche. Sapere se un braccio è stanco oppure se può essere spinto di più. E poi c'è il lavoro di ogni strumento fatto di ore di prove, ma soprattutto di ascolto. Non è possibile alcun miglioramento se non c'è questa capacità di ascolto dell'altro, perché se quello di fianco a me suona meglio, aiuterà me a fare altrettanto, a suonare meglio. È un circolo virtuoso.

Pubblico, il ruolo del

La tensione che vive l'orchestra va condivisa. Io sono beethoveniano, nel senso che credo che la musica debba essere delle persone. Noi siamo la chiave che può renderla accessibile. Anche la ricerca della perfezione va vissuta come servizio: è un mezzo, non il fine. Io ci metto le mani, ma il resto ce lo mette chi ascolta. Il pubblico ci dà la cosa più preziosa: il tempo. La musica è un gesto di pura generosità da entrambe le parti.

Il silenzio.

Il silenzio di per sé non esiste, anche il sangue che ci scorre nelle vene fa un suono. E non esiste l'ultima nota. È vero, tra una nota e un'altra, tra una parola e un'altra c'è una pausa, ma non è un vuoto. È un pieno, un pieno di tensione. Il silenzio è questa tensione da cui nasce la musica. Il silenzio ultimamente è una forma di attesa. Tacciamo per ascoltare qualcosa d'altro.

Io ho vissuto silenzi di tanti tipi, ne ho intere collezioni. E ho imparato a starci dentro. L'uomo di oggi invece ne è molto spaventato, ha paura dell'imbarazzo che avverte nel silenzio. E questo perché qualcuno gli ha messo in testa il mito della superiorità della forza. Ma è una menzogna: viviamo in un creato che ci dimostra quanto siamo piccoli. La nostra potenza non è nella forza, nel tentativo costante di affermare noi stessi. C'è una potenza che nasce dalla fragilità, nel non avere sempre le parole. Da quell'imbarazzo che avvertiamo davanti a noi stessi. Perché ci obbliga a trascendere, ad andare oltre. A stabilire nuove connessioni.

The 12th Room.

Noi uomini siamo strani, troviamo l'esigenza sempre nel buio. Io nell'esperienza della malattia ho imparato a vivere il problema come un'opportunità. E ho sentito che quello era il momento di fare delle cose. Il peggioramento fisico mi ha fatto scoprire una nuova vita, senza più filtri. Ma queste cose è meglio che non le dica perché ne viene sempre data un'interpretazione martirologica che mi irrita in quanto sbagliata. Non è quello che intendo.

Studio Aperto.

È un tentativo di aprire le porte di un mondo, quello della classica, che resta sempre abbastanza chiuso. La prima cosa di cui mi accorgo, incontrando la gente, è che suonare illumina, ci rende più belli. Ma non è un canone estetico, è una bellezza che esprime qualcosa di più profondo: una bellezza intoccabile. Ma sono i bambini quelli da cui imparo di più. Per loro i problemi non sono un problema. Se a un bambino un brano non piace o non gli viene bene, lui te lo dice. E nel cercare una soluzione insieme, loro non scelgono mai la strada più breve, ma quella più lunga. Perché? Perché a loro fare la strada piace, probabilmente li interessa di più che la soluzione stessa. Non hanno fretta, perché già nel compiere il percorso provano una soddisfazione. Anche noi dovremmo trattarci come fanno i bambini.

Futuro della musica classica?

Innanzitutto io preferisco chiamarla «musica libera», anche se è una definizione che può essere male interpretata. Non è «libera» perché fai un po' come ti pare… anzi, devi rimanere legato alla partitura. Devi avere una dedizione assoluta verso di lei. Ma paradossalmente più ti leghi, più sei libero. Le radici non sono una costrizione, ma l'unica possibilità di iniziare un viaggio. Ci sarà futuro solo se si torna a un'educazione allo stupore. Oggi predomina una «contro educazione» a questo. Dire che la musica a cui appartengo è «difficile» o «alta» è frutto di una manipolazione. Sono stato accusato di portare gente impreparata dentro i teatri e questo mi ha rattristato: come si può guardare così a un giovane che per la prima volta ascolta Čajkovskij e magari ne rimane colpito? Non esiste il curriculum del bravo ascoltatore. Non è necessaria un'erudizione, ma l'umiltà di lasciarsi stupire, quella sì. Il curriculum del bravo ascoltatore è il cancro di questo sistema, è il nostro peggiore nemico ed è il concetto più brutale che io possa immaginare applicato all'arte e alla cultura.

Futuro e paura.

La paura è parte della nostra esistenza. È parte di me. E la dobbiamo guardare. Perché quando sono di fronte alle mie paure spesso mi viene un dubbio: ma sono così sicuro che la paura sia il sentimento più naturale? La paura è indotta da troppo rumore, dal caos in cui ci sentiamo immersi. Non facendo più silenzio, non sappiamo vedere che la bellezza è sempre a portata di mano. In fondo, noi viviamo ancora nel giardino dell'Eden. Dobbiamo solo imparare a guardare. Perché questa è l'unica cosa che ci fa fare un passo oltre la paura che ci portiamo addosso.

Inadeguatezza.

Prima dei concerti mi chiedono sempre: «Ezio, sei pronto?» e io: «No!». Non posso essere pronto perché io non so cosa succederà tra un minuto. Ma il bello è proprio questo non essere pronti. Perché ci toglie il problema dell'essere bravi. Vai e dai tutto, mentre aspetti tutto.

N.d.C. Per Ezio la vita era il lavoro, cioè la musica. Esisteva certo una vita privata, quasi sempre però incentrata su rapporti professionali che si erano approfonditi fino a superare la barriera di separazione tra ciò che è privato e ciò che è professionale. La sua famiglia d'origine invece rimaneva strettamente salda in quel

campo privato che Ezio tutelava con precisione millimetrica, so-
prattutto dopo che aveva sperimentato su se stesso i danni che
anche le più piccole concessioni del privato nel campo pubblico
possono portare, dunque non parlare della sua famiglia era so-
stanzialmente per lui un atto d'amore e di rispetto. Negli ultimi
anni si concesse piccole aperture, ma la narrazione familiare ri-
maneva sempre e solo lo spunto metaforico per approfondire un
concetto musicale, sociale o politico, per raccontare dunque la
genesi di un'idea incarnandola in un exemplum fictum. *Perciò*
è bene affiancare a questo uso retorico dei suoi ricordi quello
concreto e reale della sorella Ivana Bosso:

«Quando Ezio parla delle origini familiari proletarie, ricordando il padre tranviere e la madre operaia in Fiat, cita un
passato professionale dei suoi genitori già lontano al momento
della sua nascita nel 1971, ma che ha influenzato i racconti e
l'appartenenza ideologica al PCI della sua famiglia.

Il padre Angelo fu tranviere per quindici anni, fino al 1969.
Durante gli anni come tranviere, si era distinto come dele-
gato sindacale e negli anni Sessanta fondò anche un giornale
nell'allora ATM Azienda Torinese Mobilità (ora GTT Gruppo
Trasporti Torinesi), che venne pubblicato per pochi anni. Nel
1971, anno in cui nacque Ezio, era già agente di commercio
per abbigliamento donna e bambino.

La madre Bruna era stata licenziata dalla Fiat nel dicembre
1955 per rappresaglia politica. Nel 1957 fece le scuole del PCI a
Grotta Ferrata e lavorò fino alla fine del 1959 in CGIL. Succes-
sivamente fu impiegata presso un privato e nel 1967, alla morte
del suocero, gestì il negozio familiare di biancheria per la casa,
fino al fallimento nel 1972. Tra la fine degli anni Settanta e i
primi anni Ottanta ci fu uno storico processo contro la rappresaglia politica della Fiat negli anni Cinquanta, dove furono
riconosciute le istanze presentate dalla parte civile, che aveva
come avvocato Bianca Guidetti Serra, famosa per altre importanti battaglie civili italiane. Ezio aveva all'epoca nove anni».

La musica che cambia la vita, che cambia la musica

Presentazione non editata del concerto al Teatro Verdi di Trieste, in cui si legge in nuce una delle idee interpretative fondanti del secondo *Che Storia è la Musica*.
6 marzo 2018

Questo non sarà un «semplice» concerto, primo perché non esistono i semplici concerti e poi perché con questo avvenimento, noi del teatro – l'orchestra, il coro, le maestranze, la direzione e io – vogliamo inaugurare un nuovo modo per partecipare a teatro. Oltre a mettere tutta la cura e la ricerca della perfezione imprescindibile per chi fa la musica. Oltre a mettere quel trascendere che solo un sacrificio comune può, per onorare la musica che amiamo e a cui apparteniamo, vi porteremo ogni volta in un programma che è l'essenza di un racconto, a volte di una vita, a volte dei desideri, dei sogni di chi la musica la vive. E ve la racconteremo, daremo spunti, ricorderemo a chi già sa o sveleremo a chi ancora non sapeva quello che studiamo per poi condividerlo. Saremo partitura insieme. Un modo nuovo. Un concerto a cui partecipare e non semplicemente andare. E in questo caso partiremo da Piotr (Čajkovskij), e da quell'ouverture di Mozart, quella musica che cambiò la vita di un ragazzo che studiava Legge e lo fa diventare uno dei geni della musica. Vi parleremo dei suoi desideri, dei suoi dolori, e vi faremo sentire come ci sta fino alla fine.

Attraverseremo grazie alla serenata per archi il suo cambiamento di uomo e di musicista per arrivare al grande mistero che ognuno dovrà vivere, come lo aveva definito lui stesso, che è la Sesta sinfonia. L'ultima.

Dicono sia un testamento, ma vi assicuro che ogni composizione di chi vive la sua vita per la musica lo è. Come lo è ogni nota. Io vi posso solo anticipare che è tutta una vita e tutte le vite possibili sono dentro di essa.

Se dovessi dare un titolo alla serata del 6 marzo sarebbe: la musica che cambia la vita, che cambia la musica.

Ma non vi dirò di più.
Se volete scoprirlo, venite a teatro con noi. Io, oltre a guidare la musica, mi presterò anche come breve narratore. Ne parleremo insieme un po' insomma. Darò forse qualche chiave per aprire porte o ricordare porte.

Ma il resto si svelerà solo insieme. Con ciò che serve davvero:
La musica, che dice tutto da sé.
La musica insieme.

Non ce lo faranno mai fare

Primo briefing interno Che Storia è la Musica, *cioè quell'idea che ancora non aveva nome né destinatario e per Ezio stava nel mondo delle utopie dolorose. Ezio si sentiva sempre distorto sia dalle interviste televisive sia da quelle di altri media. La necessità urgente di farlo parlare senza mediazioni e interpretazioni è l'esigenza primaria di trovargli uno spazio libero e diretto. Caffè dell'Hotel Locarno, estate 2018, Roma.*

Non ce lo faranno mai fare. È inutile che stai a citare Vera Nabokov, non ce lo faranno mai fare! Non mi daranno mai un mio programma tv dove io possa esprimere la mia idea di musica con l'orchestra. Per loro io sono e sempre rimarrò il «mongolino» al pianoforte che può fare audience, se fa pena, se fa piangere. O quello che dice le frasi a effetto buone a essere strumentalizzate per tutte le stagioni, anche per l'assoluto contrario di ciò che voglio dire, in realtà. Fa così la stampa, figuriamoci la tv. Mi chiederebbero di far cantare i Lieder a Zucchero, anzi me l'hanno già chiesto, ma non era Schubert, era Monteverdi, e così sono scomparsi, scompaiono sempre quando finalmente capiscono. E lo sai, però insisti. Allora se insisti, giochiamo per una volta sola che sia possibile, ma poi non ne parliamo più finché non hai una cosa concreta in mano. Capito? Poi basta: o un'opportunità vera o zitti. Già mi fa star male la realtà, figuriamoci anche l'illusione che possa essere diverso da: «Sì, sì, certo Beethoven, ma anche un bel *Caruso* non glielo vogliamo mettere?». Mi fa soffrire, lo capisci? Vuoi che soffra? Vabbè, un altro caffè e vediamo quale sarebbe la mia idea se questo mondo non ideale per una volta accettasse regole diverse.

Intanto il luogo. La tv è la tv e io voglio uno studio televisivo, voglio i lustrini, le luci colorate, perché la vera scommessa non è portare il teatro, l'auditorium così com'è in tv, quello lo fa Rai5 e tocca sempre le solite corde già suonate, ma fare della musica di Beethoven un soggetto della tv per ciò che è la tv popolare, quella che entra nelle case e diventa il focolare attorno a cui vive la famiglia italiana. Quella che c'è anche quando non l'ascolti, quando non l'hai accesa tu, ma tu sei lì e magari ti fermi e la guardi. Tu pensi a un docu-

120

mentario, perché è più facile e scontato, ma io no, io voglio Beethoven protagonista della tv nazionalpopolare e ciò nonostante fatto bene, benissimo, fatto al massimo delle nostre forze, per tutti. E se Bernstein è un riferimento altissimo, ma datato, io voglio fare prove aperte, sinfonie aperte e spiegate, con il colore dei decenni trascorsi che hanno segnato l'occhio di chi avrà voglia di guardare.

L'orchestra è fondamentale, la qualità deve essere altissima, altrimenti abbiamo perso in partenza, non voglio andare al massacro, che già comunque sarebbe un massacro; se ci vado, se ci andassi mai, ci andrei armato di un'orchestra con le contropalle, non una qualsiasi. E le orchestre buone vanno pagate bene, e costano, perché il lavoro e la competenza si paga, si deve pagare. Ha un valore. Altrimenti non è musica, è musica per hobby. E io sono un professionista. Basta 'sta pippa del gratis, solo noi musicisti gratis, l'idraulico gratis mai, eh. Anche la politica è lì con sta fissa e la televisione è politica. Qualità altissima e pagata bene, come si deve, da Paese civile, civile anche verso la musica!

Poi voglio che si rida e si pianga, voglio il mio modo di raccontare le cose, voglio fare il presentatore di me stesso, basta gente a mediarmi, che poi vengo sempre fuori falso e sbagliato e poi si va in quei casini che abbiamo visto mille volte e non se ne esce più. Nessuno intervista me, al massimo io intervisto gli altri. Non ho più voglia di quella roba lì, mi fa male, mi distrae, mi fa perdere tempo.

Ospiti, alla bisogna. Ma soprattutto dialogo normale, con l'orchestra, col pubblico, con gente che abbia senso per me. Daje col dietro le quinte, che fa documentario. Voglio lo show di Beethoven, non il documentario su io che faccio Beethoven. Voglio il Beethoven's show. Ma tanto non ce lo faranno mai fare.

Sono punk

Giuseppe Videtti per «la Repubblica»,
sbobinatura integrale.
Con appunti di Giuseppe Videtti sulle impressioni
emotive dell'incontro.
Bologna 2018

Omino. [*N.d.C.* Giuseppe Videtti è un uomo alto e robusto, al primo incontro con Ezio viene colpito dalla sua fisicità fragile, quasi di cristallo.]
Dedizione assoluta, incondizionata.
Inizio registrazione audio dell'intervista:

La direzione.

Per me è stato un completarsi. Una volta scrissi un brano per pianoforte sulla tensione e sulla parte mancante, riconosciamo l'amore da quella parte che ci manca e accettiamo di non averla, quella parte, perché siamo bravi ad accettare tutto, ci adeguiamo. Mi mancava dirigere per essere completo. Mi sono sempre presentato come un direttore d'orchestra che scrive la musica e all'occorrenza suona il pianoforte. Ma quando ti vedono al piano, pensano subito che sei un pianista. Io sono un concertatore-direttore. Aver raggiunto con un importante percorso di studio, di ri-studio nel mio caso, anche rispetto al corpo e al fatto che ci evolviamo. Celibidache detestava riascoltarsi e io anche, perché un direttore deve essere sempre proiettato in avanti. Quando me lo sono potuto permettere, in tre, quattro anni sono tornato alla mia natura, che è quella. Il mio Maestro diceva: «Tu vuoi suonare tutti gli strumenti, c'è solo un modo per farlo, dirigere». Tutto è una conseguenza di questo per me, il modo che ho per amare di più la cosa che più amo e mi ama, la musica. E per rispettarla.

Lei dirige con tutto il corpo, con gli occhi.

Essere direttore vuol dire esattamente questo. Certo, lo puoi fare anche muovendo solo la bacchetta. Fare il direttore vuol dire essere lì per gli altri, anche negli incidenti devi essere lì a usare l'espressione per rassicurare o a tirare fuori. La concertazione non arriva col battere, arriva con la connessione, la bacchetta connette, devi avere una tecnica, e da quella tecnica poi ci si esprime insieme. Senza quella connessione puoi anche fare dei concerti, ma oggi non viviamo più la figura del direttore come parte assoluta e nuda, completamente a disposizione di questo grande momento che è il concerto, pensiamo solo in senso estetico a una musica che parte esteticamente ma poi va nel profondo, se io non ci credo non viene fuori. Io ho la fortuna di dirigere tutto a memoria, ma anche la preparazione deve essere felice dell'imprevisto, il direttore è felice dell'imprevisto, non si preoccupa, sa che arriverà, ed è lì che in realtà... [*N.d.C.* Gli incontri avvenivano quasi sempre in luoghi pubblici, Ezio si interrompeva spesso per ordinare qualche cosa o salutare un amico di passaggio. Questa è una di quelle interruzioni.] Ho avuto la fortuna di crescere con direttori che la intendevano in questo modo. Non mi piace la parola *routinier*, è una tristezza infinita, vuol dire che fa sempre la stessa cosa. La musica è un gesto d'amore, lo dico sempre ai miei musicisti, che chiamo fratelli – Claudio [Abbado] diceva figli – stare nella comfort zone, mettere quella maschera di sicurezza, non ha nessuna forma d'amore per ciò che fai. Quando ami rischi e sei sincero. Se non rischi, non troverai bellezza. Senza il rischio oggettivo del provare quel piano estremo, del dimenticare la regola che ti sei imposto per stupidità, non c'è più musica. È quello il momento in cui la gente comincia ad annoiarsi.

Purtroppo non sempre si realizza l'equazione
arte = amore = bellezza.

Purtroppo no. In tutta questa mediocrità, in tutto questo contorno che soffoca la musica, se non mi aggrappo al concetto dostoevskiano per cui la bellezza salverà il mondo, continuo a far parte dell'altro mondo, non dell'essenza della musica, non di Beethoven o di Dvořák. Claudio mi diceva sempre: «Si dirige con gli occhi, ricordatelo». Io gli rispondevo: «Sì, se ti guardano». Celibidache mi ha insegnato che c'è un patrimonio meraviglioso, non lo capisci con le grandi orchestre ma con quelle con problemi, che hanno più bisogno di guida. La natura della musica a cui appartengo – ce lo stiamo dimenticando – è un'esperienza che trascende tutto, non è il conforto della canzone, tre minuti e vado a casa.

Ne è mai stato affascinato?

Mi piacciono le canzoni, hanno una funzione importante, ma qui parliamo di trascendenza. Quando parlo di musica, anche ai bambini e ai ragazzi, parlo di non lasciarsi manipolare mai.

*Per realizzare tutto questo, l'artista deve operare in totale li-
bertà, cosa sempre più difficile, nel valzer dei sovrintendenti,
nello scetticismo delle istituzioni, nel taglio dei finanziamenti,
nella tendenza al mordi e fuggi.*

È una lotta quotidiana, una tristezza. È come se non esistesse
fiducia nella musica. Io parto da un principio che dà molto
fastidio: come ti permetti di sapere cosa vuole l'altro? Devi
essere convinto di ciò che fai, della qualità, devi studiare fino
all'ultimo. L'emozione di cui tanto si parla è una conseguenza,
non un obiettivo. Peggio quando diventa un modo per mantenere il punto. Siamo arrivati al punto che le persone che
fanno bene sono scomode, quindi emarginate. Quello è il mio
destino, sono scomodo. Mi hanno detto persino che porto
gentaglia a teatro. Una frase che mi ha distrutto. Lì ho capito
quando Beethoven manda tutti a quel paese e sta lì con l'acqua che gli scende sulla testa e non vuol più veder nessuno.
Io, beethoveniano fino al midollo, perché Lui mi ha insegnato
a liberare persino i musicisti – io lavoro da direttore per liberarli, liberarli soprattutto da se stessi. E quando mi sento
dire che con me ogni volta è un problema… Vorrei solo essere rispettato, punto. E poi c'è un problema di fondo: musicisti, direttori, interpreti vanno protetti, non usati. A noi si
richiede uno studio immenso, quindi ricevere certi attacchi
ti fa stare male, ti addolora, di intristisce.

*Cosa si intende per gentaglia? Giovani poco abituati alla clas-
sica e all'opera?*

Persone non preparate. Insomma, si pretende un curriculum
dell'ascoltatore, capisce? L'odio per chi applaude nei momenti
non opportuni. Ai critici vorrei dire: bisogna far festa a colui
che ascolta per la prima volta Čajkovskij e rimane estasiato,
entusiasta e vuole saperne di più, cioè ne esce «mosso», pre-

ferisco usare questo termine al quale posso aggiungere il *cum* e diventa commosso; la natura dell'emozione è quella di muoverci non di bloccarci. Invece i critici concepiscono l'emozione come una specie di droga, di dopamina che ci fa stare bene. A me invece commuove quella signora che, ignara del programma di sala, viene da me e mi chiede: «Cos'era quel brano lungo (la *Serenata per archi* di Čajkovskij)?». È la cosa più bella che abbia mai sentito. E adesso viene a tutti i miei concerti col figliolo di undici anni. Ci sono persone che mi scrivono e si scusano per non essere state brave e aver applaudito fuori tempo. Ma no! Oggi fare musica classica è un gesto ESTREMAMENTE rivoluzionario, è come essere un musicista punk. E sa perché? Perché già chi organizza ha deciso di togliere vita alla musica, di snaturarla. Non hanno capito che non basta far bene, io devo andare oltre, devo dare alla gente il senso di andare a cercare, non sono io che faccio la musica, state ascoltando Beethoven o Bach, Bosso è solo una conseguenza. Per me uno può applaudire quando vuole, è un bel gesto. Il concetto di encore, di bis, non c'era alla fine dell'esecuzione, come è stato istituito da Wagner in poi e diventa regola nel Novecento. Nell'Ottocento, quando piaceva una cosa, si chiedeva di riascoltarla immediatamente, non c'era il disco, all'epoca. Così abbiamo sancito che l'opera va ascoltata nella sua integrità, invece la storia racconta che la Settima han dovuto ripetere tre volte il secondo movimento, la Quinta sette volte l'ultimo movimento. Questa è partecipazione. Chi non conosce quella regola [*N.d.C.* La regola dell'applauso solo alla fine e non tra i movimenti delle sinfonie] dal mio punto di vista sta vivendo la natura originale della musica. Non possiamo fargliene una colpa.

Cos'è che fa paura? Quali sono i problemi più grandi che ha incontrato in questo anno in cui ha preteso di tornare alla direzione?

Io non capisco: le orchestre ti amano, i musicisti ti adorano, il teatro è pieno, eppure io non sono mai inserito nelle stagioni, sono sempre a margine, nei progetti speciali. Non si riesce mai a parlare di musica e di progettualità in senso musicale. Suono, reazione del suono. Come se tutto questo fosse un accessorio. Io pretenderei solo un po' di tranquillità e rispetto del mio ruolo. Invece sembra che tutto sia legato al tipo di frac che indossi. È dura essere solo considerato un riempisala. È vero, faccio il tutto esaurito, ma questo prevede anche scelte musicali e di crescita più difficili. Avrei tanta voglia di fare Schönberg e invece...

...Nel senso che mettono bocca anche nella scelta del repertorio?

Capita, eccome. Io non sono dentro il sistema, non faccio stagioni, non ho gli abbonati, io faccio solo concerti che DEVONO incassare. Mi vorrebbero solo come pianista, ma a volte per me è doloroso, quasi non riesco più. Accetto il mio ruolo di outsider, *out on the side*; ci sono, ma non ci sono.

Vuol dire che mal digeriscono la sua predilezione a dirigere?

Non mi pongo il problema, ma nella percezione di questo Paese forse non sono considerato neanche un musicista classico, sono un personaggio mediatico, come dicono tutti quei personaggi che impropriamente parlano di «nuova musica».

Cioè a dire che «il sistema» è più suggestionato dalla sua condizione che dalla sua maestria.

Stiamo parlando di stupidità, infatti. La popolarità è vista come una colpa in Italia. Io invece non parlo di pop, non ho niente di pop, io parlo di... studiare, di perfezione. Mi onora essere usato per fare cassa, quando vedo i teatri pieni di giovani. Dico sempre, non vedo né il bicchiere mezzo pieno né quello mezzo vuoto, perché se è mezzo vuoto vuol dire che la metà te la sei bevuta. La verità è che io mi sento rispettato dai musicisti, per il pubblico sono ormai diventato una sorta di guida all'ascolto, però invece chi fa i giochi dice: «No grazie».

E lei, per certi versi, è un privilegiato. C'è chi se la passa anche peggio. Per operare in totale libertà il direttore Currentzis si è confinato con la sua orchestra a Perm, negli Urali. Nessuna istituzione avrebbe accettato e finanziato il suo metodo.

Il concetto è: quando io decido a tavolino quel che vuole un determinato pubblico, di fatto sto uccidendo la musica. Non hanno capito che se ho le file fuori dai teatri, sette standing ovation e soprattutto che se le persone tornano è per come suono Beethoven, non perché suono Beethoven. Il risultato della comfort zone è: sale mezze vuote, crisi et cetera.

La soluzione?

Bisognerebbe solo che ognuno facesse il proprio mestiere. Mi piacerebbe vivere con un po' di tranquillità, essere inserito in una programmazione. È un'ansia pensare di DOVER riempire la sala. Io vivo tutto con un senso di grande responsabilità. Saranno anche le mie origini, ma io mi carico sempre dei problemi di tutti. Anche la mia condizione fisica fa venire un po' di paura a me e a loro; magari fra tre anni non esisto più. Non so che dirle, io mi considero solo un lavoratore arduo e innamorato, credo in ciò che faccio. Faccio musica, non vendo biglietti. Intendiamoci, non avrei nessun problema a farlo. Mio padre faceva il bigliettaio sui tram ed era orgogliosissimo del suo lavoro. Io vorrei solo essere misurato e considerato per le mie idee musicali, per la mia tecnica direttoriale. Non a caso mi scuso sempre coi pianisti in sala quando suono il pianoforte, perché sono un direttore che scrive musica e suona, e sicuramente ho un suono particolare, ricercato, molto efficace, funzionale alla musica, ma non sono un pianista. La musica non finisce con l'ultima nota, finisce con chi ritorna la volta dopo, continua con quell'entusiasmo con cui finiscono i concerti. A proposito di gesti punk: ma si può chiudere un concerto in piazza Maggiore per diecimila persone con l'*Incompiuta* di Schubert? O chiudere un concerto con la Sesta di Čajkovskij, che in questo Paese viene ancora messa nella prima parte perché «finisce piano»? Io l'ho fatto, e la gente dopo un attimo di silenzio che sembrava un'eternità è esplosa, perché aveva bisogno di musica. Qui dobbiamo renderci conto che c'è bisogno di musica non di cose con «certificato di conformità».

È un male del Paese o un problema globale?

Principalmente è un problema nostro, qui la musica non è vista come una forma fondamentale dell'esistenza, ma come un accessorio. E trattandosi di un accessorio, è usata per creare poteri che non si possono scalfire. Di conseguenza si ha paura del cambiamento. Per me la musica è altrove, è nelle parole di Schubert che spese gli ultimi soldi per ascoltare Paganini e disse: «Ho sentito la voce degli angeli». Questo è il ruolo che dovremmo recuperare insieme. Guardi, mi piace anche essere formale quando ce n'è bisogno. Inutile mettere i jeans per ringiovanire, diventano ridicoli.

Lei è notoriamente un beethoveniano, ma c'è un artista contemporaneo con cui si sente più in sintonia?

No. Forse son troppo legato al passato. Direi Ligeti, che è quasi vivente, è morto «solo» dodici anni fa. Gli altri si sanno, Claudio… [*N.d.C.* Abbado.] Io faccio sempre fatica a definire qualcuno «artista», ho una concezione molto rinascimentale dell'artista. In musica sono artisti sono quelli che si evolvono, che schivano la routine, che non sono la ripetizione di se stessi. Da ragazzo mi ispiravo al «gesto» di direttori come Kleiber e Maazel, quella morbidezza, quella capacità di sollevare, invece tutti mi dicono sempre: «Hai un gesto così simile a quello di Claudio…». [*N.d.C.* Abbado.]

Il suo coinvolgimento nella Mozart14 implica un'attività didattica?

No, ma per fortuna che c'è! In realtà organizzo dove posso giornate di studio condiviso dove bambini e ragazzi possono approfittare dei miei quarantadue anni di studio assiduo. Ho studiato l'ergonomia di ogni strumento. Lo dice anche il Maestro Muti: un direttore deve saper scrivere una fuga e conoscere bene almeno due strumenti. Io tutto questo lo applico in maniera sociale, con Mozart14, perché non voglio che il pensiero del Maestro Abbado venga dimenticato in questo Paese. Ho saputo che alcuni Conservatori hanno messo il veto ad alcuni allievi di partecipare agli incontri, si rende conto? Quest'estate vorrò fare la stessa cosa nelle carceri.

Lei è un acceso fautore delle prove aperte, e questo ai teatri non va giù, hanno paura di perdere pubblico pagante.

Alla fine sono riuscito a farle solo a Gualtieri, con la mia orchestra, e nel foyer di Trieste. Le ho fatte anche a Bologna, con code di gente in attesa. Non lo faccio mica perché sono buono buonino, ma perché mi serve vedere la reazione, sentire quella tensione che si crea. Le prove aperte sono un co-adiuvante, un'esperienza diversa, io sono beethoveniano, la musica è una forma di liberazione, non di costrizione. Mi sono sentito dire: «Ma se vengono alle prove poi disertano il concerto». Invece è l'esatto contrario, perché il pubblico vuole sapere come va a finire, anzi è un incentivo. Intanto poi anche la Scala sta aprendo le prove...

La sua seconda vita è stata frenetica, ma tutt'altro che facile...

Una cosa che ho appreso quando ho ricominciato a studiare, facevo fatica, stavo riprendendo confidenza con il pianoforte, e le persone si fermavano, notavano i miglioramenti, poi tornavano per vedere se andavo meglio. Da lì mi è venuta l'idea delle prove aperte, che non è la generale aperta agli studenti, è il percorso che si deve aprire, mostrando le tue fragilità e anche i litigi. Non ho panni sporchi, e se sono sporchi li mostro e poi li lavo. Questa è la mia natura. Ora ho inciso due dischi, uno da camera e uno con l'orchestra, e mi sarebbe piaciuto aprire al pubblico tutte le sessioni di registrazione – non si è potuto fare per motivi pratici. Voglio che tutti siano testimoni della musica, questo mi dà gioia. Il ruolo sociale della musica è fondamentale, questo giustifica il mio impegno con Mozart14. Ma con le istituzioni è sempre tutto difficile e faticoso, anche se in fondo non dico cose tanto diverse da Harnoncourt o da Abbado.

Lei è stato sedotto dalla musica da bambino, anche se l'arte non le è stata servita su un piatto d'argento, date le sue origini. Come è successo?

Non lo so mica. Ho due o tre flash diversi fra loro: l'ascolto di un brano, lo sguardo su un pianoforte, la visione di un'orchestra. Io la carriera me la sono guadagnata, tanto [Nota di GV: si commuove], ho lavorato tanto e di più. Il figlio di un panettiere deve fare il panettiere: l'ho sentito dire troppe volte nell'ambiente, ma io ho avuto la fortuna – un presuntuoso lo chiamerebbe «predestino» – di avere eventi e persone che mi hanno aiutato ad andare avanti, a tenere duro. Ma le assicuro che tutto quello di cui abbiamo parlato non è molto differente da quando dovevo entrare in Conservatorio e ho dovuto fare delle scelte per riuscire ad andare avanti – visto anche che ho una relazione con le date di scadenza abbastanza pressante. Detto questo, le posso garantire che mi sono guadagnato tutto, che il lavoro è stato durissimo e lo è ancora. Vorrei solo che fosse soltanto dedicato alla musica e non a parare colpi.

La malattia ha davvero fatto scempio della sua maestria, ha dovuto imparare tutto di nuovo?

Sì. Mi erano rimaste solo la determinazione e la disciplina che la musica insegna. Avevo trentanove anni, venti di lavoro alle spalle, un'esperienza in musica da trentasei. Il punto era che la mia percezione doveva essere ri-svolta nel linguaggio, che era il centro maggiormente colpito, però quel che era rimasto erano gli anni di studio; chi mi conosce sa che ho passato la vita a studiare, e non mi bastava mai. La prima natura di un musicista non è esibirsi ma studiare. La musica è arte e disciplina, non espressione del sé. Grazie a quella disciplina sono qui a parlare con lei oggi, ho una capacità motoria migliore della media, di chi convive coi miei dolori; sono fortunato, ho le possibilità economiche per essere seguito da bravi medici ed essere sottoposto a un'efficace terapia del dolore. Anche questa è disciplina, e l'ho appresa dalla musica. Mi ha insegnato a saper aspettare il momento giusto. Nel 2015 ho provato a fare una serata intera da direttore e son finito sulla sedia a rotelle, non ero pronto.

*Nella sua prima esistenza era sostenuto da questa medesima fi-
losofia di vita?*

In molte cose sì. I musicisti che lavoravano con me quando
fisicamente ero un altro uomo raccontano che io davo sempre troppo, mi consumavo a ogni prova, che ogni prova era
come un concerto.

Io alla musica ci ho sempre creduto, anche prima che mi
cadesse il pianoforte sulla testa, è stata la mia libertà, rispetto
ad altre problematiche, anche intime. Mi sono sempre sentito
un servitore della musica. Certo, allora ero più spavaldo, vedevo il futuro lontano. Adesso vivo nel presente, con la mia
orchestra, a Trieste, che fa una Sesta con l'entusiasmo da ra-
gazzini, con una qualità d'intonazione, del suono, dei pianissimi estremi, sperimentando cose mai fatte prima, con tensione e sorriso e comunione.

Il mio sogno si è già avverato. Ma il problema che da lì
vorrei partire, non finire. Ho scritto una lettera alla mia orchestra in cui dico: «Vedete? Abbiamo vinto. Però vincere
implica la responsabilità di migliorarsi».

Dunque, la malattia non l'ha mai indotto alla rinuncia.

No, grazie agli amici che si sono presi cura di me e mi hanno
sempre spinto a fare, fare, fare.

Non mi spaventa conquistarmi le cose in cui credo, non è
certo un alieno nel cervello o le molte atrofie, che mi costrin-
gono a rinunciare. Sarò io a dire basta quando capirò che non
potrò più farlo fino in fondo e con quel rispetto e quella perfezione che la musica pretende. Oppure lo dirò perché finalmente l'ho raggiunta [*N.d.C.* La perfezione] e potrò lasciarla
a qualcun altro. Non saranno né un sovrintendente né una
malattia a farmelo dire.

Gliel'ho detto, sono punk dentro.

Musicista, migrante per natura

Testo elaborato per libretti di sala su repertorio
Oceans in veste definitiva.

A proposito di oceani... La prima immagine è stata l'oceano. O meglio, un uomo seduto di fronte a un oceano che cresce. Le onde che si infrangono violentemente sugli scogli, la schiuma. La relazione tra l'uomo e il mare. Avevo appena finito un ciclo di brani dedicati all'uomo e al mare intitolati *Seasongs* 1-8, ed evidentemente l'oceano doveva chiudere un periodo della mia vita di compositore. A quel tempo soffrivo di più di sinestesia, quando cioè ogni immagine o colore diventava un suono (e viceversa), che diventa a sua volta un'ossessione, che non mi abbandona fino a che non la «incido» sul pentagramma. E quell'immagine e dolore che occupavano così tanto spazio mi hanno spinto ad approfondire come sempre anche l'aspetto scientifico e quindi a farmi diventare oceanografo per un po', ma a indagare anche tutto il principio di metafora che deriva dal significato della parola, a partire dall'etimo stesso. Ed è così che è iniziato il mio «viaggio» di scrittore di musica. La mia trance, come la chiamo. Gran parte degli oceanografi classificano cinque oceani che governano la terra: Atlantico, Pacifico, Indiano, Artico e Antartico. Ogni movimento della sinfonia è dedicato a uno di essi, ma allo stesso tempo quella prima immagine imponeva il percorso che dovevo seguire. Anche per questo c'è la presenza atipica di un violoncello concertante con un'orchestra di grandi proporzioni. L'uomo e l'oceano... L'oceano è anche un pretesto. Una metafora. È il viaggio per eccellenza, il passaggio da uno stato umano a un altro, gli alti e i bassi del viaggio e della vita, le speranze, il confronto tra l'uomo e gli eventi. Quindi ecco che quell'uomo, che osserva l'oceano, decide di buttarsi, come io mi butto nelle note, nelle partiture, nella storia degli scrittori di musica per «bucare le onde», come dicono gli inglesi. E iniziare un nuovo percorso. Un altro concetto, mentre la musica prendeva forma, si ancorava (scusate il gioco marinaro) al brano: l'emigrazione. Io sono «emigrato» in America e poi a Londra, i miei amici in questa avventura pure: Rafael Bonachela (il coreografo che per primo si è innamorato del progetto e ne ha fatto un meraviglioso balletto per la Sydney Dance Company) dalla Spagna è emigrato in Inghilterra e in Australia; Relja Lukic, il violoncellista con cui ho più lavorato e che per primo l'ha eseguita, dalla Serbia all'Italia. Era un caso, ma che faceva riflettere sulla natura di questo lavoro: anche le loro storie lo hanno nutrito. Siamo anche coetanei, in quella età che oggi è il passaggio definitivo da uno stato umano a un altro. Poco prima dei quarant'anni. Un altro approdo. Migrazione. E quanti altri come noi. E oggi, a dieci anni dalla scrittura di questo brano, mi rendo conto che era preludio di un altro oceano da attraversare. Che persino l'immensità di una partitura da affrontare parte proprio da quell'esigenza, appunto, di bucare le onde. Che è un misto di accettazione dell'imponenza della vita, della musica e di tutte le sue sfumature, dalla bellezza alla forza, e del bisogno che abbiamo per vivere di essere immersi in ogni istante e di assaporarlo. Di cercare un posto nuovo e nuovi oceani da cercare e attraversare. In quella continua mutazione che è la vita, così simile al migrare. Un musicista, poi, migrante lo è per natura. Migriamo da bambini a giovani, da giovani ad adulti, da adulti ad anziani. Migriamo da amori e lavori. Tutti alla ricerca di un approdo migliore, di una vita migliore di un suono che ci appartenga. Perché infine ti rendi conto che l'oceano siamo noi. Ma queste sono opinioni, sono le cose che ci sono dietro allo scrittore di musica, alle sue esigenze di uomo. Stasera ascolterete «solo» della musica. La musica tra le altre cose ha un potere meraviglioso: è in grado di far vivere storie senza raccontarle. Me lo ha ricordato Čajkovskij. Noi scrittori di musica possiamo suggerire, dare indizi attraverso i titoli. O parlarvi dei colori che vediamo. Ma sarete voi, se volete, a vivere la storia, a vedere i vostri, di colori, e a compiere così il vostro viaggio. I musicisti di questa sera, i miei fratelli di musica, mi hanno fatto il grande onore di suonarla con me dopo otto anni dalla prima in Italia e dieci dalla sua nascita. E tra loro un solista meraviglioso come Relja Lukic. È una partitura difficile da governare, dove ogni membro è fondamentale come in un vascello che appunto deve attraversare un oceano, ed è tutta la sua forza, con insidie e bellezze. Ecco, stasera loro saranno il vostro equipaggio. Potete fidarvi, sono il migliore equipaggio che esista, sono veri capitani coraggiosi e di lungo corso. Ci vediamo all'approdo.

Ezio Bosso

Radici

Bozza dell'intervista al Maestro Ezio Bosso.
12 dicembre 2018

Infanzia/incontro con la musica.
La verità è che ricordo poco o nulla, ovviamente, data l'età. So che ero un bambino che parlava poco e rimaneva incantato dalla musica, che fingevo di dirigere in maniera infantile. Fu mio fratello maggiore a capire che la musica era essenziale per me e a convincere i miei genitori che, pur essendo persone sensibilissime alla cultura, non pensavano certo a un futuro musicale per i figli. Il pianoforte fu il primo grande oggetto magico, la porta d'ingresso al mondo musicale, ma in realtà non vi potei metter mano prima di aver fatto un lungo percorso nel solfeggio, un percorso di solito noioso per i bimbi piccoli, ma che affrontai con gioia.

Successo.
Successo? È un participio passato, principalmente. Non credo nel successo e vivo ogni forma di popolarità come una responsabilità, ma non mi sono mai sentito «arrivato» e non mi ci sento nemmeno ora. Il nostro è un mondo difficile e spesso l'affetto del pubblico non basta per entrare in meccanismi che spesso ignorano le esigenze del pubblico come noioso corollario all'attività, che è più gestione del potere che passione musicale. A me interessa solo fare il mestiere che ho sempre sognato: il direttore d'orchestra. La gente pensa che se hai successo, puoi ottenere ciò che vuoi, ma invece a volte è un ostacolo. Non voglio lamentarmi, sarebbe surreale e irrispettoso, ma vorrei mettere i puntini sulle i.

Significato del fare musica.
Significa in primis sacrificarmi, non esistere, inserirmi, con la massima modestia possibile, ma anche con la certezza dello studio, della preparazione e della disciplina, in un percorso storico che costituisce l'ossatura portante della storia del mondo: la musica c'era prima di noi e ci sarà dopo di noi, c'è nelle onde del mare che si frangono, nel suono ritmato dei passi, come ricorda Elias Canetti in *Massa e potere*, nel canto degli uccelli, e potrei continuare all'infinito. Noi abbiamo semplicemente inventato il modo per trascriverla, perché evidentemente ne avevamo bisogno e ne abbiamo ancora bisogno.

Nella musica poi ritroviamo le nostre radici culturali, i nostri padri, i nostri fratelli, Bach, Beethoven, Čajkovskij, Schubert, ma anche i contemporanei come Pärt o Cage... insomma, tutti coloro che hanno fatto la storia della nostra grande tradizione musicale, e continuare a indagarli e riproporli al pubblico ci restituisce la nostra identità più profonda. Poi la musica è la mia vita, non credo di dover aggiungere altro.

Ispirazione?
L'ispirazione non esiste, è un cliché che travisa il ruolo, il mestiere del musicista, identificandolo con una figura immaginaria, che in realtà non esiste perché semplicemente è impensabile. Bisogna sempre trascendere se stessi, l'esperienza personale si deve trasfigurare. Esiste invece la preparazione, lo studio serio, la disciplina. Ogni composizione si inserisce in un flusso storico, ricorda ciò che già c'è, lo ripensa, ricostruisce un percorso di suggestioni, idee, architetture e colori, lo rielabora secondo regole precise da cui non si può prescindere. L'altra è una narrazione falsata che crea solo superficialità e, in ultima sintesi, musica di scarsa qualità e rispetto per se stessa.

Rapporto compositore e interprete.
Principalmente io tratto me stesso come compositore esattamente come se non conoscessi chi l'ha scritto. Con la stessa analisi, partecipazione e critica che posso avere con il repertorio. Anche più duramente. E ovviamente il mio lato di compositore litiga con quello delle scelte dell'interprete. Ma fortunatamente li metto in pace. Di certo amo più interpretare il grande repertorio di tradizione dirigendo l'orchestra che comporre o eseguire le mie composizioni. Intendiamoci, non ho nulla contro la figura del compositore-esecutore di se stesso, lo sono stati tutti i grandi, Beethoven tanto per citarne uno fra cento, e credo anche che un buon direttore dovrebbe conoscere le basi della composizione, quindi sono soddisfatto di poter giocare entrambi i ruoli. Semplicemente mi diverte e mi fa star meglio rileggere la musica altrui, che nel fondo mi incuriosisce più della mia. E mi fa crescere e imparare di più.

Il musicista.
Un musicista, per me, è costanza, dedizione, studio, disciplina e desiderio di trascendere, di essere musica e non farla

o imporla. Tutti tratti che possono mantenersi inalterati anche dopo decenni di carriera solo se si è dominati da una grande passione, altrimenti ci si siede e si diventa *routinier*, il più grande peccato del musicista, perché questa noia, questa routine poi si trasmette irrimediabilmente al pubblico che irrimediabilmente finisce per considerare quella meraviglia che è la nostra musica come una cosa noiosa, di cui può fare a meno, e invece è musica che può ancora trascinare, appassionare, emozionare, travolgere, ma chi la fa deve crederci, deve continuare a studiare, anche a settant'anni, anche dopo. Alla fine è anche un problema etico: noi musicisti abbiamo una responsabilità etica verso il pubblico, che dipende da noi per la fruizione di un patrimonio che altrimenti potrebbe essere conosciuto solo da pochissimi privilegiati in grado di leggere le partiture. Questo è un mestiere che non conosce pace, non conosce pensionamento, non conosce l'idea stessa di fermarsi, di considerarsi «imparati». Purtroppo, senza questa costante tensione emotiva, estetica, senza questa costante voglia di migliorarci, diventiamo una zavorra per ciò che dovremmo amare e servire al meglio. Quindi, in definitiva, la passione è il prerequisito essenziale per essere un vero musicista.

The Roots (Radici).

Prima o poi c'è un momento nella vita in cui iniziamo a riflettere intensamente sulle nostre radici. Spesso coincide con la perdita di una radice per noi essenziale, come è successo a me. Mi sono quindi fermato a riflettere: ma cosa sono le nostre radici? Senza dubbio qualcosa di meraviglioso. Da ragazzi pensiamo che siano un ostacolo; crescendo intuiamo invece che sono proprio loro a renderci indipendenti. È da adulti che scopriamo in noi la forza di poter mettere radici ovunque vogliamo, per esempio creare una famiglia o una rete di importanti relazioni, come fanno gli alberi. Le radici di alcuni alberi hanno lo stesso volume del tronco e dei rami o si connettono a quelle degli alberi vicini forse per un aiuto reciproco. Pensieri che mi hanno spinto a chiedermi quali siano le radici della mia musica.

Senza dubbio la radice è nella forma sonata; da lì è nata la mia *Sonata per pianoforte e violoncello* in quattro movimenti. L'ho completata poco tempo prima delle sessioni di registrazione di questo album, dopo una lunga gestazione di tre anni, perché era mia ferma intenzione inserirvi ogni mia radice. Ho utilizzato esattamente la forma della sonata, sia la forma-sonata nel primo movimento sia la struttura della sonata, cioè un adagio iniziale che si trasforma e diventa un presto nel finale. Inizia con un pensiero e il primo movimento si intitola *Very slow, like a funeral march*, come una marcia funebre; ma quella marcia si evolve e nel corso della sonata succede qualcosa, anzi molto, perché le nostre radici, una volta scoperte, ci liberano.

Musica per scoprire le mie radici musicali, musica per scoprire quelle di altra musica. Per esempio del minimalismo. Una, secondo molti, è *Fratres*, un brano del 1977 di Arvo Pärt, dove il compositore va a sua volta alla ricerca delle proprie radici. Lo compone in un monastero utilizzando come guida una sequenza di numeri radicali che si ripete a specchio. È la radice che torna.

Poi, com'è ovvio, Bach, la radice della mia *Sonata per pianoforte e violoncello* e non solo: le radici del credere perché la fede è una forma di radice conquistata. La fede di Bach, che è fede assoluta nella musica e nel cristianesimo, si sente quintessenziata nei corali *Ich ruf zu dir, Herr Jesu Christ* e *Wenn wir in höchsten Nöten sein*.

Le nostre radici possono essere anche l'ancora di salvezza a cui aggrapparci nei momenti peggiori della vita. Olivier Messiaen nell'estate del 1940 è in un campo di prigionieri di guerra in Germania e si affida alla radice cristiana; compone la *Louange à l'Éternité de Jésus* che è parte del *Quartetto per la fine dei tempi*, una fra le opere strumentali più belle del Novecento.

Bach, Messiaen, Pärt sono tutte radici che ascolterete nella mia *Sonata per pianoforte e violoncello*, dove ne potete scoprire anche altre due. La prima è costituita da un mio piccolo brano che ha per titolo *Dreaming Tears in a Crystal Cage*, dedicato a John Cage e sono sicuro che ne capirete il perché. Parla di quando ci si sente in una gabbia e delle lacrime che tratteniamo, quelle che ci scorrono dentro invece di uscire dagli occhi. La seconda è Beethoven. Non potevo non incidere quell'adagio sostenuto della Sonata per pianoforte *Al Chiaro di Luna* che mi fatto diventare un musicista; ancora bambino, andai di nascosto dai genitori ad acquistarne la partitura. In Inghilterra spesso si celebra chi è mancato raccontando vicende che lo hanno coinvolto e cantando tutti insieme; uno fra i tanti modi per recuperare le radici. Si chiamano *mourning parties*, gioco di parole fra mattino, *morning*, e addolorarsi, *mourning. Mourning*, addolorarsi, è solo una "u" in più di *morning*, mattino. Si ricorda e intanto si fa festa. Il secondo movimento della mia sonata, il trio, è esattamente il ricordarsi delle origini. Il terzo movimento, lo scherzo, allude a quando non accetti le tue radici e provi a scappare, ma la fuga poi di fatto non riesce. Fino ad arrivare a quella liberazione dove tutto si unisce, il quarto e ultimo movimento, allegro molto, dove si scopre la vera radice: essere connessi l'uno con l'altro come possono esserlo le radici degli alberi.

Casa.
La mia casa è ovunque io possa esercitare il mio mestiere senza abdicare alle necessità etiche di qualità e rispetto per il pubblico, quindi con il giusto numero di prove, tanto per stare sul concreto, musicisti che abbiano ancora voglia di sfidarsi e studiare, un'amministrazione che capisca l'altissima missione che gli è stata affidata. Ovunque ci siano queste condizioni, quella è potenzialmente la mia casa. Poi, in una casa ideale, vorrei un'istituzione che mi permettesse di aprire tutte le prove, sin dalla prima lettura, perché solo così il pubblico

può accostarsi al grande repertorio classico capendo profondamente ciò che accade sul palco, senza infingimenti o quel senso di misterioso rito che a volte allontana la gente, facendola ingiustamente sentire inadeguata, quando in realtà tutti, ma proprio tutti avrebbero il diritto di accostarsi con semplicità e chiarezza al patrimonio musicale dell'Occidente che non è meno nostro e meno fondante di un affresco di Michelangelo. Forse nell'Italia di oggi la mia casa è un'utopia, e questo perché la politica non capisce più la musica se non come intrattenimento. Un vero delitto.

Lavori in corso.
Ora sto lavorando con tutto me stesso al progetto *Grazie Claudio!*, cioè l'unico evento che raccoglierà da tutta Europa i migliori musicisti cresciuti negli anni con Claudio Abbado, unendoli a giovani talenti, proprio come piaceva a lui, li metterà tutti con me in un'orchestra senza nome, perché in casi come questi non c'è bisogno di un nome. Un'orchestra che vivrà solo per pochi giorni e solo per ricordare, il 20 gennaio, a Bologna nel suo teatro, il Manzoni, Claudio Abbado a cinque anni esatti dalla sua morte. Il ricavato poi andrà a favore dell'associazione Mozart14 da lui fondata e ora gestita con infinita devozione dalla figlia Alessandra. È un'associazione importante, di cui mi pregio di essere testimone, perché dà la misura dell'impegno etico, sociale che Claudio chiedeva a se stesso, ai suoi musicisti, nella consapevolezza che la musica non può chiudersi in una torre d'avorio, nei teatri dorati, lasciando fuori il mondo e i suoi problemi. La Mozart14 porta la musica nelle carceri e negli ospedali, perché la musica fa bene e chi sta male ne ha più bisogno degli altri! E poi sto lavorando al mio ritorno dal vivo a Milano con la mia STRADIVARIfestival Chamber Orchestra al Conservatorio Verdi il 30 e 31 marzo, e finalmente quest'anno potremo aprire le porte delle prove. È la prima volta che mi riesce di aprire le prove a Milano e sono davvero contento!

2019

Dedizione e disciplina:
la musica secondo Ezio Bosso

Conversazione con Nicola Cattò, avvenuta
telefonicamente qualche giorno dopo il concerto
per La Società dei Concerti nella Sala Verdi
del Conservatorio di Milano nell'inverno 2019
per «Rivista MUSICA».

*Sale esaurite, entusiasmo sincero, un fenomeno che scuote l'in-
gessato mondo della musica classica: il caso Bosso approda in
televisione (in attesa di dirigere all'Arena).*

Parlare di Ezio Bosso in un mensile di musica classica orto-
dosso come il nostro potrà sembrare strano ad alcuni lettori,
eppure è un fatto non solo ovvio, ma anche doveroso: non
solo perché il musicista torinese ha una formazione classica,
accademica (contrabbasso, direzione d'orchestra, pianoforte,
composizione) inappuntabile e di tutto rispetto, ma anche
perché gran parte della sua vita musicale si è incrociata con
il mondo sinfonico, e le sue più recenti esibizioni lo hanno

147

visto come direttore d'orchestra in programmi interamente e squisitamente «classici» (e uso le virgolette per enfatizzare il concetto). Sbaglia completamente quella parte della critica italiana che, con uno snobismo che rischia di condurre all'autodistruzione tutto l'ambiente, lega i clamorosi successi di Bosso a una sorta di fenomeno emozionale, dovuto alla grave malattia che lo ha colpito alcuni anni fa: proprio come accadeva con quel grande musicista che fu Jeffrey Tate, anch'egli fisicamente menomato, Bosso ha il diritto di essere valutato senza pregiudizi come direttore d'orchestra. Ottimo, buono, pessimo, ognuno ha il diritto di pensarla come vuole, sulla base di un'analisi seria: ma un direttore vero. Questa intervista si è svolta pochi giorni dopo il concerto con la STRA-DIVARIfestival Chamber Orchestra in Sala Verdi, al Conservatorio di Milano, sotto l'egida della Società dei Concerti: un programma interamente beethoveniano (*Leonora n. 3*, *Triplo concerto* con Enrico Dindo, Anna Tifu e Antonio Chen Guang e Quinta sinfonia) che ha visto non solo una sala del tutto sold out (a cui vanno aggiunte le centinaia di persone che il giorno prima hanno pagato per assistere alle prove), ma anche un entusiasmo, una concentrazione, una passione sincera da parte di un pubblico che era parzialmente quello storico della Società, e in parte nuovo. Linfa vitale che andrebbe coccolata e incoraggiata, e che invece molti soloni nostrani amano schernire o disprezzare.

Ho anche assistito, in parte, alle prove del concerto: e ho avuto la conferma di come Bosso sia un direttore vero e scrupoloso, attento a ogni aspetto del fare musica, dal timbro all'articolazione, dalle dinamiche alle intenzioni sonore. Il risultato è stato, in concerto, vario: a una *Leonora n. 3* corretta ma poco più, è seguito un *Triplo* di gioiosa lucentezza sonora (grazie anche ai solisti, soprattutto la smagliante Anna Tifu al violino) e una Quinta davvero travolgente, curata nei dettagli e provvista di quel senso teleologico che è *conditio sine qua non*.

Ezio Bosso tornerà in tv a giugno, su Rai3, con un programma dal titolo *Che Storia è la Musica*, e l'11 agosto sarà sul podio dell'Orchestra dell'Arena per i *Carmina Burana* di Orff. Ma la conversazione parte inevitabilmente dalle impressioni del concerto milanese del 31 marzo.

Perché un programma tutto beethoveniano?

Come al solito, è frutto di una mediazione con chi ci ospitava e con l'orchestra, con l'intenzione di proporre partiture collegate tra loro, benché non lo sembrino: *Leonora*, *Triplo* e *Quinta* vengono pubblicate nel 1809. Nel 1805 ha finito il *Triplo*, inizia a lavorare alla *Leonora* e ha principio il processo creativo che darà origine alla *Quinta*: è un anno chiave nella biografia beethoveniana, prende coscienza della possibilità di non seguire il destino in senso plutarchiano. A volte la catalogazione dei brani – mi rendo conto – va contro il percorso umano, che per me è parte della ricerca storica e filologica che un musicista e un critico deve fare: questo, purtroppo, succede sempre meno, per favorire le mode che Beethoven stesso detestava. Tornando al programma milanese, se ci pensa, si tratta di tre sinfonie in declinazioni diverse: la *Leonora n. 3*, che passa da 530 a 639 battute, con mutamento formale, il *Triplo*, che è una sinfonia concertante (Beethoven la chiamava «la mia piccola sinfonia») che guarda all'indietro, al concerto grosso, e poi la *Quinta*, che è la conclusione, la riuscita di un processo di ricerca.

Un rapporto, il suo con Beethoven, che immagino risalga a molti anni fa.

Da quando ero bambino, si può dire: è stato il motore principale verso un lavoro in cui non ci si risparmia e non ci si accontenta mai. Studiando Beethoven, ho imparato a cercare tutti i materiali esistenti, a fare confronti, a non accontentarmi di una sola edizione – anche se è la più rinomata: non ci si deve fidare di un revisore solo, anche se si chiama Breitkopf o Bärenreiter [*N.d.C.* Storiche case editrici musicali]. Devo sapere anche se c'è qualche macchia sul manoscritto, che può fornire informazioni particolari. Oggi, per fortuna, gli archivi sono stati digitalizzati e il lavoro è più facile, ma io mi sono sempre comportato in questo modo, e per qualsiasi compositore suonato. Nella musica, nella partitura bisogna prima di tutto credere: è un percorso fatto di studio, approfondimento continuo, di dubbio. Una forma di sacralità laica.

Anche l'ascolto di incisioni storiche fa parte dell'approfondimento?

Certamente, un direttore deve ascoltare interpreti che ama e che non ama, versioni antiche e moderne: anche in questo campo la tecnologia odierna è un grande aiuto, benché talvolta poco utilizzata se non per fare stupidi paragoni. Una volta giravo il mondo per ascoltare i grandi interpreti e inoltre, avendo studiato a Vienna, avevo la fortuna di vederne molti dal vivo: non serve fare centinaia di chilometri a piedi, come fece Bach per Buxtehude! Ascoltare, oggi, Furtwängler e Mravinskij vuol dire immergersi in una tradizione interpretativa, capirne le ragioni.

Non c'è il rischio, anzi, di una indigestione di informazioni?

Non credo: perché all'abbondanza di stimoli non corrisponde un adeguato approfondimento. È come aprire una scatola e guardarne solo la carta.

L'avere studiato contrabbasso le è risultato poi utile per dirigere?

Non tanto, molto di più è stata decisiva la conoscenza della composizione; il contrabbasso mi ha dato il punto di vista complessivo sull'orchestra. Io, poi, ero un contrabbassista anomalo, che non accettava il limite del suo strumento.

In che senso?

A quindici anni i miei insegnanti mi dicevano che io volevo suonare tutto: facevo col contrabbasso le *Sonate per violoncello* di Beethoven, il *Concerto* di Dvořák. Per questo mi hanno spinto alla direzione e alla composizione. Però il contrabbasso mi ha insegnato l'umiltà – concetto oggi forse fuori moda – di stare dietro e imparare ascoltando gli altri: volevo stare davanti, sul podio, ma non potevo permettermelo. E, secondo il mondo musicale, sembra che neppure oggi possa permettermelo.

Perché succede questo? Perché c'è questa diffidenza verso la sua figura di musicista e direttore negli ambienti classici, nonostante un curriculum e un cursus honorum *inappuntabile?*

Il perché non lo so, ma tutto ciò è paradossale e certi ambienti fanno una figura sempre peggiore. Questo pensiero classista è lo stesso che risalta nelle parole di quella scrittrice [Elena Stancanelli, *N.d.C.*] che ha criticato l'italiano del ragazzino di Roma che si è opposto al pensiero fascista, sbugiardata poi dagli stessi insegnanti del ragazzo che le hanno spiegato che l'uso gergale era volontario. Un certo mondo classico si sta denigrando da solo, va contro le regole dell'etica: dire che non mi interesso della partitura è offensivo, lei mi ha visto lavorare, ha notato quanta ricerca filologica e musicale metto in campo. Le standing ovation le ottenevo anche prima di essere su una carrozzina: certi suoi colleghi dovrebbero valutarmi per quello che faccio, e non pensare solo alle mie ruote, sottolineandole ma fingendo di non farlo.

Inoltre, lei coinvolge un pubblico numeroso e appassionato, spesso più di quello consueto della musica classica.

Inizio ad arrabbiarmi quando leggo che quelli che mi seguono sono persone che non assistono mai a concerti classici durante l'anno e si presentano in sala solo per me (cosa che succede anche con grandi direttori, come Muti): il concerto di Milano aveva in sala tanti abbonati (600!) della Società dei Concerti. E poi, pensiamoci bene: il mio pubblico ha reagito bene alla *Leonora*, abbastanza bene, ma non con la stessa tensione, al *Triplo* e poi è esploso con la Quinta. Un percorso assolutamente normale, logico, con persone che godono della musica come è, senza presentarla in altri modi, al limite con un sorriso in più. E poi leggiamo articoli in cui si scusa un pubblico adeguato che dormicchia o che va via al primo applauso! Tutto ciò è insultante verso persone che, in questi anni, hanno ascoltato da Bach a Cage, da Buxtehude a Čajkovskij, e che stanno riempiendo anche le altre sale. Fingere analisi senza sapere nulla, senza avere seguito il mio percorso, farà morire definitivamente il mondo della musica classica. La mia unica intenzione è di fare musica al meglio, di abbandonare quella routine diffusa in cui tutti rimangono piatti, musicisti e ascoltatori: chi mi ha insegnato la musica mi ha fatto capire che se non ci prendiamo dei rischi, è meglio cambiare mestiere. Indosso sempre un bracciale in cui è scritta una frase di Beethoven: «Una nota sbagliata è insignificante, suonare senza passione è imperdonabile». Poi, io sono il primo critico di me stesso: la musica è fatta di scelte, che si possono non condividere.

Le esperienze finite male con le orchestre di Bologna e Trieste da cosa sono derivate, secondo lei?

Sempre da una forma di prevenzione nei miei confronti, che però non veniva dai musicisti stessi. Vorrei, intanto, puntualizzare che la lettera contro di me, a Bologna, non esiste, perché era solo una lettera in cui si chiedevano spiegazioni su un luogo di riunione, manipolata poi da tre persone; a Trieste, poi, ben novanta musicisti hanno chiesto che io restassi. Poi, è vero: io non sono adatto a fare musica in un modo abitudinario, ho bisogno di tempo per fare maturare tutti. Ed è uno stile di lavoro che i musicisti amano, ma i teatri forse meno: con tutte le orchestre con cui ho lavorato, ho avuto esperienze estremamente positive.

Cosa si aspetta, allora, dal prossimo debutto all'Arena per i Carmina Burana, *in agosto?*

Sono felice che la signora Gasdia e la direzione artistica abbiano pensato a me per l'unico concerto sinfonico della stagione: si tratta di una partitura particolare, a suo modo estremamente didattica, e che ho amato sin da bambino, che permette di immaginare il suono di un canto, di una musica antica (solo in una fase successiva sono state compiute ricerche filologiche).

Orff fu uno dei grandi divulgatori della musica, e salire con questa musica su quel podio è per me commovente (preferisco parlare di commozione, non di emozione): anche se non amo fare classifiche di importanza fra i vari teatri, l'Arena va oltre. E devo dire che io sono particolarmente legato alla città di Verona anche per questioni personali, legate alle vicende di mia madre.

Se non ci fosse Verona, non ci sarei io, e questo direi che non è poco.

Un pubblico molto grande la attende in televisione, con il programma su Rai3: cosa si propone con Che Storia è la Musica?

Fare capire a tutti che la musica cosiddetta classica non deve spaventare, e anzi è una di quelle cose a cui aggrapparsi per stare meglio; che la musica è una cosa seria, ma non seriosa; che è patrimonio dell'umanità e non patrimonio di qualcuno. Un patrimonio che non è semplicemente storico, ma eterno: e che non basta mai, almeno dal mio punto di vista. Sarà una trasmissione anomala, una prima serata in cui racconto, con la meta-narrazione, cosa c'è intorno a noi, attraverso confronti, parole ed esempi musicali (due Sinfonie di Beethoven). Giocheremo molto, e l'unica cosa presa sul serio sarà proprio l'esecuzione musicale.

Lei è testimone dell'Associazione Mozart14, che porta avanti la memoria e i progetti di Claudio Abbado: in cosa, secondo lei, la sua lezione è più efficace oggi?

Tanti aspetti, ma anzitutto l'idea che la musica sia di tutti: pensiamo, per esempio, a quando portò l'orchestra della Scala nel refettorio della Necchi. E poi che la musica sia una terapia, capace davvero di insegnarci ad ascoltare il prossimo: è un esercizio davvero difficile. L'ascolto presuppone, certamente, il proprio bagaglio di paragoni, ma non di pregiudizi. Io davvero credo, in senso beethoveniano, che la musica si faccia assieme, è un *Zusammenmusizieren*: un momento in cui c'è chi mette le mani (i musicisti) e chi mette l'ascolto (il pubblico): responsabilità diverse, che creano però la tensione finale. Nella mia visione, la musica esiste a prescindere: nel momento in cui si è finito di scriverla e sta chiusa nella partitura, nel momento in cui viene aperta per essere letta, quando viene studiata singolarmente o in collettività, si completa poi attraverso l'ascolto dell'altro e quindi ricomincia il ciclo.

154

Beethoven è stato un po' il fil rouge di questa conversazione; spesso si nota come, al venire meno in lui delle possibilità fisiche, sia corrisposto un potenziamento delle facoltà creatrici. Vale lo stesso per lei?

Non posso affermare una cosa simile, anche perché neppure Beethoven afferma mai questo: anzi, ne parla sempre con tristezza, e c'è solo una frase in merito: «Solo un grande dolore può portare a una grande creatività». Beethoven non ha avuto una vita facile, e neppure la mia lo è: ugualmente, sia lui che io non abbiamo mai fatto parte di un contesto ufficiale, di un sistema riconosciuto. Quello che fa superare i limiti fisici è la disciplina, la dedizione, non il contrario: sarei presuntuoso a dire che stando male si è musicisti migliori.

Oriente

Da una conversazione con Giuseppe Videtti.
19 marzo 2019

La musica classica guarda a Oriente, noi abbiamo teatri allo sbando e in Cina e in Corea ne aprono di nuovi; anche la storica etichetta Deutsche Grammophon ha siglato un accordo con l'Opera di Shanghai e ha festeggiato nella Città Proibita di Pechino i centoventi anni dalla fondazione.

Abbiamo dimenticato – come dissi nel discorso al Parlamento Europeo – che la musica siamo noi. L'Oriente ci guarda per crescere. Sono nuove economie con identità molto distinte, ma comprendono che la musica classica promuove l'unione tra i popoli, ha un potere sociale che da decenni stiamo sottovalutando. Anche il paneuropeismo di Beethoven, dando per scontato che questa unità in Occidente ci fosse, guardava a Oriente. Da noi i teatri rischiano di diventare accessori, ci sono imprenditori che pensano che la musica sinfonica o lirica sia un lusso, in Cina invece c'è un invidiabile sistema di mecenatismo.

Cattiverie

Intervista di Giulia Vespoli
a Ezio Bosso.
Casa di Ezio, Bologna.
30 maggio 2019

Questa intervista si compone di due parti, una prima
registrata il 29 maggio a Bologna a cena in un risto-
rante. La seconda, quella che leggerete qui sotto, registrata la mattina del 30 maggio a colazione nella sua
cucina. La rivista «Vanity Fair» aveva proposto a Ezio
un'intervista con richiamo in copertina, per un numero
speciale dedicato ai pionieri del mondo. Ezio avrebbe
avuto le sue pagine come pioniere di un nuovo modo
di dare accesso alla musica classica. Durante la prima
intervista mi feci ri-raccontare a registratore acceso, ca-
pillarmente, tutta la sua biografia, percorso di studi, la-
vorativo, l'arrivo della malattia, la lotta, la rinascita, il
proseguimento della carriera.

Ripercorrere punto per punto tutti i passaggi, specialmente quelli critici, aggiunto alla telefonata il mattino seguente recante la notizia di un concerto saltato, portò al proseguimento dell'intervista in toni totalmente inaspettati rispetto alla sera prima. Ezio era stato più volte critico e amareggiato nei confronti della realtà lavorativa in cui era immerso, ma mai fino a quel momento aveva palesato, lontano dal privato e/o a cena con amici e musicisti il suo reale stato d'animo.

Nulla di nuovo, lo facciamo quasi tutti. Sono le regole del gioco. Non sempre ci piace ciò a cui stiamo giocando, ma anziché arrenderci, prendiamo le carte che abbiamo in mano e tentiamo la nostra miglior partita, nonostante tutto. Fin quando non è troppo.

Il troppo arrivò, a microfono aperto, quella mattina.

Ezio fece saltare il tappo. Aprì un vaso di Pandora tenuto chiuso troppo a lungo e divenne fiume in piena.

La sera chiamai Alessia Capelletti e la avvisai di quanto era accaduto e, sorprendentemente per me, lei come Ezio, ne fu entusiasta.

Era finalmente giunto il momento di dire le cose così come stavano, e probabilmente sentendosi protetto, Ezio aveva finalmente avuto il coraggio di fare ciò che da tempo voleva fare.

Quello che accadde nei giorni successivi, fu ciò che io temevo. Rileggendo scritte le sue dichiarazioni, entrò in crisi. Da una parte la voglia di dire la verità, dall'altra il terrore di un esito controproducente. Non solo nuovi nemici, nuovi ostacoli, nuove lotte da affrontare. Ma il terrore puro di sembrare uno che voleva far pena. Uno che si piangeva addosso.

Si sarebbe fatto uccidere piuttosto che dare questa immagine di sé. È sempre stato un uomo con una dignità ferrea e una forza di volontà granitica. Il tutto montato sulla fragilità di un cristallo.

Chiese a me di consigliarlo su cosa fare. Ma io non potevo in alcun modo prendere una decisione tanto personale, per lui.

Alessia lesse l'intervista scritta e disse che dal canto suo era un sì.

Ezio era molto provato.

«Voglio farlo. Ma ho paura.»

La decisione finale la presi io, quando mi resi conto che eravamo giunti al punto in cui oltre alla sua paura si era aggiunta la preoccupazione per il mio lavoro qualora mi fosse saltato il pezzo; così, in un momento di non lucidità, mi disse che forse avremmo potuto limare delle parti, non toccare dei punti, alleggerire i toni.

«Ezio, che senso avrebbe? A chi farebbe bene? Non a te che vuoi dire la verità e così facendo ancora una volta, non lo faresti. Non a me, perché non voglio scrivere qualcosa che non è. Non a chi ti leggerà che conoscerebbe così una mezza verità.»

«Hai ragione.»

«Facciamo così. Io ti faccio una promessa e giuro di mantenerla. Questa intervista la mettiamo in un cassetto. È lì, è pronta. Non la tocca nessuno. Il giorno in cui tu sarai pronto, mi chiederai tu di farla uscire. E io lo farò. Uscirà così com'è. Con tutta la verità. Parola per parola. Di scrivere un articolo in più o in meno a me non cambia nulla. Scriverne uno vero o uno finto, sì.»

Così, l'intervista rimase nel mio computer. Fino a oggi.

Quando Alessia mi telefonò chiedendomi di ritirarla fuori e inserirla in questa raccolta, a un certo punto della conversazione disse: «Se non ci fosse stato chi ha fatto lo stesso per i grandi del passato, non ci sarebbe mai stato *Che Storia è la Musica*. Sai quanto Ezio studiasse non solo le partiture dei musicisti, ma le loro storie, i tempi in cui erano immersi, cosa li avesse spinti a scrivere quella determinata sinfonia in quel momento. Se vogliamo dare a Ezio tutta la dignità che merita e non lasciare sia relegato a frasette estrapolate qua e là e utilizzate per i più bassi fini, dobbiamo raccontarlo per come è stato veramente. E tu hai un pezzo fondamentale di quella verità».

Riascoltare questi due audio, è stato tra le cose emotivamente più dure mi sia mai stato chiesto di fare.

Voce è vita. Ascoltare, stoppare, mandare indietro e avanti quella conversazione per ore, scrivendo parola dopo parola, pausa dopo pausa, non mi ha fatto bene.

Ma spero con tutte le mie forze che possa farne a lui. Alla sua vita. Alla sua memoria.

Liberando quello che aveva dentro, ora che nulla di tutto questo potrà più ferirlo, nell'unico modo in cui posso farlo: dando con la mia voce, voce alla sua.

Con tutta la cura che ho.

Giulia Vespoli

N.d.C. La carriera irrituale di Ezio per lungo tempo non è stata accettata dalla cosiddetta Accademia e anche al momento della sua morte, nonostante tutto, alcune sacche di resistenza, che tra di noi chiamavamo «I Giapponesi sulle Isole», alludendo alle famose storie di militari giapponesi abbandonati nelle isole del Pacifico e ignari della fine della Seconda guerra mondiale, erano ancora vive. Fu un percorso lungo e tortuoso, con cadute e vertiginose risalite, un percorso provante, soprattutto perché nei secoli epici e germinali per ciò che oggi noi chiamiamo musica classica, *le carriere irrituali erano all'ordine del giorno, anzi, quindi era chiaro che Ezio venisse penalizzato per un irrigidimento novecentesco che non aveva ragione d'essere, una volta conosciutolo per il suo lavoro, se non in una forma estrema di*

pigrizia intellettuale. Laddove quell'irrigidimento novecente-
sco non poteva esserci, il sospetto di invidia, gelosia o altri sen-
timenti umanamente comprensibili, ma oggettivamente non
adatti alla dialettica professionale, inquinava ancora di più la
gioia del lavoro. Nel parossismo di alcuni momenti polemici,
soprattutto sui social, ci furono attacchi di una violenza verbale
imbarazzante, ben oltre i limiti del lecito dibattito. Ma non era
solo l'astio acritico e spesso pregiudiziale, giacché nello scon-
tro diretto con me dovevano ammettere spesso di «non averlo
mai ascoltato», da parte di certa critica o certo pubblico o certi
musicisti a ferire Ezio: anche la collocazione dei suoi concerti
fuori dalle stagioni in abbonamento, solo in eventi specifici a
lui dedicati, lo faceva soffrire, perché in questa collocazione da
un lato si sottolineava la sua non appartenenza a un sistema ri-
conosciuto, d'altro canto Ezio sentiva il peso psicologico di do-
ver dipendere dall'esito commerciale dei suoi concerti e questo
significava ogni volta un'importante mole di lavoro promozio-
nale per ottenere sempre la sala piena, lavoro che implicava
in sé sia distrazione dallo studio sia la continua ansia di travi-
samento dei media; riassumendo diciamo che Ezio il silenzio
stampa *non se lo è mai potuto permettere, a differenza di tanti*
artisti della stessa magnitudine.

A ciò si aggiunge che Ezio non ha mai avuto un manager
o agente professionale al suo fianco, ergo nulla gli veniva fil-
trato, come invece accade sempre con gli artisti importanti, e la
gestione diretta di quelle normali sgradevolezze del mestiere,
che però in un team normale non avrebbero dovuto essere di
sua competenza, lo amareggiava ulteriormente. Questa ango-
scia o meglio la somma di queste angosce, veniva prevalente-
mente tenuta nascosta nella comunicazione, giacché Ezio era
uomo di orgoglio ferreo, che detestava la sola idea di lamen-
tarsi pubblicamente. Ma anche questa reticenza era a sua volta
fonte di angoscia, come sempre accade quando ci si autocen-
sura su un sentimento importante. La paura poi di essere frain-
teso dall'interlocutore o che alcune delle sue espressioni più

*forti potessero diventare un titolo a effetto da sbandierare per
moltiplicare i lettori, aggiungeva dubbi e dilazionava sempre
il momento, atteso e temuto, della sua verità. La tormentata
non nascita pubblica di questa intervista è il miglior esempio
della perenne lotta tra questi sentimenti contrastanti, lotta mai
del tutto sopita. E darne conto oggi è importante per capire il
continuo sforzo su se stesso, il continuo dialogo interiore che il
musicista Bosso ha compiuto durante quegli ultimi, folgoranti
quattro anni, solo apparentemente davvero sereni, anche se di
certo molto invidiati da tanti.*

*Vale qui ricordare che Giulia Vespoli era coinvolta non solo
in veste di giornalista di «Vanity Fair», ma soprattutto in veste di fidanzata ufficiale di Ezio, da qui il suo coinvolgimento e
la sua disponibilità a gestire in modo confidenziale i contenuti
dell'intervista mai pubblicata.*

Sbobinatura intervista

*Ho acceso il registratore. Io la so bene questa cosa che stai di-
cendo. Però voglio sentire come vuoi dirla tu, perché non sono
sicura tu la voglia dire tutta.*

La voglio dire tutta invece. La voglio dire a te perché so che
non mi cambierai le parole. Invece lo fanno sempre. Perché
non ne posso più. Che anche questa cosa che ho fatto l'ho
fatta per la musica, non l'ho fatta perché ho voglia di andare
in televisione. Vivo senza reti e credo nella musica. Credo
nel poter fare una cosa. Se c'è una cosa che ho fatto in questi
anni è quella di aver usato tra virgolette questo sforzo personale, che è quello della popolarità non per vendere ma per
dare. Invece mi ritrovo, oltre a quelli del mio corpo, ad avere
ostacoli senza senso.

Tipo?

Tipo quelli che sai bene. Dal mondo della classica. Le cattiverie che subisco le conosci e l'effetto che mi fanno è quello soltanto di avere dubbi su me stesso. Di far sentire me stesso inadeguato. Dopodiché vado avanti, perché studio, perché ci credo, perché ho qualcuno accanto che crede in me.

Poi ci sono i miei musicisti, li conosci, sai cosa pensano di me e come reagiscono e sono musicisti non da poco, hai visto le mie prove, mi hai visto crollare alle prove, e conosci i miei giorni subito dopo aver fatto. Hai visto le persone come ci credono e vengono ad ascoltare. Sai di quanto mi occupi dei musicisti davvero come un padre, persino che mangino bene, che stiano bene, vado a controllare. Rinuncio a stare ai tavoli dei VIP e dei padroni per andare dai miei musicisti. Poi questo non è evidentemente fruttifero nei miei confronti ma non me ne frega niente.

A me interessa aprire le porte, se c'è una cosa che ho imparato proprio da Beethoven è che anche il rigore e l'autocritica estrema non sono poi ragione di non fare, anzi devono proprio essere usati per permettere un accesso a tutti che vada al di là della divulgazione. Dare alle persone una scelta. Fare questo è sfiancante, perché ci sono tante regole, ma il momento in cui sono felice è quando ho la bacchetta in mano.

Sfiancante fisicamente o emotivamente?

Lo sai, la mia emotività e il mio corpo vanno di pari passo.

Non se ne parla molto, ma teoricamente secondo molti medici chi ha le mie patologie non dovrebbe più farla la musica. Per gli stress emotivi che ha, sia nel bene sia nel male.

Io ho deciso di fare un percorso che mi porta a sacrificarmi.

Poi ogni tanto mi attaccano su cose senza senso e non ne ho voglia, ogni tanto vorrei un po' più di tranquillità. Soprattutto vorrei fare più musica, che davvero è quella che mi tiene in piedi, mi tiene vivo, mi tiene allegro, mi fa dimenticare le notti che sai e le mattine.

Nel comunicato della trasmissione a un certo punto c'è scritto togliere la paura a tanti altri.

Togliere la paura sì, perché in questi anni ho tolto la paura di questa musica a tante persone.

Quando le persone ascoltano Beethoven o Čajkovskij e mi dicono che è la cosa più bella che abbiano mai sentito, magari pensando che sia mia.

E quando io gli devo spiegare guarda no, non c'è una nota differente, ti sei innamorato di Beethoven. Io ci sono solo perché mi dedico a lui. Come mi dedico a te. Alla musica, alle cose e alle persone mi dedico.

Lo so. Secondo te il loro innamoramento viene anche dal fatto che glielo spieghi, glielo racconti? O solo dall'esecuzione?

A volte non lo spiego. Lo faccio tutto fino in fondo. Lo spiego con i gesti, lo spiego con le prove, non intendo solo quelle aperte, con il modo in cui si fa, con quel dedicare ogni gesto del direttore sia all'orchestra che lo capisce con i suoi strumenti, che al pubblico che solo apparentemente non li ha. Perché non è vero che il pubblico non capisce.

Una volta un critico ha scritto che avevo un gesto didattico e propedeutico dicendolo in maniera maliziosa e invece per me è un complimento perché un direttore deve avere un gesto didattico e propedeutico. Didattico perché, anzi no scusa didascalico.

Aspetta, c'è differenza tra didattico e didascalico.

Didascalico è ancora meglio, perché essere didascalici e propedeutici vuol dire essere didattici. Se ci pensi hanno la stessa radice tra l'altro. Un direttore deve indicare chi è illuminato in quel momento, chi sta entrando in quel momento, molte persone lo dico anche con un po' di presunzione ora hanno capito meglio qual è il mestiere del direttore. Non è solo uno con un frac che sembra più figo degli altri, ma è uno che si sforza più degli altri, che si occupa degli altri. Quindi fa capire meglio a chi suona chi deve suonare di più, chi deve suonare di meno, chi deve aiutare l'altro, ma anche a chi sta dall'altra parte a capire una partitura che non sa leggere. Grazie a un direttore tu sai leggere una partitura e non te ne accorgi. Questa è una delle magie. Una roba scritta che diventa visiva. Ed è la ragione forse per cui ho fatto più pubblico di tanti fenomeni pop. Uno va a scoprire una cosa di cui poi non sa fare a meno. Quella è la ragione per cui ti dedichi alla musica, per crederci insieme.

Ti leggo un estratto che parla di te in un comunicato di Cecilia Gasdia. È importante proseguire la propria vocazione garantendo la presenza di un indiscusso artista i cui successi sul podio sono sotto gli occhi di tutti, che è al contempo un grandissimo divulgatore capace di ampliare il pubblico della classica in uno dei momenti storici più difficili per essa. *Riallacciandomi a quello che stavi dicendo sui grandi numeri di pubblico che hai fatto, io voglio davvero capire, anche se lo so che ne abbiamo parlato tante volte, perché questo anziché un fregio è un problema?*

Perché nel nostro mondo la normalità, l'impegno, il sacrificio, l'incondizionato è diventato un'anomalia, in tutto, non solo nella musica classica. Tutto ha sempre una dietrologia nel

166

mondo di Facebook, non si pensa mai che dietro ci sia una fatica immane e che quella fatica che viene riconosciuta da chiunque si alzi al mattino per andare a lavorare per mantenere la sua famiglia, non venga invece riconosciuta come anche più dura per chi sceglie questa strada, che è una strada piena piena piena piena di fatica e di sacrificio.

È come quelli che pensano che per fare le cose si abbia bisogno di avere santi in Paradiso.

È vero, se non hai santi in Paradiso non fai un mucchio di cose, questo non vuol dire però che impegnandoti non puoi farne mille altre.

È quella la vera lotta da sempre.

È assurdo che un uomo che fa i miei numeri, in Italia e in Europa, amato dai musicisti e dalle orchestre, che però gli stessi musicisti e le stesse orchestre hanno paura a difendere perché chi ha il potere, le alte sfere, nella classica dice: «NO».

Se fai bene e fai fino in fondo, ci provano a fermarti, ma non ce la fanno.

Sei come il fiume, all'ostacolo gli passi intorno, al fiume in piena non gliene frega niente che ci sia la roccia.

Ma è faticosissimo. E certi giorni proprio non ne ho voglia di farlo ancora.

Perché quando si dice che dà grandi soddisfazioni, dà UNA sola grande soddisfazione che è partecipare alla musica.

Sì, ma se come stai dicendo e come ha detto anche la Gasdia, anche grazie a te si è avuto un ampliamento di pubblico, come fa questo a essere un problema? Perché lo è? Sul serio, non lo capisco.

Io perché non te lo so dire, credo si sia sedimentato quel principio che esiste un po' da sempre nella storia della musica che c'è una musica per i ricchi, c'è una musica per i poveri, c'è una musica per gli intelligenti e una musica per gli stupidi.

Questa è la cosa che fa più tristezza della nostra società e che i grandi musicisti del passato hanno combattuto fino allo sfinimento, fino all'isolamento, fino al non voler più vedere nessuno dal disgusto che avevano di questo precetto.

Non solo quelli del passato, Ezio. Anche tu.

Probabilmente mi isolo anche io, con la differenza che io mi isolo stando nei bar normali, a parlare con te, con i miei amici, con le persone, anziché frequentare "i fighi" frequento i muratori. Se il mio amico Jenni, che fa il muratore, si commuove ascoltando Čajkovskij allora quello mi dà vita, mi dà una ragione per continuare a fare.

Però è così, è così da quando la musica si è settata, però sai, la musica ha un potere, e quel potere ha deciso che la musica è per pochi. Però quello non è un mio problema, il mio problema è riuscire a farla, la musica, perché purtroppo queste mentalità fanno in modo che io non la faccia. Già ho un nemico dentro e sai che non è il problema peggiore, perché purtroppo lo sono questi inutili nemici fuori.

Che di solito è il contrario.

Loro invece creano un nuovo nemico dentro di me: il dubbio che forse abbiano ragione. Che non devo farlo perché non sono bravo, ho dei momenti in cui penso che non devo farla la musica, che tutto questo dolore dentro e fuori sia troppo da sopportare.

Chi sono queste persone?

C'è un po' di tutto. Critici sui giornali, persone del mondo della classica in privato e su Facebook che è diventato lo sfogatoio delle angherie. Sono arrivati a dire che fingo di essere malato, che quando non mi vedono cammino, il musicista in carrozzina, l'handicappato che dirige, quello che porta la parrucca e dovrebbe metterne una più bella.

Sei serio? Questa dalla parrucca non la sapevo. So del tweet di Spinoza, la parrucca mi mancava. Esattamente secondo loro quando andiamo dal barbiere cosa vai a fare? A far spuntare la parrucca? Dai, non ci credo.

Sì, sì, hanno scritto che ho una parrucca e che sono un finto disabile. Che fingo per commuovere. Qualche volta ci rido su, altre volte ho solo voglia di mollare tutto e dire ma chi me lo fa fare di soffrire così tanto? Di lottare così tanto per riuscire alla fine a ottenere cosa? Briciole. Ricordati il discorso del primo gennaio proprio qui. Ti sembra normale a te che io non sia in cartellone in nessuna stagione? Che continui a ricevere premi e cittadinanze onorarie e nessuno mi dia un teatro in cui fare bene? Per tutti dico, per la comunità, mica per Ezio Bosso. Invece l'importante è il selfie, la targa, la foto da pubblicare su Facebook, poi concretamente una casa per la nostra orchestra chi ce l'ha data? Nessuno.

Quali sono i tuoi desideri?

Il mio desiderio, che non si avvererà mai, sarebbe di poter avere quella tranquillità, avere degli appuntamenti fissi tutto l'anno in un posto, dove vivere io e dove vivere la musica e non dover andare a cercare con fatica. Sto provando in tutti i modi a venire a Roma, ora vediamo come va. Speriamo vada in porto. Perché ho la responsabilità di cinquanta professori che vanno dai venti ai sessant'anni, con problematiche di un ventenne che deve riuscire a farsi una vita e di un sessantenne che ha una famiglia.

Il pensiero di poter fare con quel modo, che è diverso,

perché inimitabile, unico; l'ho inventato io, lo ammetto, che è quello di vivere insieme quei giorni, non provando ma studiando, facendo partecipare il pubblico. Purtroppo non ho il potere per poter avere un teatro se non me lo danno, che è la casa di un'orchestra, dove farlo costantemente, dove stare io un po' meglio fisicamente e un po' più tranquillo, anche perché il mio corpo non è più quello di due anni fa. Quello sarebbe per me il sogno.

Purtroppo non ce l'ho e, finché reggo, vado avanti, certo è che non mi stanno aiutando a reggere, anzi. Poi il fatto che mi chiedano concerto per pianoforte e io devo ancora e ancora spiegare che non riesco più a fare i concerti per il pianoforte, e che quei soldi che mi darebbero per concerto al pianoforte li investirei dentro alla mia orchestra. A volte mi viene il sospetto che vogliano vedermi suonare perché si commuovono a vedermi stare male. Altrimenti non capisco. Vi dico che non posso più suonare, perché fisicamente non ce la faccio. Sto male io e faccio male alla musica perché non posso onorarla come merita. E loro che fanno? Continuano a chiedermi di suonare il pianoforte. Ti sembra normale? Tu lo faresti?

Direi di no. Ma ti ho sentito chiamare Maestro di vita tanto quanto ti ho sentito dire «non chiamatemi Maestro di vita», quindi non mi stupisco particolarmente.

Ma capisci? Me lo scrivono anche, di continuo. «So che non vuole essere chiamato Maestro di vita ma per me è un Maestro di vita e glielo voglio dire.» Capisci che non c'è affetto in questo? Come puoi dire di voler bene a qualcuno e poi fare per lui cose che gli fanno male? Questo è solo ego. Si torna sempre al non ascoltare. È più importante dire ciò che si vuole che ascoltare l'altro. In musica questo non succede. Almeno non in quella fatta bene. Io poi mi imbarazzo, non voglio essere Maestro di niente, come quando prendono frasi che dico, in cui credo veramente, e diventano meme per cose che non c'entrano nulla. Guarda facciamo una cosa dopo quando finiamo, creiamo una pagina, la chiamiamo le frasi di Bosho. Tanto si riduce tutto a questo. Vogliono il pianista disabile che fa piangere tutti e dice qualche frasetta da pubblicare nei meme con i glitter e i gattini.

Ezio, però stai parlando con me o con la giornalista che ti sta intervistando? Stai dicendo cose grosse. Sei veramente sicuro di volere che io scriva tutto questo o ti stai confidando con me?

Voglio che le scrivi. Basta. Non ne posso più. Uno crede nelle cose e fa. Va avanti. Fino a sacrificarsi, fino ad avere un male porco. Fino a prendere medicine per sopportare il dolore, fino a portarsi dietro i medici, lo vedi come sto poi quando tutto finisce e restiamo noi.

Uno va avanti lo stesso, ed è questo che non si riesce a capire. Che non lo faccio per me stesso lo faccio perché c'è la musica, perché paradossalmente anche nei momenti più bui della società quando senti quell'accordo lì, scritto da Schubert dici: «Il mondo è migliore, è migliore di così solo che qualcuno cerca sempre di fartelo vedere più brutto perché vive lui in un mondo brutto. Vive lui in un mondo senza musica».

Ed è difficilissimo spiegare che uno fa le cose non perché gli conviene. Ma perché ci crede.

Mi riempirebbero di soldi a fare il pianista disabile come vogliono loro. Non è quello in cui credo. E mi uccide più quello che vogliono farmi fare del male che ho dentro.

Qual è allora il tuo «nonostante tutto»?

Quando sono sul podio. Quando poi ho la bacchetta in mano, quando poi ho gli occhi in una partitura. Quella cosa che dico sempre della trascendenza, Beethoven è proprio segnato come colui che porta la musica alla trascendenza quando quella trascendenza fa appunto trascendere anche tutte queste problematiche di un essere umano normale, che si sente tutto il contrario di un onnipotente, si sente piccolo, si sente uno che però non c'è una virgola che non curi, anzi, quando non la cura lo dice, quando sbaglio un attacco lo dico, chiedo scusa io per primo; quando sbaglio magari anziché fare uno sforzato col gesto, che è una cosa proprio tecnica e a volte neanche i musicisti se ne accorgono, chiedo scusa.

Ma è una cosa che ho vissuto anche con i grandi direttori che ho conosciuto, tutti i grandi direttori chiedono scusa, non che io sia un grande direttore però la realtà è quella che quando poi sei lì ti dedichi a quello con tutto te stesso, il resto non esiste più. Non esiste più il tempo, perché poi ti assorbe poi diventi quella partitura, non esiste più il tuo dolore perché diventi i dolori di quella persona, di quel testo, e anche la gioia, ma è talmente forte, che dopo ti strema.

Per cosa ne vale sempre la pena?

Onorare quello che mi ha riportato in vita e onorare ciò che mi ha dato vita per tutta la mia vita. Ne vale la pena perché, bene o male, ne vale la pena sotto il profilo diretto, il benessere che se ne trae. E lo dico anche io che per farla devo portarmi i dottori, devo farmi le flebo, devo prendere medicine speciali per poterlo fare, e l'altro è il fatto che ti ha aiutato tutta la vita.

Si lotta per vivere, si lotta anche per far vivere meglio gli altri. Non c'è differenza.

Ti spendi per gli altri e ti spendi per vivere.

È una lotta bella e una lotta difficile.

Ultima domanda, poi portiamo fuori Ragout. Che cosa ti diverte? Ti prego, non era tra le domande ma sei una delle persone che più mi fa ridere al mondo e invece siamo andati solo sul pesantissimo. Che va benissimo, per carità, ma io vorrei che le persone sapessero anche quanto sai essere stupido dentro casa. Pure fuori casa, in realtà.

Tutto mi diverte. Sono un cretino. Quando faccio la musica mi diverto, sempre e soprattutto con i miei amici, quando sono a tavola, quando cucino per gli altri, mi diverto a fare lo scemo e vedere quanto posso far ridere chi ho davanti come te adesso che scrivi sul foglio e ridi sottecchi. Quando faccio le mie battute scorrette. Mi diverto a non prendere mai nulla sul serio, nel senso più bello del termine, ad alleggerire tutto. Questo mi diverte.

Carmina Burana

Testo per il programma
di Fondazione Arena di Verona.
Maggio 2019

Mi piace debuttare sul magnifico palco areniano e sul suo impegnativo podio con i *Carmina Burana* perché ne condivo, almeno in parte, lo stravagante destino: opera figlia di un lavoro filologico pioneristico e di un impegno didattico altrettanto pioneristico, ha avuto sia per puro caso ma anche per puro merito artistico, una storia davvero pop, se è vero che *O Fortuna* è l'incipit di tanti concerti metal, primo fra tutti il mitologico Ozzy e così, nei preconcetti di molti, esso è diventato «opera leggerina». E così, come i miei fratelli *Carmina*, io ho fatto studi classici, ho lavorato come musicista solo in orchestre classiche, ho composto solo secondo canone e infine, giunto a concretizzare la mia vocazione primigenia, la direzione, ho diretto solo orchestre di tradizione sul grande repertorio di tradizione, ma dato che ho tanto pubblico, nel fondo per alcuni «sono un po' pop». Quasi fosse un'offesa. Dimenticando e ignorando che il ruolo di un uomo di cultura è proprio quello di rendere popolare, ovvero trasmettere alle persone, i tesori della storia e confondendo la missione di tutti i grandi musicisti con un genere (di tutto rispetto), ma io sono soggetto noioso e quindi parliamo di loro: *Carmina* sono il frutto più famoso di un uomo che dedicò tutta la sua vita alla riscoperta dell'antico, partendo dall'italianissimo Monteverdi, con una ricerca di scavo profonda, archeologica in metafora, strettamente filologica, e d'altro canto a quella che chiamava la sua «cava», fucina didattico-pedagogica e luogo di sperimentazione e creatività. Mi ci ritrovo: lavoro, studio, ricerca unite a divulgazione e «insegnare imparando», docente che cresce interagendo con gli studenti, col pubblico.

La riscoperta dell'antico, da Monteverdi al Barocco fino a Catullo e al latino, come ispirazione per il nuovo, per creare un suono, un'idea che non sarà mai l'originale, ma che è poetica precisa e soprattutto creare un 'immaginario collettivo, così reale e irreale al contempo: questa la forza di Orff che ancora oggi convince e che cercherò di onorare per noi in Arena, sfruttando, come amava Orff, i dettagli, l'acustica di una sala immensa e aperta che però aiuta i pianissimo, magicamente.

E poi alla fine quei *Clerici Vagantes*, studenti seri che amano la parte sanguigna della vita, ricordano la vita che più amo, quella dell'orchestra: studiosi musici, che vagano insieme per portare il frutto del loro studio e che, terminato il pesante lavoro, godono insieme di una vita errabonda, comunitaria e internazionalista prima ancora che il termine nascesse.

I *Clerici Vagantes* siamo noi tutti stasera e insieme celebriamo la vita, la musica e la fortuna!

Che Storia è la Musica
Comunicato stampa

Bozza del comunicato stampa per il primo
Che Storia è la Musica.
Stesura non approvata dalla Rai.

Il testo era frutto di lunghissime conversazioni tra me ed Ezio su come presentare questo progetto totalmente nuovo, senza lasciar trapelare troppo le nostre paure, i nostri dubbi, le nostre perplessità, ma anche l'orgoglio e la gioia. Probabilmente anche io ero troppo coinvolta per ottenere un testo corretto e così fu rigettato. Ma vale la pena rileggerlo per capire davvero con quale spirito si affrontò la prima messa in onda, il debutto di un'idea che, pur non essendo esattamente l'idea originaria, rimaneva comunque un alieno nella televisione mondiale.

Da un'idea di Ezio Bosso, la prima maratona televisiva dedicata a Beethoven nella storia della tv italiana e non solo.
Domenica 9 giugno Rai3 ore...
Dal Teatro Giuseppe Verdi di Busseto
Beethoven – Sinfonia N. 5 Op. 67 e Sinfonia N. 7 Op. 92
Ezio Bosso, co-autore, conduttore e direttore della sua orchestra.

Nell'ormai sconfinata produzione televisiva mondiale è molto difficile trovare un segmento non ancora esplorato e, mentre si accarezza l'idea di entrare in questo terreno ancora selvaggio, può anche sorgere il legittimo dubbio che sia rimasto incolto per ottime ragioni, che dissodare proprio quella zolla non sia affatto una buona idea.

C'è voluta quindi una certa dose di coraggio e voglia di sperimentare per realizzare il sogno, a lungo meditato dal Maestro Ezio Bosso, di creare un programma tv del tutto nuovo e mai tentato, che traesse linfa e prima ispirazione dalle sue famose «prove aperte», superandole con creatività e voglia di comunicare, per giunta in una prima serata o meglio in una maratona vera e propria che accompagnerà il pubblico fino alla notte. E senza copione, ma una maratona a braccio in cui l'unico testo scritto è la musica di Beethoven.

L'idea di partenza in realtà è molto semplice: le prove aperte, come sviluppate da Bosso nel corso degli anni, non sono solo le semplici e reali prove d'orchestra aperte al pubblico come fanno in tanti, ma diventano sempre un momento di racconto e dialogo tra il direttore, l'orchestra e il pubblico presente, che avvicina anche i neofiti più digiuni a quel grande repertorio classico sempre più spesso penalizzato proprio dalla soggezione della gente verso quella che alla fine è solo musica, anzi, è la musica di tutti, quella che ci scorre nelle vene, anche se non lo sappiamo o pensiamo di non averne più bisogno. Le prove aperte di Bosso «tolgono la paura», cioè oggi l'ostacolo più difficile da smantellare di fronte alla cultura tutta, ma soprattutto quella musicale, legata anche a luoghi e riti spesso abbinati nell'immaginario comune ad abitudini elitarie.

La scommessa era dunque quella di portare la freschezza, la spontaneità, la familiarità, ma anche la profondità, la commozione, la serietà non seriosa, l'ironia e la voglia di partecipazione di questa esperienza collettiva, che negli anni è diventata un vero cult per migliaia di persone in tutt'Italia, a un pubblico televisivo, annullando la barriera fisica dello schermo e del tempo, arricchendola di una componente di dialogo più intenso, ma del tutto spontaneo, perché Bosso non è né un attore né un professionista della conduzione, e adeguandosi alla narrazione televisiva senza snaturare l'essenza del progetto, in primis la musica.

L'apparente semplicità della formula nascondeva però molti tranelli perché a tutti gli effetti, tutta la produzione, dagli autori alla regia fino ai protagonisti, hanno dovuto camminare in terra incognita, senza orme da seguire.

Si è dunque scelto un teatro molto raccolto, piccolo e di grande tradizione storica, il teatro di Busseto, patria di Giuseppe Verdi e cuore di una cittadina che potesse diventare per una settimana la seconda casa di tutti i protagonisti: la Rai, la STRADIVARIfestival Chamber Orchestra, fondata da Ezio Bosso due anni fa e qui al suo ultimo impegno sotto questo nome, oggi Europe Philharmonic Orchestra. Ma anche i tanti fan accorsi da tutt'Europa e la gente comune dell'Emilia, che Bosso ha scelto come sua seconda casa ormai da qualche anno.

E in questo gruppo di amici vecchi e nuovi, in primis i musicisti dell'orchestra, si sono accolti gli ospiti: nomi popolari, abituati alle telecamere ben più di Bosso, che non frequenta il piccolo schermo più di una volta all'anno, ma spesso confessi neofiti di fronte al grande repertorio classico, talvolta spaesati e forse anche intimiditi proprio come la gente comune, davanti al mito Beethoven. La loro reazione, commozione e sincero divertimento di fronte alla grande arte offerta con semplicità, all'umanizzazione di Beethoven, all'impatto emotivo di una musica che sa «unire cuore, pancia e cervello» è diventata la reazione di tutti.

E la diversità del loro profilo personale e professionale rende veramente gli ospiti di *Che Storia è la Musica* un campione significativo del potenziale ascoltatore italiano.

Il Teatro Verdi di Busseto è stato perciò garbatamente rivoluzionato dalla Rai per porre orchestra e direttore al centro della piccola platea, così da avere il cuore dello show avvolto da un'atmosfera più intima e familiare, nonché per sottolineare visivamente quell'identità di pubblico e orchestra, sempre evidenziata da Bosso; gli ospiti sono stati invitati sul podio, così da ottenere una conversazione più semplice e un impatto musicale unico, quello del direttore: pochi e piccoli aggiustamenti nel rispetto di un'idea etica e musicale già rodata dal vivo in anni di esperienza, ma che in tv doveva crescere, diventare altro, un esperimento unico e diverso da tutto ciò che abbiamo già visto. Infatti, forse il tema centrale è proprio l'esatto contrario dell'esperienza dell'ispirazione iniziale delle sue prove aperte: è l'inesperienza. Quella di Bosso, vero alieno in tv, raramente ospite, mai prima d'oggi conduttore e co-autore; l'inesperienza del concerto classico, vero alieno nel mondo d'oggi, «format» che per sua natura richiede pazienza, attenzione, ascolto e quindi amore.

Per obbedire alle esigenze dei tempi televisivi le due partiture sono state eseguite integralmente, salvo alcuni ritornelli di tradizione per prassi eseguibili a scelta del direttore.

Ma alla fine *Che Storia è la Musica* dovrebbe diventare la storia di chi sorridendo e ridendo di gusto, si commuove e si innamora e per amore si impegna, nell'ascolto, nell'attenzione, nella disponibilità ad aprirsi senza pregiudizi.

Che Storia è la Musica
Intervista

Bozza dell'intervista con Roberto Zichitella
per «Famiglia Cristiana» nella primavera del 2019
in presentazione del primo
Che Storia è la Musica.

L'incontro avvenne nelle pause del montaggio a Roma e il testo inizialmente trasferitomi da Roberto, è qui arricchito dai commenti di Ezio, il celeberrimo «Spirito delle Scale», cioè pensare dopo ciò che andava detto prima, attività di rito nelle nostre riletture dei pezzi giornalistici alla loro uscita.

Rispetto alla parola «Maestro» avevo un complesso per il ricordo di maestri cattivi, che a scuola mi picchiavano, niente di davvero violento, comunque una severità che ai miei occhi di bambino era arcigna, quindi la parola «Maestro» mi metteva paura. Sono e resto Ezio, ma sono anche una persona che ha una bacchetta in mano e il mio mestiere è quello di direttore d'orchestra. Io per i miei musicisti sono Ezio. Quando Ezio ha la bacchetta in mano è più comodo chiamarlo Maestro. Certo non bisogna esagerare e considerarmi anche un Maestro di vita. Questo è un travisamento che mi dispiace, contro cui lotto, ma sembra invano. Chi lo fa non capisce che così svilisce la musica, come se la mia «vita» fosse più importante della musica, l'esatto contrario di ciò che sostengo a ogni occasione. Ma sostengo che ormai abbiamo un serio problema di ascolto e questo ricorrente «Maestro di vita» che mi perseguita, ne è la prova: anche chi mi ama, non mi ascolta, sembrerebbe.

L'autorevolezza si conquista con lo studio, la preparazione che si ha, mista a quella gentilezza che solo chi si è preparato può avere, perché di solito è aggressivo chi non sa le cose. Il direttore deve conquistarsi la fiducia per fare un percorso insieme agli orchestrali. Anche se hanno già fiducia in te, in ogni produzione devi guadagnarti la loro fiducia. Se hai studiato bene, nessuno può mettere in dubbio che tu meriti di stare lì. La musica ha il merito di essere di una purezza meritocratica assoluta. E in questo è educativa per tutta la società, per questo aprire le prove dalla prima lettura non serve «solo» a far capire meglio il concerto al futuro ascoltatore, ma serve anche a fargli vivere la meritocrazia in un Paese che tende ormai a svalutarla sistematicamente a favore di concetti deviati come «simpatia».

Con questo programma realizzo il sogno di far arrivare nella prima serata di una televisione generalista la musica che amo e a cui appartengo. La sfida è quella di parlarne alle persone che di solito non la ascoltano o che non la frequentano. A volte ci sono persone addirittura complessate rispetto alla musica classica. Dicono: io non ne capisco abbastanza e allora non vanno neppure ad ascoltarla. È un tabù che il sistema non aiuta a sconfiggere.

La Quinta e la Settima sono le due sinfonie in cui Beethoven libera se stesso, libera la musica da quell'editto che diceva che la musica non poteva mai trascendere i sentimenti umani, libera la musica dalle costrizioni della forma. Beethoven è un vero rivoluzionario e per me è il mio riferimento.

La Quinta è la sinfonia più conosciuta, ma al tempo stesso anche la più sconosciuta. Bernstein diceva per che molti è finita alla seconda battuta, io dico fino alla battuta cinque. Vorrei raccontarla attraverso la metafora della vita, attraverso aneddoti, parti di lettere, pensieri personali, anche divertendoci, ridendo insieme, ma sempre con estrema umiltà. Non è una lezione di musica, ma un invito all'ascolto, allo stare bene. Questa è una musica che ci fa stare bene ed è un patrimonio dell'umanità, non appartiene solo a qualcuno.

Lo so, è una follia, sono molto spaventato. Siamo stati impegnati cinque giorni, con due giorni di registrazione per cinque ore al giorno. Ho dovuto prendermi le mie pause.
Ho tagliato solo qualche ritornello, cosa che non faccio mai, perché io sono iperfilologico.

La musica siamo noi. Chi ascolta la musica è protagonista e fa parte del suono di chi ha lo strumento in mano. Anche il silenzio diventa parte del suono, come sapeva bene John Cage.

Io sono a favore dell'applauso fra un tempo e l'altro. Il non applaudire è un'invenzione del Novecento. Il secondo movimento della Settima sinfonia venne eseguito cinque volte per i bis richiesti alla sua presentazione. La gente applaudiva quando gli pareva, ovviamente se la musica gli piaceva. Non c'è colpa, se ti piace applaudi. Questo non significa che io ami gli eccessi negli applausi, per esempio non capisco perché si applaude ai funerali.

La ritualità è nel rispetto assoluto della partitura. Meglio uno che applaude fra un tempo e l'altro rispetto a chi tossisce o lascia trillare il telefono. Viva il pubblico che applaude fra un tempo e l'altro, a patto che non respiri nei pianissimi. Invece ogni tanto ti arriva il colpo di tosse proprio quando stai seguendo l'indicazione dei 3 *p*, che indicano i pianissimi.

In agosto all'Arena di Verona dirigo i *Carmina Burana* di Orff, un altro di quei brani della musica classica che tutti pensano di conoscere. Ma tutti hanno in testa solo l'incipit, che fa subito film dell'orrore. Faremo la versione con i due mimi, prevista dallo stesso Orff.

Sanremo è stata un'occasione per andare a parlare di musica classica. L'ho fatto una volta e basta. Sono Ezio Bosso, un direttore d'orchestra che ha avuto il coraggio di parlare di musica classica a Sanremo. Allora dissi che sarei tornato sulla Rai in prima serata solo per fare una trasmissione sulla musica classica. Quella mia partecipazione ha conciso con un mio periodo di rinascita, dopo anni di fatica a recuperare.

Non riesco più a comporre a causa dei problemi neurologici. Io ho una concezione alla Čajkovskij del compositore, che dovrebbe comporre sei ore al giorno. Io ne studio dodici, ma faccio fatica a scrivere.

La fatica quotidiana è ancora tanta, infatti non faccio molti concerti. È meno faticoso di anni fa, ho imparato a prendere le misure, però fare musica mi dà tanta di quella vita che non smetterei mai.

Se per magia potessi riportare in vita un musicista del passato sceglierei Beethoven. Prima di tutto per dirgli grazie, perché se ho fatto il musicista è grazie a lui e poi per chiedergli se sto facendo abbastanza (anche se per me non è abbastanza). Poi sai, i musicisti li riportiamo sempre in vita quando eseguiamo la loro musica. Penso anche ai grandi direttori che ho avuto vicino, come Claudio Abbado, e allora ogni volta che dirigo guardo in cielo e mi chiedo: chissà se sarà contento.

La mia orchestra è nata sul principio di essere una comunità di grandi musicisti, europeista per natura, dedicata infatti alla dea Europa, è una comunità di musicisti e di ascoltatori. Siamo un bel gruppo di amici e abbiamo un suono identitario forte.

Speriamo che ci diano anche una casa per continuare la nostra attività, altrimenti quel suono va ricostruito ogni volta e non è così che si costruisce un'identità, a rate.

Andiamo in onda con una follia, di quelle che si fanno per amore. Una cosa talmente bella che fai fatica a crederci. È un gesto d'amore verso noi tutti e soprattutto verso ciò che mi tiene vivo e ci tiene vivi, la musica.

Carmina Burana
Arena di Verona

Bozza dell'intervista di Luca Pavanel per
«Il Giornale» sbobinata il 1° luglio 2019, in realtà
realizzata a Bologna per la conferenza stampa
di *Carmina Burana* all'Arena di Verona,
poi ampliata.

Ezio Bosso, lei è visto come qualcuno che porta la forza della musica nella società…

Tutti noi portiamo qualcosa. Nella musica ci credo, ci credo profondamente. Non mi sembra di fare qualcosa di particolare ma semplicemente onorare un principio naturale come quello che la musica è una necessità.

Alto messaggio quindi: non montarsi mai la testa.

In tutte le cose ognuno porta il suo bagaglio, se stesso, la propria ricerca. Lo fa ogni direttore, ogni compositore, tutti quelli che hanno qualcosa da dire.

La sua particolarità?

Non saprei dire veramente, ma ci provo.
Forse la mia particolarità è quella di lottare. Lotto ogni giorno affinché la musica sia il patrimonio collettivo e non soltanto di pochi.

In tutto questo quanto contano emotività ed empatia?

Trovo che la parola «empatia» anche se mi appartiene sia abusata. Comunque sia, la musica è per natura empatica; prevede che chi ascolta e chi «parla» diventino lo stesso oggetto.

Quanta comunione e gentilezza...

Sono per una «gentilezza militante», mi piace ripetere che i sorrisi avvicinano più dei passi e aprono più porte delle chiavi. Tutti dovremmo metterci in gioco per creare un movimento di disponibilità.

Come si fa?

Ho avuto questa occasione, questo l'ho sperimentato, ho dovuto re-imparare a sorridere.
Ma attenzione: sorridere ed essere gentile è una realtà che non deve diventare banalità. Sorrisi e gentilezza portano più avanti di qualsiasi altra cosa.

Si impara pure dall'infanzia...

Certo l'educazione conta, ma sono cose da coltivare sempre...

A proposito di anni verdi, che aria si respirava a casa sua?

Posso dire che per quanto riguarda la musica, non c'era neanche a casa mia. I miei genitori non erano così interessati. È stato mio fratello a spingermi in questa direzione.

Quando è stata la sua prima volta?

È come chiedermi «quando ho incontrato le mie cellule o la mia anima». Nella mia memoria la musica c'è sempre stata. In gioventù...

I miei genitori, Bruna e Angelo, erano operai. Mio padre, faceva il tranviere all'ATM [*N.d.C.* Azienda trasporti municipali di Torino]. Erano due idealisti ma vivevano il complesso del «noi poveri non abbiamo diritto a nulla».

Pesante da sopportare?

Un giorno dissero a mio padre proprio rispetto a me «il figlio di un operaio può fare solo l'operaio» e in qualche modo questa mentalità deprimente li ha segnati ma ci hanno lasciato la lettura.

Be', un bel viaggio da percorrere no?

Per loro leggere era molto importante, era liberatorio. Però in qualche modo hanno patito tutta la vita.

Ma lei ha rotto lo schema...

Probabilmente io ero un ribelle. A quattordici anni suonavo

già in orchestra, a sedici sono andato via di casa, riuscendo anche a mantenermi da solo, e ad aiutare a casa da subito suonando. Per quanto volessi fare il direttore e continuare il pianoforte, scelsero i miei il contrabbasso al Conservatorio, che studiano in pochi rispetto ad altri strumenti, immaginando di trovare lavoro più facilmente.

I suoi?

Erano felici ma sicuramente preoccupati a causa delle mie scelte.

Avrà fatto cose da ragazzo "normale"...

Ferie poche, perché i miei non se le potevano permettere. Il mio massimo, parlando di vacanze, era andare in campagna, vicino a Torino, a studiare. Studiavo sempre.

Sono mancate delle cose?

Sì, tante cose. Ma anche no. La musica ha anche questo effetto di riempire i vuoti. Poi ci sono state e ci sono le amicizie, in alcuni casi orchestrali che sono con me ancora dopo trent'anni.

Un aneddoto che la fa ancora sorridere...

Il mio migliore amico, Fabio, è mio fratello, più grande. Una volta mi fece ubriacare così tanto che non riuscii neppure ad aprire la porta di casa. Mi addormentai sullo zerbino, avevo quindici anni.

Storie, storielle d'amore?

Mi sono sempre innamorato follemente, già dall'età di due o tre anni. Mi ricordo di una bambina bionda che si chiamava Cristina. Di quel periodo ho ancora la foto con la mia maglietta preferita con un pesce sopra. Le volevo sempre tenere la mano.

Insomma un Don Giovanni...

Poi mi sono innamorato di una ragazza molto più grande di me, Cristiana (forse), io avevo cinque anni, lei quindici. La guardavo e la guardavo ancora, non dicevo niente; sono sempre stato timido.

Oltre alle sbandate giovanili, quali altre passioni?

Da ragazzo scrivevo tantissimo. Scrivevo soprattutto poesie. Fino a una certa età il mio ideale era regalare una storia alle persone che amavo.

Ci sono state delle pubblicazioni?

No, e poi in realtà ho disimparato. Adesso quando mi chiedono di fare un libro, rispondo «quando imparerò a scrivere».

Poi la vita è cambiata...

Sì, ma all'inizio non me ne sono accorto o quasi. A un certo punto i medici mi hanno detto che ero malato.

La sua reazione?

Ho risposto che dovevo fare ancora molte cose, una tournée e sono partito per l'Australia due mesi, alla faccia dei medici [ride divertito]. Ma al ritorno ho cominciato a stare sempre peggio.

E ha dovuto affrontare una nuova realtà...

La mia preoccupazione è sempre stata il dolore nello sguardo delle persone che mi amano.
Per il resto ho accettato.

Le persone che l'hanno aiutata: qualcuno che vuole dire?

Sicuramente Anna Maria che è stata compagna per quattordici anni e che oggi è ancora la mia assistente e famiglia, ed è intoccabile. Poi mio fratello, e Relja Lukic per me il mio frate, un altro pezzo di famiglia, penso anche al violoncellista Mario Brunello, il violinista Giacomo Agazzini con cui sono cresciuto. Che mi ha insegnato tanto e che c'era nel momento buio. E altri ancora.

Un bel sostegno.

Mi considero un uomo fortunato, se vogliamo più alla Nietzsche. Diceva che «se non ti senti abbastanza fortunato, cerca la fortuna da un'altra parte».

A un certo punto la notorietà, attraverso la serata a Sanremo: come l'ha presa?

Dopo quella serata sono partito per la Lituania e non sapevo che succedesse.

Tra le cose che ho pensato che tutto quello successo era anche una responsabilità.

Quindi?

Ho sempre portato avanti la mia linea come prima, difendendomi, tra l'altro per non diventare un fenomeno da baraccone.

Ci vuole anche forza d'animo...

Tutto questo è anche un po' capitato; io tre giorni prima non ci volevo neppure andare a Sanremo. Non era il mio ambiente e difatti non ci sono tornato.

Non si è scomposto più di tanto.

Macché, la vita è continuata come prima, continuo ad andare negli stessi bar a Torino e a Bologna. Non ho nulla di questa ossessione tutta italiana del VIP.

Perché tutta italiana?

Voglio dire che certe cose non mi toccano. Vivo a Londra da tanti anni, un posto dove anche i ministri prendono la metropolitana.

Che cosa la tocca?

Sento la responsabilità di avere l'occasione di dare accesso, di aiutare a vivere la musica classica a tante persone.

Allora chissà quanti sogni e progetti ancora...

Il mio sogno è far crescere sempre di più la mia orchestra, trovare una casa dove stare, per questo trovare i fondi necessari, e riuscire a portare avanti questo progetto, anzi, questo è proprio un appello, un appello ai Mecenati.

Che tipo di orchestra?

Un complesso come esempio di una società migliore, una comunità di ascoltatori con o senza strumento in mano che vivono anche i momenti di convivialità e la serietà dello studio.

Un'unione di persone tra arte e amicizia...

Sì, proprio così. Amicizie storiche e nuove grazie alla musica. Eterogenee nelle età e nei mestieri. Dalla scrittrice al muratore, all'avvocato, al professore di diritto canonico, al tubista. Affetto, insomma. È bello stare con gli amici.

Vi trovate ogni tanto?

Principalmente a casa mia e cucino per tutti. La mia cucina è un po' nonnesca, diciamo tradizionale, e regionale, da quella delle mie origini a quella bolognese a quella del Sud. Tra gli ingredienti uso anche tanta 'Nduja calabrese. Non mi piace la cucina fighetta, ma quella di tradizione. Mi piace far stare bene le persone.

Ci vuole qualità…

Ovviamente, ma anche quantità. Quello che è sicuro è che cucino tantissimo. Cucino per il doppio delle persone, perché credo mi abbiano trasmesso il complesso di «quello uscito dalla guerra», magari chissà dopo arriva qualcuno che ha bisogno e ha fame.

Si mangia e si chiacchiera, poi?

Poi si suona, a volte viene un gruppo d'archi. A volte vengono a sentire anche i vicini di casa. La mia porta è aperta.

Fan pure in casa, e i VIP?

So di essere apprezzato da alcuni ex giocatori della Juventus. Massimo Mauro mi ha detto che gli piacevo, ma anche David Trézéguet che ogni tanto vedo. E pensare che sono di provenienza granata.

Chissà quanti incontri…

Anche in situazioni non belle, ma la musica aiuta. Ho suonato mentre la terra tremava, per rassicurare le persone [N.d.A per questo nel 2014 ho ricevuto la cittadinanza onoraria presso il comune di Gualtieri, provincia di Reggio Emilia, per la vicinanza al teatro].

Chissà che paura…

Dovevamo fare il concerto in teatro ma evidentemente non si

poteva, così lo abbiamo fatto fuori. C'erano persone che dicevano «ma chi sono questi pazzi...». Ma noi restavamo per dare un po' di pace.

Quanti concerti e impegno: il tempo per scrivere musica?

Scrivere prima per me era facile, ma ora... Sono cambiate molte cose.
Non ho mai scritto davanti a un pianoforte, ma mentre ero in viaggio, adesso però... poi sono sempre stato un direttore che scriveva musica e non il contrario.

Titoli da ricordare?

È come chiedere a che figlio vuoi più bene, anche se io ciò che ho scritto cerco di evitarlo.
Appunto, lo lascio agli altri.

Ultime battute dello spartito, a raffica: il tempo libero...

Leggo tanto, guardo un mucchio di serie televisive, come *The Blacklist* e *Supernatural*. Guardo tanti film e, se posso, vado anche al cinema.

La pellicola cult?

Uno dei miei cult è un film della fine degli anni Cinquanta, di Billy Wilder, *A qualcuno piace caldo*.

Ezio e la fede...

Come dico sempre, sono diversamente credente. La fede la rispetto profondamente.

Ezio e la politica.

Io credo nella responsabilità dell'individuo, ognuno deve crescere se stesso e deve aiutare gli altri. Per me la politica esiste solo nella *polis*. Poi non confondiamo la politica con le tifoserie. La *polis* permette a tutti di esistere.

Incontri fondamentali?

Sicuramente il direttore Claudio Abbado. Poi capita di incontrare uomini straordinari meno noti. Ne ho incontrati che non avevano neppure un nome. E che mi hanno aiutato tanto.

Direttore d'orchestra

Bozza non editata dell'intervista
di Alfonso Papa
per la rivista «Backstage».
18 agosto 2019

Da musicista a direttore d'orchestra durante questo processo più le responsabilità o le emozioni?

È una domanda anomala perché è tutta la vita che studio per essere direttore d'orchestra ed essere musicista, e continuo a farlo.

Dopo di che: sono direttore d'orchestra da quando ero bambino. Anche da bambino per me la musica era, nel mio modo infantile di intenderla, un lavoro. Poi giocavo anche e mi divertivo, ma la musica era un'altra cosa.

Non è che ti passa, si è sempre musicisti e il mestiere di direttore d'orchestra è il mio mestiere. Mestiere fatto principalmente di gratitudine e di responsabilità verso l'altro. E che prevede dieci volte il lavoro degli altri.

Ogni strumentista ha la sua peculiarità, che suoni il violino, che suoni la viola, sia il primo violino o l'ultimo dei primi, non c'è uno più bravo dell'altro, sono identità e differenze necessarie, che compongono una società ideale.

La mia natura è quella di essere direttore d'orchestra, il quale, a mio avviso, deve essere diplomato almeno in due o tre strumenti e in composizione; da lì poi può muovere la bacchetta.

Verso quale strumento ti senti più propenso?

Non è che mi sento più propenso, ho dovuto studiare il contrabbasso per ragioni di povertà di famiglia e allo stesso tempo perché alla mia accademia bisognava studiare uno strumento ad arco. Ho studiato il pianoforte da quando avevo quattro anni, ho studiato il fagotto, ho studiato canto lirico. Il punto è che a me piace studiare. E sono fortunato perché il mio mestiere consiste nel continuare a farlo.

Il mio Maestro diceva: «Vuoi suonare tutti gli strumenti? C'è un solo modo per farlo. È dirigere». Mi piacciono tutti, gli strumenti, dal triangolo alla bombarda.

Nei riguardi della musica ti senti più interprete o esecutore?

Mi sento interprete nel senso più profondo del termine, cioè colui che sparisce amando e rispettando il testo.

L'esecutore è colui che esegue e c'è, io cerco di sparire e lasciare spazio al testo.

Il direttore è sostanzialmente un medium degli altri.

Il silenzio è musica.

Il silenzio è la parte fondamentale della musica.

Esiste un brano di John Cage che è perfino basato sul silenzio e sul fatto che questo silenzio sta dentro di noi e non fuori. È quel silenzio che dà spazio al suono.

Il silenzio poi non esiste, ma è un gesto e senza quel gesto non c'è musica. L'unica acustica dove non ci può essere la musica, è dove tutti fanno rumore.

Ti capita spesso di essere in silenzio?

Più che posso. Il silenzio aiuta ad ascoltare.

Ami il silenzio, ma sei anche una persona molto rock.

In cosa? Dai vestiti? Il rock mi piace, ma io amo Beethoven, Ravel, credo fondamentalmente nella musica classica, anche se più che classica, andrebbe chiamata «libera». Perché è libera dai mercati e libera le menti e le anime.

Rock nel senso che sei molto avanti nelle cose che fai.

Noi musicisti classici siamo sempre più avanti degli altri, non ci uniformiamo alle musichette che ci sono adesso, i cosidetti tormentoni estivi.

Anche Beethoven al suo tempo non poteva essere definito «classico», lui era molto più avanti, anche oltre il romanticismo.

I veri punk, oggi, sono i musicisti classici, lo sono sempre stati, da tutta una vita. Essi sono i veri rivoluzionari, al contrario di chi insegue il mercato, per esempio, e deve per forza uniformarsi a esso. Poi, nel mondo d'oggi, scegliere di diventare un musicista classico è talmente controcorrente che mi chiedo come si possa considerare ancora ribelle uno che fa rock e non uno che dedica la propria vita a Bach.

A volte, però, la musica classica viene vista come un qualcosa di troppo serio.

Quello è un pregiudizio e non a caso passo il tempo a cercare di spiegare di non avere pregiudizi.

Troppo seria, troppo lunga, tutti questi «troppo» sono i pregiudizi sciocchi degli esseri umani e stupidi di chi glieli ha dati. L'unica cosa veramente seria e che fa la differenza è lo studio che è necessario per suonare la musica classica.

Ci viene, però, trasmessa in questo modo.

Un po' ci viene trasmessa, ma noi siamo abbastanza grandi da provare a essere curiosi, altrimenti saremmo tutti ad ascoltare e fare solo quello che ci viene detto di fare dagli altri, invece il nostro ruolo crescendo è comunque quello di essere curiosi. Un'umanità senza curiosità è un'umanità chiusa in se stessa, schiava, destinata a estinguersi. Estingue proprio il suo essere umana.

Il suono fondamentalmente è un tempo. Riesci a gestire il tuo tempo?

I musicisti sono i padroni del pozzo nero del tempo per eccellenza. Se invece si intende il tempo di vivere no, la vita non può essere regolata dal tempo.

Come dico sempre, il tempo è una linea retta, la vita invece è un qualcosa che ha alti e bassi, si interrompe. Pretendere di gestire il tempo della propria vita è solo presunzione.

Il mestiere di un musicista è quello di maneggiare il tempo. Il tempo è una materia che in musica diviene tridimensionale e la musica è l'unica forma che riesce a far durare un minuto un'eternità e, viceversa, un'eternità un minuto.

Il tuo essere bambino in musica?

Cerco di vivere senza filtri. Come dico sempre, a un certo punto me li hanno tolti e non li ho più cambiati.

Mi prendo cura e responsabilità degli altri ma i miei sentimenti, ciò che provo, emergono come in un bambino. Non vedo perché debba nasconderli. Se sto bene si vede, se non sto bene si vede, se sono felice si vede. Nasconderlo è ipocrita.

Sei sempre felice?

No, sono anche infelice e sono anche arrabbiato.

Mi arrabbio, mi stanco, mi deludo. Sono una persona normale.

Il fatto che mi vedete spesso e volentieri sorridente, è perché mi vedete quando faccio musica e allora la tristezza, la delusione, anche l'arrabbiatura passano. Non si può tenere il muso a Beethoven.

Quella bacchetta ti aiuta tanto però.

Aiuterebbe chiunque. Lo studio, l'approfondire, essere curiosi e poi avere la fortuna di avere l'accesso continuo alla musica aiuta.

Lo studio e la disciplina sono tutto se vuoi salvarti. Se pensi soltanto a suonare in base ai tuoi limiti e ad autoriferirti non arriverai da nessuna parte.

Se invece pensi a studiare, ma non solo in musica, il tuo mondo viene salvato dalla conoscenza.

Ogni giorno, anche quando hai male, lo fai perché hai bisogno soprattutto, perché ne hai necessità. Perché ti libera, prima di tutto, ti libera da te stesso.

Come mai dirigi senza partitura?

Non sono mica l'unico. Dirigo senza partitura perché l'ho studiata e la so a memoria, so a memoria ogni singola nota di ogni singolo strumento.

Per la mia scuola un vero direttore dirige senza partitura, perché se hai gli occhi sulla partitura non li hai liberi per i tuoi musicisti e questo è assolutamente reciproco. E se non andavi a lezione di memoria non facevi lezione.

Allora ti hanno fatto studiare tanto?

Sì, e facendolo mi hanno fatto soprattutto felice. Ero avvantaggiato perché fin da bambino ho avuto una memoria eidetica e quindi ricordo tutto. E sono sempre stato molto curioso.

Imparare a memoria una partitura, ma anche una poesia è una cosa bellissima. Nessuno dopo te la può rubare, diventa parte di te e ogni volta che ne hai bisogno, ovunque tu sia, è lì pronta a farti compagnia, a consolarti, a dialogare con te.

In musica riesci sempre a essere te stesso?

In musica sono me stesso sparendo, e quindi non essendo me stesso, ma bensì tutto ciò che mi circonda, a partire dalla partitura; faccio una ricerca molto approfondita su ogni nota, sul perché della nota, del compositore, faccio ciò finché non sparisco.

Un interprete è colui che non esiste più e diventa il testo che condivide e moltiplica per ogni singolo musicista, per ogni singolo ascoltatore. È questo quello che voglio da me stesso.

Il Maestro Claudio Abbado, dovendolo definire con una sola parola?

Luce.

Il 28 agosto alla Reggia di Caserta, dirigerai sulle composizioni di Johannes Brahms, Antonín Dvořák, Maurice Ravel, l'Orchestra Filarmonica «Giuseppe Verdi» di Salerno.

Sarà un concerto che vuole essere un inno al movimento, allo spostarsi, all'andare lontano, a immaginare una terra, un suono. Sarà un muoversi, inteso come muoversi soprattutto dentro. Si parte da Brahms, per capire Dvořák e l'America, e infine approdare al *Boléro* di Ravel.

Si parla di amicizia, di eredità, la musica è questo. La musica siamo noi e come sempre io cercherò attraverso essa, con la mia ricerca e l'impegno assoluto mio e dei miei colleghi di andare lontano… verso la parte più profonda, quella che, se poi ci pensi, chiamiamo l'umanità.

Il ritorno alla Reggia di Caserta

Testo tratto da «Il Mattino», intervista
di Donatella Longobardi
dal titolo *Ezio Bosso: Portiamo a tutti la musica
classica*, realizzata in occasione di un concerto
alla Reggia di Caserta in apertura
del cartellone di *Un'Estate da Re*.
28 agosto 2019

Allora Maestro, il suo ritorno alla Reggia di Caserta, ricordi e sensazioni. Il rapporto con l'Orchestra del Teatro Verdi di Salerno. Come ha scelto il programma.

Si tratta di un viaggio est-ovest tra America e radici della musica popolare centroeuropea con le danze di Brahms. Il programma è sempre condiviso con chi mi ospita, si parte dal «piatto principale» la Nona sinfonia di Dvořák detta *Dal Nuovo Mondo* che l'amico Antonio Marzullo, direttore artistico del Verdi e di questa rassegna promossa da Scabec, e l'orchestra avevano desiderio di approfondire ancora. Intorno abbiamo messo brani che rappresentano al meglio questo viaggio. Quell'immaginare un suono originario di Brahms e le sue danze ungheresi per esempio, una collezione di danze che già facevano da ponte verso un mondo aperto e non chiuso nelle scuole nazionaliste, per arrivare a immaginare il suono del futuro e oltre l'oceano, Ravel e il suo *Boléro* che, non tutti sanno, ebbe fortuna proprio a New York. E, nel mezzo, l'immaginare il suono di un luogo e la storia di un viaggio da compiere, così evidente in Dvořák. Un suono che diventerà iconico pur essendo pura immaginazione da letteratura e racconti di viaggio.

Da poco ha diretto i ragazzi dell'Orchestra Filarmonica di Benevento, ha promesso che ritornerà.

I ragazzi di Benevento fanno un lavoro straordinario su quel territorio e sanno che possono contare su di me sempre. Esattamente come il lavoro di Marzullo a Salerno. Mi auguro che nascano sinergie sempre più importanti per questa bella regione e magari farne parte.

Lei con la sua musica parla a fasce ampie di pubblico e anche ai giovani, è un modo per avvicinare le nuove generazioni al repertorio classico?

Credo che nel nostro Paese non siano solo i giovani a dover essere avvicinati alla musica. Alla musica classica bisogna avvicinare anche tanti adulti che hanno passato la vita credendo di non averne bisogno, ignorandola, sentendosi socialmente e culturalmente inadeguati. Io preferisco dire «dare accesso» alla scoperta di bellezza.

Uno dei ruoli fondamentali di chi fa il mio mestiere è proprio quello di dare accesso alla bellezza con l'amore che si prova per ciò che si fa.

Ho la tendenza a ragionare sui cosiddetti giovani non come una semplice parola ma come persone fondamentali per la crescita e la vita della nostra società. Come ogni età presente. È proprio lo scambio di visioni ed esperienze che ci fa essere una società e la musica è davvero il fuoco in cui, in quel silenzio, metterci intorno senza limiti di età, o altri.

Diceva di un Paese dove c'è bisogno che tutti si avvicinino alla bellezza.

Sì, è una necessità, non solo un bisogno.

La ricerca di bellezza genera altra bellezza essendo già quel gesto intriso della stessa. E la bellezza genera curiosità, vastità, apertura e, non smetterò mai di ripeterlo, genera ascolto. Un ascolto fondamentale, non solo delle orecchie, quello fatto nel comprendere e non per preparare cosa si vuole dire. Quello che porta anche a tacere davanti all'immensità. Se ci si pensa è anche questa una delle ragioni per cui abbiamo bisogno di Beethoven, Bach, Brahms, Verdi e tutti gli altri. Opere che misurano il nostro essere nel mondo e ci spingono a migliorare.

Il rapporto con Napoli e il San Carlo.

È un po' paradossale ma nella città che forse più mi ama non ho ancora fatto un concerto e ovviamente non per mia volontà. Come spiego ai molti napoletani che mi scrivono, non sono io che scelgo, vado dove mi invitano. Evidentemente non si può piacere a tutti e non far parte delle scelte artistiche di un teatro è parte della mia vita. Mi auguro sempre però che qualcuno cambi idea prima o poi. Se no continuerò a venire in visita e a godermi la mia Napoli dove ho vissuto da ragazzo [*N.d.C.* Nei quartieri spagnoli] e dove vivrei.

Diceva che si innamora sempre di quello che fa. L'amore spinge ora in che direzione?

Nel continuare a fare, nel lottare col sorriso, come ormai sono rassegnato a fare dopo una vita spesa in questa direzione. Ma soprattutto nella ricerca di una casa per me e la mia orchestra, la Europe Philharmonic Orchestra. Una casa dove fare musica e continuare a dare accesso senza affanni e un po' di stabilità. Dove crescere ancora e ancora, come nella natura del nostro lavoro, dove condividere questo progetto meraviglioso fatto di musicisti dai venti ai sessantacinque anni provenienti da tutta Europa, vecchi e nuovi amici insieme nell'essere una comunità e ascoltatori che ci mettono le mani. Una delle cose che ho imparato è che noi musicisti cresciamo sempre attraverso la dedizione e lo studio: per questo la musica non invecchia, c'è sempre ancora troppo da imparare.

L'importante è la musica

Dialogo con Valentina Losurdo a Cremona
per articolo di copertina della rivista
«Suonare News» avvenuto durante
un aperitivo in Piazza.
Ottobre 2019

Io non ne posso più di sentir parlare di te come quello della musica del cuore, come dicevamo prima, e quindi Evviva Tu! *E partiamo proprio dal concetto che non si può scendere a compromessi perché se scendi anche una sola volta a compromessi è poi difficile riuscire a recuperare, in qualche modo.*

Sì, appunto. C'è una cosa su cui non scendo a compromessi ed è la qualità che in musica va persino oltre il concetto di qualità. Va in quella forma di affetto, di amore e di stima che fa sì che tu debba farle, quelle note. È proprio quella una delle incomprensioni di cui sono continuamente soggetto. Certo che il cuore è fondamentale, ma non possiamo starci a girare intorno: se non studi, il cuore non pulsa.

Il cuore è anche severo.

Bisogna smettere di parlare di cuore e usarlo, il cuore, perché il cuore è diventato anche una scusa per la mediocrità: «Ma l'importante è il cuore» si dice. No, invece l'importante è la musica. L'importante è la qualità della musica. Se poi decidi, come ti dicevo prima, di essere irrituale devi poi per forza lavorare il doppio degli altri. Che per me è naturale.

Ti va di raccontare la tua giornata di lavoro o quella che ti senti di consigliare per un percorso di onestà musicale.

Dipende quello che devo fare. Prendo le partiture che devo fare e le affronto in ogni modo. Oltre a fare ricerche che per quello che mi riguardano sono andare a cercare dai manoscritti alle prime edizioni, a non basarmi solo su un'edizione critica. Io amo molto le edizioni critiche di Bärenreiter, però non mi bastano perché una delle riflessioni è sempre quella di ricordarsi che il revisore sta applicando un suo punto di vista, da lì poi devi andare anche altrove. Sai, la ricerca storica, la ricerca dello strumento, dell'organologia, della differenza tra uno strumento tra Seicento, Ottocento e Novecento è fondamentale. E poi è anche una ricerca letteraria, la ricerca delle lettere, la ricerca degli aneddoti che a volte trovi e tutto è fondamentale per la comprensione di ciò che ha scritto. È una cosa buffa, spesso lo dico, è sempre bella. Quella partitura, comunque tu la faccia, è sempre bella. Da lì poi decidi ciò che ti fa vivere. E questo è anche il suo difetto, in fondo, perché ti permette anche di farla con una pochezza estrema, ti permette di farla anche soltanto arrivando in fondo. È il mio problema. Quando parlo di tempo, parlo di questo: la musica ha bisogno di tempo, non è una cosa espressa. Dal mio punto di vista siamo ormai talmente focalizzati sull'ultimo momento, che è il concerto, e le capacità tecniche dei musicisti sono così alte che permettono effettivamente di fare fino in fondo apparentemente bene, che ci scordiamo che ci vuole tempo, tempo anche per arrivare a cambiare la propria idea iniziale in corso d'opera. La mia visione sarà sempre quella che un direttore non è colui che impone fino alla fine la propria idea, ma che invece scopre magari qualche cosa di diverso, per esempio il suono particolare di uno dei solisti degli strumentini. Io poi arrivo da una scuola che dice: o a memoria o non fai, perché interiorizzi tutto ciò che c'è da fare. Io ho la fortuna di memorizzare molto in fretta però dirigere a memoria per me è una regola, perché la tua attenzione deve essere assolutamente per gli altri, perché tu sei il medium, sei proprio l'interprete, cioè colui che diventa quella partitura. E di fatto stai facendo da tramite, ma allo stesso tempo hai bisogno di un'attenzione continua all'altro, di controllo da un certo lato, di esaltazione dall'altro, di carica e anche invece di calma e di visione, cioè quella visione che condividi anche attraverso il gesto.

Ecco la calma. È importante questa tua idea di silenzio.

C'è anche una realtà di fatto, che un direttore che ti guarda, che ti sorride, che è felice o che si stranisce, e lo può fare anche senza chiudere gli occhi come Karajan. C'è un bellissimo aneddoto di Streicher e Baumann che cercavano sempre di fargli aprire gli occhi sbagliando il passo della Sesta, e lui non li apriva, non li apriva, ma lui aveva una concentrazione che era anche attenzione assoluta, la sua concentrazione non era negli occhi. Io sono un direttore da occhi. Come diceva Claudio: si dirige anche con gli occhi e infatti quegli occhi servono all'orchestra. Sia chiaro, è il mio modo di viverlo, non è una critica a chi non lo fa, ma se gli occhi sono sulla partitura, manca una parte per me. Quello per me è fondamentale.

E quegli occhi sono buffi, perché, come gli occhi chiusi di Karajan, sono anche dietro. Sono nella percezione di ciò che accade nella sala, sono nel fatto che esiste la calma ed esiste il suonare ancora più piano. È una regola che mi piace molto applicare nei momenti di troppo rumore, abbassare tu i toni. Se tu gridi: «Silenzio», aumenti il rumore. Il punto d'attenzione sta nella tensione, e quella tensione la puoi creare solo col tempo, con le prove, per arrivare a quella disciplina comune, al lavoro sulla verticalità dell'arco, sull'emissione del fiato, non lo puoi fare in una prova. Sono tutti bravissimi musicisti ormai, il livello è davvero alto, quindi è evidente che la fai e viene bella uguale, però io credo che la differenza si senta, poi può non piacerti. Io, per esempio, sono ossessionato dai tempi originali, è stata persino più dura lavorare su Orff, sui *Carmina Burana* perché lui cambiava idea spesso e volentieri, prima gli piaceva quella del '57, poi sente Muti e sono completamente opposte, sono andato a prendermi i primi pensieri, quelle virgole per tutti o solo per qualcuno, i respiri voleva allargarli, lasciare che il suono finisse prima di entrare nella seconda frase, quella parte di Monteverdi così presente, gli amori poi le conseguenze. Non a caso a Milano ho deciso di fare 'sto povero Strauss tanto massacrato, che invece se non ci fosse stato lui, non ci sarebbero i diritti d'autore per i compositori e quel suo amore per Beethoven, così presente nelle *Metamorfosi*. Ecco c'è un momento nelle *Metamorfosi*, che sarà un brano per me difficile emotivamente, quello sciogliersi dell'umano, eppure dentro ci sono questi momenti di grande speranza, quei momenti che ritroveremo poi nella terza. Ecco anche in quello, non sceglierò mai un programma in funzione di ciò che ho voglia di fare, nella mia filosofia c'è l'idea di capire che cosa la mia orchestra ha voglia di lavorare e poi costruire attorno un percorso narrativo, anche senza bisogno di narrarlo, però che dia un'unione delle cose e un rispetto anche. Ecco, non riesco a mettere Beethoven e Čajkovskij insieme, perché Čajkovskij detestava Beethoven, non ci riesco, è una forma di affetto per me. Ed è un po' questo che manca.

Fare un programma cercando di entrare nel pensiero del compositore e assecondarlo.

Non faccio nomi, ma ho visto programmi in cui si mette la Sesta come prima parte perché finisce nel silenzio e poi dopo mettere Rossini. Io la trovo un'aberrazione. Lo trovo un insulto proprio a quel lascito. A quella sospensione, meravigliosa che Čajkovskij ci ha lasciato. Ecco queste cose proprio mi fanno arrabbiare perché si nasconde dietro l'*expertise* la pochezza, dietro la laurea in ascolto l'incapacità all'ascolto, l'ascolto critico è fondamentale, è importante e non si deve passare però ad altro. Quello è il mio punto di vista e sono il primo ad ascoltare.

Il tuo desiderio adesso è di lavorare con la tua orchestra, solo con la tua orchestra. Hai bisogno di approfondire con la tua orchestra.

Quando lavoro con la mia orchestra, provo gioia, con la mia orchestra vivo quella che è considerata in altre forme un'utopia. Stiamo insieme per tradizione, per statuto, iniziamo alle 2 e finiamo solo quando siamo stanchi, le 7, le 8, studiamo. Al mattino c'è la facoltà o di fare prove a sezioni, per chi ha bisogno, per chi ha voglia, di studiare o magari c'è da fare, coi bambini, noi facciamo in modo che anche i figli possano stare, le prove sono tutte aperte, approfondiamo la disciplina dell'arco. Sai, noi prendiamo dei vizi da musicisti, per esempio ormai si suona sempre con un solo colpo d'arco per farti un esempio, più o meno nello stesso punto della corda, questa cosa è da recuperare quando diventa vizio nel suo etimo, devi ogni volta sradicarlo e anche noi, per quanto ci vogliamo

211

bene, dobbiamo lavorarci anche perché anche noi come orchestra dovremmo lavorarci continuamente e invece ci separiamo: adesso abbiamo fatto diversi progetti, ma poi non ci vedremo per due mesi e allora dovremo in qualche modo ricominciare. È anche quello per cui lotto esattamente come ho lottato e continuo a lottare perché la musica sia accessibile, quindi lascio la parola «divulgatore» a voi che siete esperti, io non sono un divulgatore, sono l'uomo «che entrava la gente» nella musica, al limite. C'era «l'uomo che usciva la gente». Mi piace l'idea, anche nell'irritualità, in quella semplicità dell'essere e nel non prendermi mai troppo sul serio. Non ho quella paura della reazione, perché l'impegno che metto sempre musicalmente è per me inappuntabile. Sono il peggior critico di me stesso, se qualche cosa non va, non va. Punto. E una delle cose che non vanno non sono le note, ma la tensione, il principio di tensione che deve esserci all'interno di un gruppo che suona, quello che ci trasporta, e questo è fondamentale. È questo che pretendo da ascoltatore di me stesso, se no diventa bello, ma inutile.

La differenza tra bello e piacevole.

Sì, sai il piacevole è pericoloso perché la musica pretende la partecipazione, pretende anche uno sforzo, di tempo, e al giorno d'oggi è difficile. Oggi il lavoro importante è motivare. Ecco, forse sono più un motivatore quando vado in televisione. In televisione il compromesso è il mezzo, non nel contenuto: due sinfonie. Punto. Intere, no un po' di questo e un po' di quello, anche per sfatare il mito che dopo tre minuti l'attenzione cala. Non è vero. Le persone riescono a stare con una tensione continua per tutto il tempo necessario. Il pozzo nero del tempo, che è una delle funzioni della musica di cui parlo. Le persone riescono a rimanere in tensione per un quarto d'ora e non se ne accorgono. Quella è la meraviglia. Questa idea dei tre minuti che è stata imposta dal mercato più bieco, che prevedeva quindici minuti e poi una pubblicità: questo è ciò che può essere scardinato. E c'è altro da scardinare. Quello che mi fa imbestialire del mondo classico è che se da me c'è uno col telefonino, a cui io dico: «Smettila», è uno scandalo, è gentaglia, ma i telefoni che suonano alla Scala sono un incidente di percorso. Questo non va bene. C'è la mia dedica alla vita nella partitura, bisogna essere la partitura, lo dico sempre, non farla. Poi se decidi di farla, viene bene uguale.

Quindi la tua orchestra come l'hai organizzata?

È nata in maniera claudiesca. Pensa che prima è nato un gruppo d'archi di amici che avevano voglia di stare insieme e fare la musica come non avevano mai fatto. E loro hanno riconosciuto in me quel... [*N.d.C.* Ezio si distrae e tace.]Dopo, quando abbiamo fatto *Grazie Claudio!*, sono arrivati altri amici che hanno detto: «Ah, tornare a fare la musica come non si fa più», e da lì siamo partiti. Purtroppo è tutta sulle mie spalle al punto che ho dovuto investire, io ho investito persino il mio corpo e ho dovuto continuare a fare ancora concerti per pianoforte perché mi davano più soldi con cui pagavo l'orchestra. È molto facile. Non ho sponsor, finanziatori, no, no, zero. È proprio tutta basata sull'attività concertistica. Lunghe prove incluse. La regola è stare bene, essere trattati bene economicamente, a volte di meno, a volte di più, però avere sempre tutte quelle cose che fanno stare bene, come mangiare bene insieme, dormire bene, svegliarsi ed essere contenti, e io cerco in tutti i modi di farlo, togliendomi tutto quello che posso per mantenere questo aspetto, questo benessere perché per me sono miei figli, i miei fratelli. E nella qualità del lavoro di un'orchestra, quell'affetto è generato anche dal benessere che a volte è più alto, a volte hai delle difficoltà, e siamo pronti a fare quello sforzo senza scuse, senza mai scuse. Infatti chi ha provato a essere così, è stato allontanato dal gruppo, non da me, si è isolato da solo. Magari provava a venire a fare la cosiddetta marchetta, ma non è durato neanche tutte le prove. La mia orchestra è di merito, è sempre aperta, ho la fortuna di avere amici che sono grandissimi strumentisti, sono fortunato di conoscerne così tanti da fare un'orchestra di cui fidarmi quando mi suggeriscono il ragazzo bravo da provare. Non c'è un'età prestabilita, c'è solo il merito, il merito del fare.

Mi piace lavorare coi ragazzi, anche nell'ultima esperienza col Teatro Pubblico Pugliese al Sud, ce n'erano tre o quattro bravissimi, ma non devono voler essere Paganini, almeno non in quel momento. Anche lì ce n'era uno che suonava la viola, bravissimo, stava sempre lì a fare il concerto di Bartok, mi sono fermato e gli ho detto: «Guarda, la cosa peggiore che puoi fare quando passa il tuo direttore, è quella di far sentire altro. Se vuoi fare bella figura, fai sentire i passi». E lui mi ha guardato un po' stupito, gli ho detto: «Ti assicuro che sei molto bravo, però quella roba lì non ti serve e in questo momento stai suonando una cosa talmente lontana da quello che stiamo facendo che rovinerà anche quello. Finché sei qua, dedicati a quei passi, poi dopo farai Schnittke, tutto quello che vuoi». Lui dopo è venuto a ringraziarmi perché ora non si parla più. Mentre dovevamo registrare, sentivo delle ragazze lì a studiare Mendelssohn e noi dovevamo fare Beethoven, e gli ho detto: «Vedi, farà male a tutte e due le cose».

Dare per scontato da noi in orchestra non funziona e questa è una questione di tempo, poi io sono a disposizione sempre. Adesso abbiamo iniziato questo percorso di *tutoring* per ragazzi giovani, quindi abbiamo un gruppo ristretto di prime parti e di metà degli archi e integriamo coi ragazzi. Anche a Milano sarà così. Integreremo dei ragazzi meritevoli che lavoreranno di fatto con grandi musicisti al di là di me, con gente come Francesco Di Rosa, Nilo Caracristi, Marco

Bellini, persone amate dai più grandi direttori, che hanno avuto la mia fortuna di essere amati dai più grandi direttori che oggi non ci sono più e quindi di essere ancora un tramite di quei direttori, perché essere stati la prima tromba di Maazel, oggi che non c'è più Maazel tu hai ancora a che fare con Maazel. Quindi vuol dire che la catena non si interrompe. Noi abbiamo tentato di interromperla coi giovinetti e anche di non fare quell'errore orrendo di pensare che per poppizzare, non so come si dica, pensare di prendere l'estetica del pop, no.

Abbiamo l'estetica nostra, come dicevo prima, guardiamoci un attimo indietro, guardiamo a Beethoven, vediamo un po' come facevano loro. Si divertivano. E pativano. Pativano da morire. Ogni nota è un patimento. Ma si divertivano nel senso aristotelico del termine. Poi è quello che ti fa vivere e crea forse il record all'Arena di Verona perché diventa un passaparola, perché diventa un po' speciale. Poi puoi sempre continuare a guardare il dito, eh. Non guardare la luna, guardare il dito, le ruote, eh, ma lui parla, all'Arena di Verona non parlavo, eppure venti minuti di applausi. Boh, ci sarà una ragione. E ci sarà una ragione per cui nei video un pubblico internazionale nel giro di tre giorni ha fatto mezzo milione di visualizzazioni e quello di tre anni prima trentamila. Forse c'è una ragione.

Queste domande noi, della musica cosiddetta classica, dobbiamo porcele, e non porcele nel senso sbagliato, non attraverso le suppellettili. Poi, è vero, la mia orchestra suona con la maglietta nera e la giacca, ma ci saranno anche le occasioni per mettersi in frac e sarà bellissimo, perché a me piace il frac. Io non posso mettermelo perché se no arrivo con le code tutte stracciate, però io amo il rito, e anche quella maglietta è una forma di rito, una forma di rito diverso e anche quel sapere che ci sono pubblici, che per quanto scriviamo un bellissimo programma di sala, non lo leggono, è più un ricordo. Dobbiamo anche affrontarlo questo senza la pretesa che tutti riescano a comunicarlo. Bisogna darne atto perché tanto poi l'unica differenza, uno può dire quello che vuole, ma l'unica differenza la fa come lo fai, proprio perché la fa la musica.

Cioè col pubblico se arriva, arriva; se non arriva, non arriva.

Esatto, puoi dire quello che vuoi, ma se arriva, arriva. Oppure lo riempi di luci, di distrazioni, mentre la musica è fatta di concentrazione, che puoi ottenere come vuoi, io la ottengo stando in mezzo alla gente, il mio rito è stare in mezzo alla gente.

La quasi totalità della sala di oggi erano non musicisti, e questo fare innamorare, fare inciampare la gente nella grande musica è una cosa straordinaria.

Ma questa è la nostra funzione, la nostra funzione è far scoprire, non è affermare chi è più bravo, la nostra funzione è far scoprire, in tanti modi, far scoprire una cosa che poi ne porta un'altra. È far scoprire attraverso un brano, altro.

Noi siamo nudi quando suoniamo, ed è anche questo: la condivisione deve essere fatta sulla base della tua nudità, della tua fragilità e non della tua forza.

Questa è la mia filosofia. Perché un musicista, si sa, che ha una percezione dell'altro attraverso la sua concentrazione di dieci volte, dieci volte, cioè decuplica la sua sensorialità, questo è essere di una fragilità mostruosa, ed è per questo che forse ci difendiamo attraverso un rito che obbliga all'immobilità, che obbliga alla rigidità, perché siamo delicatissimi, allora insegnare alle persone a proteggerci è la prima cosa da fare per me. Proteggere tutti, che poi è proteggere se stessi.

Se pensi anche al Claudio dell'ultimo periodo, che era veramente anche lui provato fisicamente, è come se il corpo fosse anche un'infrastruttura.

Guarda, io lo vedevo ballare, l'ho sempre visto ballare. Per me Claudio è un po' come Beethoven, Bach, Abbado con le due «b» dentro. E Claudio è stato uno dei miei esempi fin quasi da bambino: il direttore sorridente. Anche se da giovane non lo era, almeno molto meno. Poi quando è arrivato a cinquant'anni aveva una maturità, la senti quella maturità, e da lì in poi ha cominciato a volare. Non bisogna confondere, io non sono d'accordo con chi pensa che la malattia abbia a che fare con la spiritualità, la malattia non c'entra con la spiritualità. Perché siamo quello che siamo. Ci sono delle persone ingenue, che pensano di riuscire, attraverso finti crossover, ad andare a scalfire quell'indifferenza, ma in realtà non è vero, anzi rischiano di bruciarsi completamente da una parte e dall'altra, anche perché ti perdi il senso della musica. Cominci a fare la vita da star, studi molto meno perché la musica richiede tempo. Punto. La musica chiede tempo, continuerò a dirlo, a scriverlo. Si continua a sbagliare l'opinione su Currentzis, ma forse perché lui ci mette troppo teatro per noi esotico ma alla fine Currentzis è l'unico al mondo che può provare per un mese la stessa sinfonia o registrarla per due mesi. Magari. Anche se per me sarebbe troppo, c'è un punto in cui devi lasciar sedimentare e magari cambiare. Io le registrazioni le vedo come una fotografia, che mi mostra com'ero in quel periodo, magari anche per cambiare idea. Ho visto Harnoncourt cambiare idea dall'assoluto: «Si fa solo con strumenti originali», a fare il concerto di Capodanno, c'ho lavorato con Harnoncourt in quel cambiamento, ho a disposizione quella ricchezza. Quando faccio certi repertori lavoro sugli archi, mischiando gli archi, cambiando le posizioni, cambiamenti e riflessioni che appartengono anche al mio percorso; aggiusto, per questo ho bisogno di un'orchestra che mi segue, perché c'è bisogno di un musicista che ha voglia di fare. Il primo violino non è necessariamente il più bravo, ma deve avere la peculiarità di avere voglia di lavorare più degli altri, magari a parità di qualità, uno non ha voglia di responsabilità, non ha voglia dell'impegno, di rompersi le scatole col direttore, oggi questo non succede più. Io a volte vado in orchestre dove prima mando le parti, perché io lavoro solo con le mie parti, il mio materiale, preparato da me, tanto per chiarirci, compro il mio materiale, metto io tutte le arcate, seguendo tradizioni, pensieri, paragono le mie arcate con quelle delle istituzioni da cui vado, quindi propongo un mix tra le due, quindi ogni volta devo rimetterle, controllo che non ci siano discrepanze troppo distanti per non offendere, così ti spiego cosa faccio tutto il giorno: scrivo a mano arcate e non ho assistente. E ciò nonostante ogni tanto mi trovo con una spalla che non mi fa neanche una telefonata, ma aspetta solo uno che va lì, butta giù la bacchetta, lui guarda la parte e finisce, ma non si può fare musica così, sì, si può fare lo stesso, è bello perché ti dà quella comfort zone che dice: «Se va bene è grazie all'orchestra; se va male è colpa del direttore».

Io arrivo dall'orchestra, le conosco bene, è ora di mettere il «Re nudo», di dare un po' fastidio, però il lavoro di un direttore è questo: fare le ricerche sulle arcate, fare ricerche storiografiche e andare ad ascoltare gli altri, che oggi è più facile. Che siano i grandi nei dischi, Bernstein, Mravinskij, nei repertori che pensi siano stati illuminanti, ad ascoltare altri punti di vista, ascoltare magari qualcun altro per capire lui cosa ne pensa, con quell'umiltà che comunque non basta mai, ma senza compromessi. Non li ho avuti da contrabbassista, un'arcata non andava separata, se era scritta così, così doveva essere fatta, non li ho fatti neanche quando suonavo il pianoforte, non li ho mai... Quella è la differenza. Poi usare la televisione per entrare nelle case, per «entrare la gente». La cosa straordinaria di quei giorni dopo il 9 giugno è stato che al primo posto in classifica nelle vendite di Amazon non c'era

Ezio Bosso, c'erano la Quinta e la Settima di Beethoven e che la prima cosa su Google era Beethoven. Questo mi fa sentire bene, mi sento felice, la casa discografica un po' meno... però così impara a non farmi fare Beethoven. Tutto il resto lo fa far bene la musica, perché sì, sì, la musica si fa insieme, ma bene, non tanto per... E su questo non accetto compromesso: se non puoi fare la velocità che vuoi, vuol dire che è il momento o di riposarti o di smettere.

Dialogo con Paolo Romano
per «L'Espresso»

Casa di Ezio, Bologna.
7 ottobre 2019

Paolo Romano racconta, prima dell'intervista:

Per la prima volta, anche un ansioso come me è costretto a spostare la prenotazione del Frecciarossa, piazzata in previsione di una passeggiata per l'amata Bologna, a dissipare la tensione che avrei sommato. Ma l'intervista programmata con Bosso s'è curvata in una inattesa chiacchierata, due coetanei che hanno fatto cose diverse nello stesso mondo, che amano le stesse cose in modo diverso e con fastidi e idiosincrasie d'un insieme omogeneo. Il perimetro semantico, si sa, aiuta. Anche se mantengo un «Lei» rispettoso per tutte quelle ore. E i treni si perdono, per fortuna.

Non mangia mai, questo ci divide. Non sgranocchia e non inforca rebbi, che con quel norcino bolognese davanti casa, alla cui vetrina ho appannato, col respiro caldo e gli occhi d'un Oliver Twist, la vista di mortadelle e coppe, è un vero spreco. Le declinazioni al gusto, nelle ore in cucina di Ezio, si perimetrano ai casi plurali di caffè e sigarette. Ne beviamo molti, ne fumiamo moltissime; ci distende, credo, poter condividere senza paranoie maglioni aromatizzati alla nicotina.

Il caffè, rigorosamente di moka, pretende di farlo lui. È annacquato, glielo dico, mi spiega che è per limitare i danni, bevendone un numero incalcolabile. Ha una collezione significativa di tazze e tazzine di tante tinte, ogni volta mi chiede che colore preferisco, una specie di gioco per allentare il tiro dei discorsi. Lui è un maratoneta delle partiture, io instancabile nell'affondare sui temi; stessa grammatica, ma alla fine vince lui. Io uscirò stremato, lui non vede l'ora di tornare al suo studio su due battute di oboe che ha lasciato in sospeso.

Ci sono colleghi giornalisti che non vedono l'ora di finire l'intervista per farsi la foto con l'intervistato, un post buono da like, un ritratto sul camino da mostrare ai nipoti. Non me n'è mai fregato niente di quel trofeo. Io ho fatto di peggio: tanto era l'appetito per le conoscenze dell'interlocutore, che ne ho approfittato per chiedergli curiosità mie e solo mie, ben sapendo che non sarebbero mai potute finire in un'intervista. Come la scelta delle tonalità quando si scrive (a parte la più ossessiva richiesta di preferenze nelle edizioni critiche musicali, ma quello lo lasciamo alla psicanalisi individuale). Mi fece l'esempio di The Roots, scritta in do diesis minore, una rogna assoluta come posizione e diteggiatura per il violoncello, che lo supplicò di spostarla un semitono sotto, come relativa di mi bemolle ionico. Provata, tutti concordarono sul fatto che il brano perdeva di forza. Per questo, mi spiegò, ogni brano ha la sua tonalità, quella capace di esprimere meglio le tensioni, perché le difficoltà, gli ostacoli di natura tecnica sono quelli che rendono umana la musica. Asperrimo raccontare su un giornale questi dettagli, dovresti spiegare che sono molto più significativi di mille slogan buoni per il titolo, che sono il volto vero dell'integrità morale con cui si fa il mestiere del musicista.

«E poi? E poi?», m'è venuto tante volte d'incalzarlo, quando piombavo dentro la lucidità delle sue ricostruzioni della realtà (musicale, ma non solo). «E poi si muore», era la risposta *tranchant*, spiazzante, irresistibilmente comica, con il suo sorriso che s'allargava, dissacrante ogni mia pretesa ascensione. Quante volte l'avevo usata anch'io, per gli stessi motivi, «e poi si muore».

Un paio di volte entra la colf. Le spiega dove stendere il bucato; nel cortile un paio di gatti si sfoderano supini all'ultimo sole della giornata.

Sulla soglia, ognuno riprende la via. Vorrebbe comprarsi una casa a Roma, mi racconta. Forse a Monti. Gli dico che nella mia città le barriere architettoniche sono davvero un inferno, di pensarci bene. «Sarà il mio do diesis», dice serio, annuendo a qualche pensiero che non rivela. «Quando vengo la prossima settimana per vedere un paio di soluzioni ti chiamo e magari ci beviamo qualcosa.» Ognuno riprende la sua via e non è accaduto. Lo sapevo, lo sapevamo, ma ero felice me lo avesse chiesto.

Paolo Romano

Dalla conversazione informale pre-intervista, ma a microfono già aperto:

Adesso ho da poco scoperto una cosa di Schubert sulla quale mi sono messo a lavorare, qualcosa che cambia, eccome, il modo di dirigerlo ed eseguirlo. Da un suo breve scritto si capisce che la notazione di «sforzato» va riferita a tutta la durata della nota o del gruppo di note (metti una quartina), non solo sulla prima, finché non arrivi un'indicazione diversa. Vuoi mettere? Cambia tutta la dinamica. [Su questo gli occhi brillano di una luce diversa, è tornato con la mente (e il cuore) dove sta bene ed è felice.]

A guardare sembra chissà che, ma poi in realtà che avrò fatto? Sei o sette concerti in tutta l'estate.

Inizia l'intervista vera e propria.

L'album The Roots *[Radici, dedicato al padre scomparso], quindi la sua infanzia a San Donato, in via Principessa Clotilde, n. 58, le sue origini, le sue radici.*

Difficile, il discorso sulle radici è sempre vasto. È la parte in cui sei nato. Non perdiamo nulla di quello che abbiamo vissuto, poi lasciamo da parte alcuni episodi, ma con la memoria che ho io è un po' dura.

La mia è stata un'infanzia mista, estremamente umile, in una società operaia, di immigrazione, in una famiglia completamente torinese, che vedeva l'immigrazione dal Sud come novità assoluta. In realtà le radici più profonde di mio padre erano ungheresi e quelle di mia madre affondavano nel Sud della Spagna. Ci sono radici ancestrali che neanche conosci. Non bisogna confondere le origini con le radici. Le origini sono quelle da cui provieni, le radici invece sono date dai rapporti sociali, dalla crescita, dall'educazione, di fatto è la cultura di cui fai parte.

Pur essendo piemontesi, la mia mamma non aveva un accento, il mio babbo invece parlava solo in dialetto piemontese, anche per insegnarcelo, era una parte della sua identità, quella ungherese risaliva al suo bisnonno ed era dimenticata. Una delle nostre radici poi sono le tavole, cosa mangi, e questo mi è rimasto. Io avevo una grande curiosità. Quello in cui vivevamo era un isolato enorme, con sole due famiglie di piemontesi, poi il palazzo di napoletani, quello di calabresi, quello di siciliani. Anche la piazza era suddivisa in zone con le botteghe, i sapori... era bello, era bellissimo. Pericolosissimo, perché erano gli anni di piombo e delle gang giovanili di strada che emulavano i guerrieri della notte, erano gli anni Settanta. Si giocava in questa piazza che non è una piazza, non è un giardino, ma è un mercato, piazza Barcellona. A volte arrivava l'avvertimento: «Stasera tutti a casa, che poi succede qualcosa a cui non dovete assistere». Sparatorie. Ricordo molto chiaramente l'impegno politico dei miei genitori, le manifestazioni. Impegnati a sperare in un mondo migliore, più alfabetizzato. Poi c'è stata la grande delusione, li ho visti piangere per alcuni cambiamenti, erano degli idealisti. Erano contemporaneamente legati alla speranza per un mondo migliore e contemporaneamente all'opposto, all'indolenza di vedere che a noi non è dato, «Noi non possiamo» frase ricorrente in casa nostra, la certezza che noi non possiamo migliorare la nostra condizione economica. Era un dualismo particolare che in qualche modo esiste ancora in me, una parte che lotta e una che dice non me lo merito, non è un mondo fatto per me.

Sentir dire a mio padre: «Il figlio di un operaio, fa l'operaio, non fa il direttore d'orchestra, non fa il musicista», il dolore più grande, ricordo gli occhi tristi di mio padre perché in parte si è opposto, ma una parte di lui c'ha creduto in questa frase. Quella frase è stata tra le cose più violente che ho sentito nella mia vita. Per anni si è opposto. Fa parte dell'inevitabile, e anche a dispetto di quella frase è da lì che è iniziata la mia lotta non per dimostrare l'opposto, ma per esautorare quella frase così idiota che comunque segnò il pensiero dei miei genitori che ovviamente volevano iscrivermi a un istituto professionale perché eravamo poveri, anzi poveracci.

Come hai fatto a vincere quella resistenza?

L'ha fatto la musica, il mio incaponirmi, scappare di casa, andare a Vienna a sedici anni, la fortuna di aver incontrato la musica e certi maestri. Questo del classismo culturale è un fenomeno tutto italiano. È un complesso non superato della borghesia, ci sono i nobili Savoia. Poi tutti nelle forme sostituiti da questa borghesia che pretendeva di avere, il possesso, la vita sulla collina dove stanno i «domini» che dominano dall'alto la città, anche fisicamente. Anche questo fa parte delle mie radici: sapere che qualsiasi cosa tu faccia, sei sempre il ragazzino che non ne ha diritto. Questo mi è rimasto dentro e fa ancora parte dei miei difetti, è continuare a essere il ragazzino ribelle di allora, ribelle rispetto me stesso, ma non riesco a non stare per strada, a non parlare con le persone, frequentare più i baretti che i palazzetti.

La musica è roba da ricchi? Salvo per i talenti debordanti.

La musica è un investimento pesante, difficile. Ma nella mia vita ho incontrato i musicisti di grande talento di qualunque provenienza. Dobbiamo distinguere, è una riflessione di ieri, che sto facendo ultimamente: noi stiamo facendo un errore profondo, consideriamo la musica classica come un genere, invece la musica classica non è affatto un genere, la musica classica è di fatto la base della musica, da cui le varie influenze fanno poi venir fuori i generi. Infatti poi abbiamo voluto darle un'estetica, l'estetica del frac, l'estetica dell'algidità, l'estetica della distanza, che non è nella sua natura, infatti in quelli che chiamiamo «ai suoi tempi» non era affatto così. La musica classica non è un genere, è una necessità, ma le abbiamo dovuto dare un genere e un nome per semplificare, facilitare: classica o peggio ancora «colta». Ma non è un genere perché se uno ci pensa dentro c'è tutto, dentro una sinfonia ci sono tutte le energie di ogni tipo di musica. Nella storia quell'accezione nasce dalla prima suddivisione in musica da ballo, da ascolto, folkloristica; ma se uno pensa a una sinfonia, dentro c'è tutto, perché Mozart, Beethoven, Čajkovskij attingevano dal folkore, attingevano lì, è nato dal tempo delle danze. C'era anche spazio per l'improvvisazione.

L'irrigidimento e il ruolo dei Conservatori.

Un paradosso, io non capisco i Conservatori di oggi, mi danno un problema grave, io sulla selezione dura ne sono un esempio; mi ha salvato Cage, ma i maltrattamenti hanno fatto di me il musicista che sono. Il mito del Pigmalione che ti prende e ti dice che tu sei bravissimo e tira fuori il meglio di te è giustappunto un mito, non solo i complimenti che ti fanno crescere, ma anche il rinforzo negativo, il rinforzo negativo ci deve essere, se no non ci si mette in discussione. Il peggior critico di me stesso sono io, mi devono sempre fermare, perché parto sempre dai miei errori, dagli sbagli che faccio e da come non mi piaccio. La disciplina della musica classica è dura e ha due aspetti anche nei Conservatori: uno è legato a quelli che potevano permetterselo e che arrivavano a un'alta istruzione musicale, ma senza avere le peculiarità necessarie per fare il mestiere del musicista, che è un mestiere duro. Heifetz diceva: «Altro che sensibilità, serve lo stomaco di un camionista, l'allegria di un *entraîneuse*, la calma di un monaco buddista». Non tutti arrivano lì, a quella tempra necessaria per fare il musicista, il solista, il concertista. Ai miei tempi se prendevi meno di otto a un esame, dovevi sottoporti a un secondo giudizio, era pesante. Le lotte che abbiamo fatto, anzi che prima hanno fatto i miei padri, come Farulli, di evitare i diplomifici, invece poi non hanno prodotto i risultati. Oggi ci sono Conservatori che hanno la classe di pop, io non lo capisco, è un paradosso; si pensa in giro che io sia tanto aperto, invece, no, no, guarda, io trovo aberrante che un Conservatorio dia un diploma di studio su una cosa basata sulla soggettività, sull'ego, su altre regole che non sono i bassi da armonizzare, non riesco a farmene una ragione. Io penso che la disciplina sia la base da cui partire, per andare in una certa dimensione e poi trascendere, perché è la disciplina che ti costringe a trascendere e purtroppo anche a trascendere dalle tue esigenze umane, a volte, ti costringe a trascendere il dolore, ma anche i momenti di allegria perché devi stare concentrato e le note devono venire tutte. Le tifoserie dividono tutto in bene e male, ma il bene viene anche da questo sforzo che poi ti torna utile. Non è detto che il Maestro severo sia stato un cattivo Maestro, non confondiamo mai severo con cattivo. C'è sempre questo senso del «giusto» o «sbagliato», ma in senso amletiano «giusto o sbagliato» dipende da come lo vedi. In pratica io quest'ultima riforma dei Conservatori non la capisco, quando mi arriva un ragazzo giovane gli chiedo: «Ma tu che anno faresti?». E non mi piace la trasformazione dei Conservatori in centri di produzione permanenti perché sono diseducativi nei confronti del meritarsi il suonare. Non mi piace il proliferare di queste finte orchestre giovanili. Sarò impopolare, ma preferisco l'idea che arrivare a suonare in pubblico sia un traguardo e anche sudato, un privilegio da guadagnarsi col merito. L'educazione è privata, non deve diventare spettacolo. Per carità, mi piace che ci siano le orchestre dei bambini, che ci sia l'educazione che insegna a suonare insieme, sia chiaro, non mi piace però che diventi subito spettacolo. Continuerò sempre a dirlo, è sbagliato portare un bambino, un ragazzino ad avere quello che chiamo «il piacere della zia», a dare tanto piacere alla zia, ma senza essertelo meritato, perché per fare il saggio dovevi essere il migliore della classe, non «tutti fanno il saggio». Ma non per cattiveria, ma perché così l'anno prossimo ti impegni di più. Perché chi non si impegna non dovrebbe mai essere premiato, in nessuna società. Questo è un problema non da poco nella formazione di un individuo, perché poi ci dimentichiamo sempre che la formazione dell'individuo è la base della formazione della società. Per me che credo nella musica, è così. È buffo perché tutti cercano di deviarmi in quell'ambito del «ma no, la musica viene da dentro», questi cliché. Allora ammetto il mio errore, forse questo travisamento deriva anche dal mio linguaggio, dalle parole che ho scelto, dal fatto che io l'ho sempre chiamata «musica libera», ma intendendo che essa è libera dal controllo degli uomini, anche di te stesso, il tuo controllo è quello di diventare partitura, ciò che metti è tutto il tuo impegno per diventare tu stesso partitura, sei libero e sei liberato anche dalle tue piccolezze, ma questa mia posizione sulla musica libera è stata confusa con il concetto di «liberi tutti» a causa del quale io spesso mi sento di far danni. Ma non è musica libera nell'accezione usata dal cliché vulgato.

Questa sua libera non libertà in realtà si sente anche nelle sue composizioni, nell'attenzione vivissima, scrupolosissima al contrappunto.

Sì, sì, ma io poi continuo a dirlo: non sono un compositore ma sono un direttore che conseguentemente scrive perché nel mio pensiero un direttore che non sa scrivere una fuga a quattro voci non può fare il direttore. Cioè, sia chiaro, può farlo eh, tutti possono prendere una bacchetta in mano e c'è posto per tutti, tutti possono fare un buon lavoro, però per arrivare a certi livelli la storia mi ha insegnato che, le mostrassero o meno, tutti i grandi direttori sapevano scrivere una fuga a quattro voci perché così riesci anche a capire il punto di vista di chi ha scritto.

A proposito di Conservatori, questo i Conservatori lo dovrebbero insegnare, o no?

Ma non lo so, non ne ho competenza e ne sto anche abbastanza lontano. Più che altro non mi occupo di quello. Non sono onnisciente per cui non voglio dire neanche sciocchezze. Posso parlare solo di quello che incontro personalmente nel mio cammino, della classe di pop lo so e per me siamo al delirio.

Per rimanere alla composizione, leggevo di John Adams che raccontava che viveva accanto ai boschi, gli venivano queste melodie che però non riusciva a tradurre e fermare, quindi da lì ha iniziato a studiare. C'è un'idea di quando ha iniziato a comporre, quando ha visto i primi risultati?

Scrivevo fin da bambino, fin da piccolo, anche se non avevo il supporto per farlo. Del primo brano oggettivamente scritto ne ho memoria a dodici anni, ho scritto una ballata per pianoforte con una penna rossa. Mi ricordo il pentagramma, il foglio in cui, in maniera ossessiva, mettevo tante note, in tre quarti. Era un'esigenza, ma anche lì si ritorna alla famiglia: il compositore doveva essere ricco per forza, un direttore doveva essere ricco per forza. Un direttore senza un'orchestra non va da nessuna parte, in questa società. E comunque, dopo che hai studiato, devi anche trovare le concomitanze giuste, a volte è un caso, poi continui a migliorarti tutta la vita, questo è il bello del mestiere di direttore: migliori, migliori, migliori e poi muori.

Ma l'idea di diventare direttore da dove le viene?

Direttore lo penso da sempre, fin da bambino. Dai dischi, dove immaginavo ci fossero degli omini piccoli che suonano e ti metti lì davanti e dirigi di nascosto da tutti, perché poi io ero molto timido, molto riservato, non mi è mai piaciuto suonare in pubblico, mi ha sempre dato molta ansia.

E dirigere?

No, dirigere mi fa stare bene, proprio bene. Questo è uno di quei pensieri che fai invecchiando: che quell'ansia è soltanto positiva, non negativa.

Invece suonare è...

Ho sempre sentito i miei limiti, posso concedermi una bellissima ricerca sul suono che sopperiva forse ad altri limiti però, quando senti il tuo limite, ti senti in colpa, io almeno sono così, non posso negarlo. A volte quando sento analisi su di me e dicono «la perfezione non ha importanza» io invece ritengo che la perfezione importa eccome. Che nulla sia perfetto è vero, ma non è una scusa, è stupido. Questo è uno dei problemi del periodo imbarazzante che viviamo, è proprio questa scusa del «basta metterci il cuore», ma purtroppo non è vero, le mani devono funzionare, devono fare tutte le note e farle alle velocità che voglio. Se no non ti diverti, stai male, io sto proprio male a non fare tutte le note e le velocità che voglio, ma questo vale in generale, si vede anche nei grandi interpreti che quando non riescono più a ottenere dal loro corpo la visione che hanno nella loro mente, smettono di suonare. Per me questa parte è sempre stata un'ansia, una fatica.

E la scrittura?

Io ho sempre scritto in verticale, avendo delle basi molto solide, non ho bisogno di niente, ho bisogno di un foglio di carta. Ma lì il problema è che non riesco a rapportarmi con la musica che ho scritto, perché ogni volta che mi rapporto con essa, la voglio cambiare, non è finita. In questo sono mahleriano peggio di Mahler, e anche in quello non mi sento abbastanza adeguato e quindi patisco e ho patito. Ogni volta che devo affrontare una mia partitura la affronto con lo stesso amore e la stessa critica con cui affronto ogni partitura, ma la differenza è che con quel compositore ci vivo e vado in conflitto e mi faccio delle domande e se quelle piccole stranezze o «errori» che puoi trovare nelle grandi partiture a partire dallo stesso Beethoven, quando le trovi in Beethoven ti fanno sorridere, quando le trovi in te non ti fanno sorridere.

E ti massacri?

Sì, ti massacri.

Per stare nelle etichette che si danno sempre alla musica, penso al minimalismo, al postminimalismo: c'era questa idea di Philip Glass che sosteneva la performance nel ruolo di compositore e direttore come momento di massima espressione dell'opera minimalista.

Philip è il primo che dice che il minimalismo non esiste, ho avuto la fortuna di frequentarlo, di lavorare nel suo studio, dirigere le sue opere. Philip diceva: «Il minimalismo non esiste. Faccio cose per orchestre e cori enormi... dovrebbero citare Mahler». La definizione del minimalismo è nata con Michael Nyman, che appunto era più un intellettuale, è diventato compositore dopo. Philip in realtà era un chimico, un matematico-chimico, era un fenomeno di ricerca ma con basi solidissime. Poi si confonde sempre musica minimale con minimalismo. Il minimalismo è la ricerca di quella linea che può rappresentare tutto, contestualizzata fino a essere semplicemente una linea, in cui puoi riconoscere tutte le caratteristiche di un'opera d'arte. Io ho sempre detto di essermi riferito più ai minimalisti visivi, come Tremlett e LeWitt. Però è vero che è la musica da cui si poteva ripartire e non da questo bluff della musica di una parte del Novecento che neanche sapeva quel che faceva, che si sa che non sapeva scrivere come Giacinto Scelsi, che però comandano ancora quella che è la contemporanea. Il minimalismo, invece, è stata una sferza. Sul concetto di arte, Philip diceva sempre una cosa molto bella, che mi è appartenuta: che bisogna sporcarsi le mani. A me piacciono le persone che si sporcano le mani, è una cosa che fa la differenza. Come fa la differenza tra sentire Stravinskij diretto da Stravinskij e Stravinskij non diretto da Stravinskij.

Glass nel suo caso e coi suoi limiti, ovviamente, si presenta con un gruppo che gli permetta di suonare, non essendo lui un pianista, infatti non può suonare i concerti per pianoforte che ha scritto, e non è nemmeno un direttore, lui non dirige. Lui si dedica a quella parte di musica forse più semplice, più anche adatta alle sue mani, cosa che io non farei mai, infatti tendo a fare cose non adatte alle mie mani e poi ho detto basta perché poi faccio troppo schifo anche io a suonarle. Non faccio la differenza, faccio peggio. Però anche questo ho imparato da lui: umiltà, è una forma di umiltà. Glass non ha mai diretto una sua opera, le faceva dirigere da chi si fidava. Stravinskij è un altro caso, Stravinskij lo faceva e la differenza c'è, è vero, quello sporcarsi le mani era un altro modo per dimostrare che dietro davvero c'era un musicista, uno che vive i suoni in un periodo storico in cui molti cosiddetti compositori non avevano in realtà la più pallida idea di quello che stavano scrivendo e della natura dello strumento. Te lo facevano segare in due e non sto facendo una battuta. Con la scusa della transavanguardia, della postavanguardia, della performance che diventa più importante del suono, a me è stato chiesto una volta di segare in due uno strumento con una sega, che non erano le cose di Cage, che aveva già dimostrato tutto quello che voleva e quindi era andato oltre in una ricerca filosofica, mistica e per me intoccabile, sia chiaro; era prendere quella parte lì provocatoria, diversa, contro un ingessamento generale e poi, giacché siamo tutti corruttibili e nessuno è puro, diventare accademia e da lì in poi si sono creati dei mostri. Il problema è quello, la grande paura è creare mostri.

C'è molta fuffa in giro. Si può dire?

C'è solo fuffa. Un momento imbarazzante. Ma la mia paura è di essere fuffa anche io. Lotto ogni giorno con me stesso e me lo chiedo. Mi rattrista, mi rattrista. Di certe superficialità che leggo nei miei confronti, che mi spingono a pensare: «Be', allora, faccio veramente schifo».

Superficialità nei giudizi che si scrivono?

Giudizi sì, ma anche positivi, anzi, soprattutto nei positivi.
    I giudizi negativi che ho incontrato soprattutto in questo mondo così idiota dei cosiddetti social, che io chiamo gli «idiocial», dove tutti si riferiscono a se stessi e basta, sono insulti, non sono critiche negative o giudizi o chiamali come vuoi. A me fanno paura quelli che scrivono certe cose. Quelli positivi pure fanno male, alcuni sono imbarazzanti.

Questa mattina avevo l'ansia di venire qui e mi è venuto in mente che non avevo ancora guardato i tuoi social, allora sono andato

a vedere, ho letto vari commenti e devo dire che sono d'accordo
con te su alcuni commenti positivi, però è anche vero che è un la-
voro meritorio quello di avvicinare la musica classica alla gente
e da qualche parte bisogna partire, quindi è inevitabilmente...

Alcune cose sono di grande soddisfazione, ma io continuo a ripeterlo: guardate il dito e non la luna. Il punto chiave è *come* la fai la musica, oltre a una probabile irritualità che però io trovo irrituale come si fa adesso un concerto di cosiddetta musica classica, senza sorrisi, senza accoglienza. È allontanante. Adesso, come si dice: «Siamo all'attenzione delle cronache», ma io l'ho sempre fatto. È stata una delle cose che ho sempre contestato, negli anni Novanta raccontavo cosa succedeva nelle partiture a un concerto, facevo dei percorsi narrativi e non se ne è accorto nessuno.

Ma dove li facevi?

Nei miei concerti ci sono sempre stati. Ci sono due tipi di concerti: dove potevi farlo e dove non potevi farlo. Il musicista è sempre ospite a casa d'altri. Dove incontravo qualcuno che mi lasciava sentirmi a casa mia lo facevo già. È l'irritualità.

C'è una cosa che mi fa ridere: i cosiddetti esperti parlano in francese, la *côté*, l'*inégalité*. A me vien da ridere. È bellissimo, mi piace molto. Dà quell'impressione, per cui anche io mi sento inadeguato di fronte all'espressione *inégalité*. Ma cosa vuoi rispondere? È quel modo di presentare le cose in modo che l'altro non le capisca. Non puoi dire a una persona: «La giusta *inégalité* che ci dev'essere in un'esecuzione», questa è veramente un'allocuzione che non vuol dire nulla, né per uno che non ne capisce, ed è un bene, né per un onesto che ne capisce. Non vuol dire nulla. Vuol dire glossare. Io parto dal presupposto che posso essere irrituale in questo tempo, ma non lo sarei stato ai tempi di Beethoven. Ma c'è un altro punto che fa la differenza ed è davvero il come, ed è davvero la tensione emotiva, la ricerca storica che va al di là delle parole, che va al di là delle presentazioni. Quella tensione che fra orchestra e direttore si crea attraverso il rapporto e che poi viene percepita in un modo e nell'altro, per chi non ha pregiudizi, viene percepita in un modo scioccante sia da parte dell'abbonato che va da cinquant'anni sia da parte del neofita, perché riconosce se stesso, non si sente inadeguato. In un modo pesante tutti si sentono inadeguati. Quindi c'è bisogno di qualcuno che ti spiega se è buono o cattivo.

C'è bisogno di quella parte eroica, che ti fa chiedere se con tutta quest'energia ci arriveranno in fondo. Quel senso di rischio che è percepibile, ma non razionalizzabile: si percepisce qualche cosa e quella cosa si chiama «rischio», quel rischio che può anche non piacere al critico, perché può portare all'errore, errore che si corteggia nel prendersi il rischio, il rischio nell'ottenere quelle sonorità più estreme, come richieste dal compositore, sempre nel rispetto più sacro della partitura, perché la sacralità non è nella veste del cerimoniere, ma nella partitura.

So che sei attento alla scelta della partitura.

Io proprio rinnovo continuamente, a volte faccio ricerche dirette, riscrivo, faccio un lavoro filologico molto approfondito, unendo editori e revisori che preferisco. Ho anche imparato che un revisore non è il verbo, è un revisore, e quindi anche lui mette il suo di pensiero, allora il mio metodo di lavoro è andare a guardare il manoscritto, se c'è, le prime edizioni, se ci sono, quindi metti insieme le cose. È un lavoro pesante, lungo, bellissimo, che mi diverte da morire perché scopro tante cose, che mi fa dire che nulla si dà per scontato e soprattutto mi permette di conoscere meglio. Considera che io non ho assistenti, quindi ogni singola arcata di ogni singola parte la metto io, faccio anche quel lavoro lì, mi faccio da assistente e poi mi insulto quando sbaglio qualche cosa, infatti ogni tanto con le orchestre nuove faccio la battuta: «Quel deficiente dell'assistente che ha sbagliato l'arcata», allora si indignano e mi dicono: «Ma come si permette di parlare così del suo assistente?!». E io rispondo: «Veramente sono io». Però a me piace perché è un modo per studiare anche quello. In questo sono anomalo. Poi rinnovo. Continuo a fare ricerche, se qualcuno ha trovato qualche cosa di nuovo, continuo a essere curioso anche su Beethoven, cui mi dedico da quarant'anni.

Molta della prassi, uso il tempo moderno, l'evoluzione tecnica dello strumento come una possibilità in più, pur nel rispetto di come potevano essere gli strumenti ai tempi di Beethoven, questo è uno dei miei pensieri, arrivo da quel movimento che non accettava di suonare in un solo modo, che cercava proprio la filologia per essere più rock and roll di fatto. Parlavi con Harnoncourt e te lo diceva, volevamo cambiare, ci facevamo un mucchio di cannoni, eravamo un po' figli dei fiori, volevano un mondo diverso da questa staticità, da questa oppressione. Grazie a questo, pensa come è cambiato: una volta Beethoven si faceva con duecento orchestrali, poi si è scoperto che si poteva fare in cinquanta. Che poi mi piacerebbe farlo anche alla vecchia maniera, con l'orchestra grande, sentirlo e farlo sentire alle persone, fare sentire la differenza perché ora invece è diventato l'unico modo ed è anche questo sbagliato perché non c'è nulla di sbagliato, nella mia visione non c'è. C'è quella che ti arriva e bene o male Karajan arrivava così. Io ogni tanto quando riascolto la sua Quinta, aiuto! È un Olimpo che guardi verso l'alto.

Ma forse è la stessa storia della direzione d'orchestra che insegna che è cambiata così tanto, dal Seicento a oggi, ma anche da Toscanini a oggi.

La figura del direttore d'orchestra si sviluppò nell'Ottocento dove per la prima volta un musicista può mettersi di spalle. Anche questa è una storia bellissima, che non basta mai, quando vedi che le lotte dei grandi uomini, degli uomini del post-illuminismo, ti rendi conto che appartengono anche a te e allora senti con un orecchio diverso. La liberazione del musicista da servo a membro della società è una cosa che riguarda tutti, non riguarda solo i musicisti; le conquiste sociali della musica – adesso si parla solo della questione economica, di soldi ed è un grande errore, mentre le conquiste sociali sono altro, sono i diritti, il più grande è il diritto di esistere, il diritto all'accesso, quello che la musica pretendeva quando è stata liberata appunto. Ed è stata liberata nettamente da Beethoven. Fu contestato negli anni a venire come un corruttore della musica. Mettendo non una narrazione *non* narrazione, ma mettendo i sentimenti umani, cosa che era vietata, dentro la partitura, dentro il percorso narrativo della partitura, percorso narrativo che una partitura bene o male ha sempre, può essere anche solo di forma – allegro, andante, scherzo, finale –, ma sempre di una narrazione parliamo.

In realtà anche il cosiddetto Al Chiaro di Luna*, mi chiedo se ti fossi mai chiesto cosa potesse essere, mi sembra di ricordare che inizialmente fosse chiamata solo Op. 27, poi in un secondo momento* Al Chiaro di Luna*. Mi chiedo se tu ti sia mai immaginato uno scenario alternativo a quello, comunque anche quella è una sonata irrituale, infatti lui la chiama quasi una fantasia.*

Lui ne chiama tante «quasi una fantasia». Vedi, noi decidiamo la forma quando è stata cambiata, spesso. A me fa sempre molto ridere, per esempio: Bach e la fuga, le fughe di Bach erano completamente sbagliate ai tempi di Bach, erano sbagliate perché sbagliava le strette, le metteva troppo presto, ma sono tecnicismi che ti eviterei. Lo stesso Beethoven nei quartetti li sbagliava. La forma prevedeva tendenzialmente un adagio iniziale, che sfocia subito in un allegro e magari spesso usa «quasi una fantasia» per coprirsi ma poi si capisce che non gliene frega niente, anzi.

La forma sonata ti piace?

Ah, per me è la base. La forma sonata, quella vera, è la base, che non vuol dire «la sonata», ma è quella base che, se vai a vedere, c'è ovunque, nascosta, è evidente, una forma con cui si può scrivere un solo movimento, c'è anche dentro l'adagio de *Al Chiaro di Luna*. La «forma sonata» non va confusa con la tripartizione, la sinfonia è quadripartita e allora si son creati quegli sciocchi pregiudizi per cui trent'anni dopo la morte di Schubert, la Settima sinfonia era incompiuta, con tanto di mito che non riuscì a finirla perché è morto, ma in realtà lui l'ha consegnata, poi ha scritto pure l'Ottava, è andato avanti, pure la Decima. Io lo dico sempre, è che in quegli anni la sinfonia doveva avere quattro movimenti, per cui chi l'ha trovata dopo ha pensato che avendone solo due, non fosse finita e invece se l'ascolti davvero attentamente, si conclude. È come chiedersi: «Cosa devo scrivere di più? Ma come la chiamo? Allegro Andante, no». Per lui era una sinfonia completa che dentro di sé aveva tutto. Vedi com'è: andiamo avanti invece in questa ritualità e l'*Incompiuta* resta *Incompiuta*. Sinfonia con cui – si dice – non puoi finire un concerto, ecco. Io ho finito il concerto in piazza Maggiore con l'*Incompiuta* il cui ultimo accordo chiude in un silenzio e con dodicimila persone ad ascoltarsi quel silenzio e a chiederlo e questa è un'altra cosa, la condivisione. Io parto dal passato, non sono un presente e un futuro, io parto dal passato in cui la musica è uno scambio e scambio un silenzio insieme. Guarda, non lo trovo neanche così difficile. Arrivo da queste due settimane di condivisione d'ascolto per la Puglia, in zone anche difficili come Foggia, difficili come progetto sociale, ma dove le persone lo avvertivano, basta solo parlarne, a volte.

Ma de Al Chiaro di Luna *che ti piace di più?*

Se devo scegliere, a me piace l'ultimo movimento, ma in realtà mi piace tutta. Il secondo movimento è di una bellezza, è quello che da piccolo era più difficile da suonare perché era quello che capivo meno, perché è quello più maturo in realtà. Però l'ultimo movimento è una tempesta continua, una tempesta emotiva, c'è quel ritorno al tema, lui è il primo a reinfilare la cellula, è cellulare, è musica cellulare, altro che Philip Glass. Il secondo movimento è minimalismo vero, perché non c'è niente, ci sono degli accordi appoggiati che diventano un tema di conseguenza. Beethoven, è evidente, che c'è in me da lì, perché io non ho mai scritto un tema, è sempre tutto stato derivato da ciò che accadeva intorno, dai timbri che cercavo. Tutto parte dai timbri, io sento i timbri, sento le differenze di timbro, il melange, l'orchestrazione, la composizione.

Ma c'è una tonalità preferita?

No, credo di averle fatte un po' tutte. Per ogni oggetto di cui si parla c'è una tonalità che gli appartiene, questo è il mio punto di vista. *The Roots* è in do diesis minore, che è una tonalità per il violoncello difficilissima, e mi ricorderò sempre che un grande violoncellista, con cui la suonavo, mi disse di farla in do minore, che il violoncello suona di più. E allora accettai e gli preparai una parte in do minore, la iniziammo e mi disse che avevo ragione. Non aveva più tensione, la tonalità è anche quella che decreta una difficoltà interiore all'interno del brano che fa sì che aumenti la tensione. La musica davvero non basta mai e a volte sono i musicisti stessi che pensano che basti, e invece non basta mai, che sia scritta, che sia nell'interpretazione, non basta mai, è una di quelle cose che ti salva la vita, ma davvero. Te l'ho detto, un direttore fa così: migliora, migliora, migliora e poi muore. Se ci pensi è così, poi vieni sempre paragonato ai Bernstein di sessant'anni, di settant'anni, sarebbe meglio vedere com'era a trenta, non puoi fare un paragone tra un direttore e un altro.

Però Bernstein aveva un modo che mi ricorda te, nel rapporto con l'orchestra più diretto della sola mano destra. Ci sono due scuole, no? Adesso non voglio dire fregnacce...

Ci sono sempre state, anche Toscanini ce l'aveva, ce l'aveva nel senso che ti faceva paura. Ho sempre detto: c'è il «padre padrone» e il «padre fratello» nei direttori. Karajan che dopo questa preparazione assolutamente mistica, stava sempre a occhi chiusi al punto che c'erano due grandi dei Wiener che, proprio alla fine del loro percorso, erano quasi amici di Karajan e tentarono in tutti i modi di fargli aprire gli occhi durante la *Pastorale*, non durante le prove, durante il concerto, facevano questo piccolo errore, ma lui niente, non li apriva. Alla fine, erano tutti preoccupati, pensando: "Questo ci licenzia subito". Lui li aprì un attimo: «Ma perché avete fatto così?». «Per scommessa.» «E cosa avete scommesso?» «Una bottiglia di whisky.» Erano in America, a Chicago e lui nello stupore generale, li guarda e dice: «Mezza è mia», e chiuse la porta. Ci sono aneddoti meravigliosi nella vita in orchestra, ma lui insomma aveva questa concentrazione meravigliosa e l'orchestra era pronta al suo gesto, che era un gesto anche non facile a volte.

Dunque Toscanini padre e padrone. È insuperato il suo Verdi secondo te?

Per qualcuno resta insuperato, per qualcuno c'è Muti. Il lavoro che ha fatto Muti nella sua vita su Verdi e l'amore che ha Muti per Verdi è sacrale ed è solo da rispettare e da prendere come esempio, grandissimo, e poi può non piacerti il Verdi di Muti e ne hai diritto, ma non puoi contestarlo, questo è il punto. Quella ricerca così approfondita, così veramente sacra che lui ha. Questo rispetto assoluto. È il grande Maestro ed è il grande interprete verdiano. Quello che fa delle scelte che possono essere scomode a farla «cotta e magnata», come dite voi a Roma.

Tu invece costruisci proprio un rapporto con l'orchestra, insistendo per arrivare prima, fare più prove…

Questo è inevitabile. Il tempo ci va. Che tu sia padre padrone o no, il tempo ci va. Si può dire che la bacchetta fa tutto, ma poi devi fartela guardare, la bacchetta. Purtroppo se non c'è il tempo di studio, nessuno te la guarda la bacchetta perché stanno tutti a guardare la parte e per questo servono giorni di prova. Io non vado con un'orchestra senza garanzie sulle prove, specialmente con determinate orchestre che vogliono fare una prova e il concerto e non ci si può sempre nascondere dietro le ragioni economiche, che vanno al di là dello studio. Lo studio non costa nulla. Se tu hai un'orchestra che sa tutto a memoria, allora puoi anche fare una sola prova, ti guarda e ti conosce subito, ma se tu non ti guardi negli occhi, non ti puoi conoscere. Se tu e io ci parliamo, ma stiamo tutto il tempo a guardare il telefono, non ci conosceremo mai. Non è una relazione. La vera lotta del direttore oggi è farsi guardare la bacchetta. Difatti ci sono tanti con dei bei gesti che stanno lì, nessuno li guarda e poi alla fine rimane l'incognita: è andata bene perché la sapeva l'orchestra o è andata bene perché il direttore ha fatto bene? Così si rimane in una zona d'ombra che per me è male. Io ho bisogno di creare quel rapporto e ho bisogno di creare anche quell'approfondimento del suono. Il rapporto tra un'orchestra e il direttore è vasto, nella mia siamo noi, tutti amici, ci vogliamo bene ma se vai in orchestre estranee, a qualcuno piaci, a qualcuno non piaci, qualcuno è più pronto a seguirti subito, qualcuno è prevenuto e ti segue poi dopo, quando sei andato via, qualcuno non lo farà mai. L'orchestra è una società in cui sei ospite.

Come tu dicevi, si parla spesso dei cambiamenti delle società in termini economici, politici e non si parla di musica. Pensavo che in realtà un'orchestra è una piccola società, dove c'è un leader... che è un primus inter pares*, che comunque governa una società dove ci sono personalità di spicco...*

No, no. Molte delle frasi che dico vengono poi usate come piccole poesiuole, e invece, lo dico sempre, sono dati empirici. L'orchestra è una rappresentazione della società ideale, nel senso che è sia ideale come rappresentazione della società, e dall'altro lato, come ci siamo detti fino adesso su ciò che è fare la musica, essa è la rappresentazione della meritocrazia assoluta, nella quale anche le gerarchie non diventano un pedissequo seguire il comando, ma una rappresentazione fisica del dato di fatto, della realtà. La stima è fondamentale, le peculiarità dell'uno e dell'altro sono fondamentali, specialmente in quella parte di società meno visibile che sarebbero gli archi: sono quelli che lavorano da sotto e costruiscono le sedie, chiamiamoli così, perché sono la massa, sono tanti. I quattordici primi violini, i diciotto primi violini suonano tutti la stessa nota, anche se singolarmente hanno peculiarità diverse. Non è che chi sta dietro è quello che non suona bene, anzi, nelle grandi orchestre – e questa è una delle mie lotte, anche coi ragazzi giovani – bisogna smettere di pensare che chi sta dietro suona peggio. C'è chi non se la sente di stare davanti, suona benissimo, ma non se la sente. Nella mia orchestra c'è molto turnover e poi si definisce chi, in alcuni repertori, ha più bisogno. E noi abbiamo bisogno di qualcuno da dietro che spinga il suono perché, bene o male, quella massa deve uscire. Questo riguarda i primi e i secondi, poi ci sono quelli che sono più in evidenza, che sono gli strumenti a fiato, a due a due, ma anche in questo il primo e secondo oboe non è che necessariamente il primo oboe è più bravo del secondo, anche, ci sta anche questo, le qualità singole vengono apprezzate, ma il secondo oboe ha delle caratteristiche, anche psicologiche, caratteriali per essere più precisi, che fanno sì che lui sia il secondo oboe, che ha un lavoro preciso, non è arrivato secondo alla gara. Non c'è competizione in questo, c'è competenza. Sono competenze diverse, tant'è vero che appunto sono ruoli, ognuno ha un suo ruolo: il primo, il secondo violino, il terzo, il quarto, chi sta esterno, chi sta interno, anche fisiche, persone che vedono meglio con la parte sinistra, persone che vedono meglio con la visione verso destra, quindi non possono essere scambiate, è difficile. Dirigere questa società è difficile perché devi fare attenzione a tutto e non basta mai. Lavori dieci volte gli altri se va bene, e la responsabilità è tutta tua. Questo è il punto: nel ruolo di comando, io ci vedo l'onere e vivo l'onore, però, appunto, deve essere onorato quel ruolo di comando perché tu hai la responsabilità dell'altro in senso assoluto.

E quindi se tu hai l'onere del ruolo di comando di una società ideale, ti posso chiedere se in qualche modo si può tradurre nella società che viviamo? Se manca meritocrazia, rispetto dei ruoli nella società politica?

È uno dei grandi problemi. Manca la competenza a discapito della competizione che prevede anche scorrettezze come quelle di acuire determinate competenze, come quelle relative ai rapporti sociali. Non c'è equilibrio, non c'è questo equilibrio che in musica ci deve essere, se no si va tutti in baracca.

Tant'è vero che questa è una delle grandi perdite: tutti possono fare tutto. Se nei ruoli principali della classe dirigente noi riconosciamo l'incompetente, l'effetto non è quello di gestire male, ma l'effetto è quello di far dire: «Anche io posso farlo». Quando invece riconosco la grande capacità e la grande responsabilità, ecco che faccio il passo indietro e quindi lavoro insieme a questa persona. Io vedo un gioco al ribasso che poi si ripercuote anche sulla musica.

Dal mio punto di vista difendo, come un padre fondatore, quel modo di fare musica, quel senso sacrificale, nel senso del «sacro», quel senso di impegno assoluto, quel senso di comunità, quel senso di rispetto del lavoro dell'altro.

Ti piacciono i tempi che viviamo in Italia?

No. Mi pesano. Mi rattristano profondamente, anche se continuo a vedere che in realtà ci sono due «Italie», c'è molta più bellezza di quella che ci si aspetti, ma generalmente, soprattutto nell'aggressività della comunicazione e in questa perdita assoluta di profondità, mi deprimo. Però poi guardi intorno e vedi paradossalmente le sale ancora più piene per sentire Beethoven e non sentire l'uccellino al pianoforte, le persone ancora più entusiaste, ancora più felici, tranne quei pochi. Poi piango, perché si sentono migliorati, continuo a dare speranze, però poi …

La musica è anche inclusione, tu suoni con molti musicisti giovani, però ho sentito che dici che per te non c'è differenza di fronte all'età, per te è un musicista, non ha importanza la nazionalità, l'anagrafe.

Pari diritti, pari doveri. Dico «diciotto-ottanta» dove diciotto è scelto perché è l'età minima per andare in giro a lavorare, se no diventa sfruttamento di lavoro minorile.

*Ma forse anche la qualità dell'integrazione del Paese non so
che effetto fa a un artista vedere profughi, respingimenti, ma se
vuoi non ne parliamo.*

No, no, ne parliamo senza problemi.

Quando non hai accesso al sapere, alla cultura, alla realtà
dei fatti, ti inventi il nemico, ma lo sappiamo benissimo. È
un delinquente, non è più un delinquente, ma direttamente è
uno straniero, e anche in questo io ho molta paura di questo
periodo perché c'è una soggettivizzazione del tutto, anziché
una oggettivizzazione delle cose. Anziché parlare del punto,
dell'oggetto, si parla direttamente del soggetto e si prende il
soggetto come tifo pro o contro quello.

Io penso che tutti siamo contro la criminalità. Non ha
colore la criminalità. Come anche non ha colore la brava
persona. Poi non sono un sociologo ma ci sarebbe tanto di
più da dire.

Per esempio, l'ambiente: tutti siamo d'accordo che vorremmo un mondo più pulito, invece soggettivizziamo direttamente su qualcosa, pro o contro. Io questo non lo tollero
più, anche quando è fatto con me, anzi mi fa più soffrire.

Non sono «io» il punto, parliamo di Beethoven, di musica, non c'è Ezio, Ezio sparisce, difatti la mia vita sparisce. Io faccio questo mestiere anche per sparire, per pu-
nirmi delle tristezze che vedo intorno a me e per lavorare e
migliorare un minimo, in qualche modo, col mio apporto
questa società.

Quando invece vengo deviato verso l'esempio sbagliato,
ecco che mi sento fallace. Ecco che quando divento «quello
che tutti possono fare tutto», in quel momento scappo e mi
viene voglia di ritirarmi, perché io spero sempre che il messaggio, che viene deviato per convenienza, ormai lo devo dire,
venga invece rispettato, perché io parlo sempre di lavoro duro
su se stessi, ogni giorno, io non dico mai: «Oh, basta un po'
di musica e stiamo tutti meglio».

Già lo pensavo prima, ma adesso da questa chiacchierata vale la pena far emergere il lato «bisogna farsi il culo».

Sì, e aggiungo: non fermare se stessi. Per me è naturale, sono un beethoveniano, non riesco a fermarmi e, anzi, quando vedo abusata una frase che dico, la elimino dal mio linguaggio, anche se sono cose in cui credo profondamente. Se la sento abusata o la sento applicata alla qualsiasi o la vedo applicata alla musica di commercio, basta: per me quella frase non esiste più, non la dirò mai più in pubblico, la dico solo a me stesso, la dico in intimità. Esattamente come per me ci sono delle cose che sono private, privatissime, come la malattia: si vede, purtroppo si vede, ma è mia, non dirò mai quando vado o torno dall'ospedale. Questa è una cosa che a me fa schifo, lo dico senza problemi, proprio schifo, perché è mercificazione vera del dolore, e purtroppo però lo vedo che io posso essere soggetto a quello. Ma la barra resta dritta su un concetto: cosa può fare un musicista per migliore la società, oltre a far star bene le persone? Dargli quell'opportunità di sapere che col lavoro duro si combatte l'indolenza, e con la ricerca continua può migliorare la sua vita e quella degli altri. Ed è per questo che un sogno che forse non vedrò realizzato è quello di vedere questa orchestra, che è una comunità di cui mi occupo, anche nel benessere del mangiare tutti insieme e bene, mi occupo che tutti stiano bene, che ricevano tutto quello di cui hanno bisogno, se hanno bisogno al mattino di fare prove a sezioni per migliorare, dove ci si guarda i bambini l'un altro, che questa orchestra per essere una società vera, abbia prima una casa. In questo momento, mi ha fatto ridere, l'ho detto all'ultimo concerto a Lecce dove ho ringraziato la Regione Puglia.

Siamo dei rom, siamo dei nomadi, siamo dei reietti della società. Non abbiamo una casa. Loro ci hanno dato una casa per un po', ci hanno ospitato per un po' e abbiamo fatto la nostra idea semplice. Che poi è semplice, davvero, perché è quella di lavorare duro, di fare festa tutti insieme.

Come sono i luoghi in cui si suona in Italia?

Abbiamo la fortuna di avere teatri storici straordinari.

Il Teatro Giordano di Foggia è bellissimo e nessuno sa che è il secondo teatro dell'opera più antico d'Italia dopo il San Carlo, per farti un esempio. Abbiamo tante di quelle cose belle con un'acustica peraltro bellissima. Abbiamo luoghi invece orrendi, abbiamo luoghi di spreco. Un Paese con tante contraddizioni.

Tendenzialmente, quello di oggi che ti rattrista è la mancanza di sapere, cultura e merito?

Mi rattrista che non sia il centro della discussione e soprattutto dell'accessibilità. E in questo ci vedo proprio la malizia della manipolazione. E intanto si va avanti così, a tifoserie, ha ragione lui, ha ragione lei, e tutto è più facile. Invece, con un popolo consapevole non puoi dire sciocchezze esattamente come con un pubblico consapevole, ma nel senso di consapevole emotivamente, che comincia, come sta succedendo, a capire, a percepire – più corretto di capire – la differenza di tensione fra una cosa e l'altra. Un pubblico così non è più manipolabile. Non ci può essere uno che gli dica: «Lui è bravo e lui no», perché inizia davvero ad avere un'opinione, un'opinione sensoriale e che può divenire oggetto di discussione e di cambiamento e così far perdere un po' di potere a chi decide le carriere, decide chi può stare lì, chi no. Ah, è difficile poi: il pubblico che comincia a chiedere, perché non c'è quell'autore, quell'interprete, inizia a diventare scomodo più del famoso pubblico preparato che in realtà non ne sa niente.

Quindi, quando senti qualche sbuffetto delle accademie, dei Conservatori nei tuoi confronti.

Ma non lo so neanche, non ho rapporti. Sì, ma ci sta, ma poi non mi vorrei neanche io in posti del genere, mausolei, perché dovrei mettermi in un mausoleo? Io voglio fare musica, non muovere la bacchetta. Ecco.

Noi siamo cresciuti più o meno negli anni Settanta dove c'era una certa idea di suono e di timbro, però i cambiamenti tecnologici nella fruizione della musica portano a un inevitabile schiacciamento della qualità del suono. Non ti dispiace?

Mentre ti rispondo intanto preparo il caffè, voglio proprio un bel caffè.

Sì, mi disturba. Mi diverte tantissimo registrare, ma poi i dischi non mi piacciono, anche perché io li registrerei ogni due anni, perché sentiresti la differenza, i dischi sono fotografie, ti consentono di capire come eri a vent'anni, come eri a quaranta, invece adesso è tutto Photoshop, tutti hanno sempre vent'anni e questo è anche in musica, e io tutto questo lo evito, tengo il pubblico in sala, cerco di usare una microfonazione folle in studio, per *The Roots* abbiamo usato ventissette microfoni sparsi dentro, dietro, per riuscire a prendere tutte quelle sfumature che poi appunto abbiamo fatto tutto questo casino e poi è diventa un MP3. In realtà la tecnologia avrebbe un potenziale molto più alto in termini di dinamica [...] che cosa ha il vinile in termini di differenza? Il vinile ha la sporcizia elettrica che ti fa sentire l'aria. Con il digitale avresti la possibilità di avere quello che per me è fondamentale, cioè il range dinamico; la funzione del supporto non è cambiata dai tempi della voce del padrone. Della EMI che inizia a fare le registrazioni. Ne ha due di funzioni: una è anche bella e importante per quelle persone che non possono permettersi, in un modo o nell'altro, di arrivare a vedere un concerto; e l'altra è quella di avere un oggetto da poter tenere. Ma la grande musica è quella che si fa nelle sale da concerto o nei cortili o dove vuoi, nelle fabbriche. Questa è la vera natura, anche sociale, della musica. E invece inseguendo quell'altra cosa che non esiste, come il pop, come la musica da discoteca, come questa cosiddetta elettronica, ecco che quel tipo di musica diventa altro perché non ha più quella funzione. Io mi diverto a continuare a cercare quel suono che riporta al suono dell'esperienza, infatti spesso dico di ascoltare a tutto volume, come se tu fossi vicino al pianoforte. Penso alla sezione dei violini, quando ci sono i pianissimo, non devo avere la sensazione che sia piatto, che il piano e il forte non esistano. Poi la compressione ne elimina la gran parte. Ma, insomma, a me piace registrare, non mi piace il dopo. Mi dispiace che non mi lascino registrare abbastanza repertorio.

Ma davvero?

No, figurati.

Io ho nipoti che non hanno mai ascoltato quella varietà di suono di cui stiamo parlando, conoscono solo il suono compresso. Come vedi il futuro della musica? C'è un clima culturale propizio per i nuovi talenti? Nel clima generale che abbiamo descritto, parrebbe di conseguenza più difficile far emergere delle idee nuove e di talento.

La musica questa possibilità ce l'ha di sua natura, ce l'ha a prescindere dalla stupidità dell'essere umano, dopo di che se chi la gestisce è stupido e sembra che voglia farla morire invece... per poi lamentarsi che le cose non vanno, sembra che sia colpa della società che è cattiva, questa attitudine lamentosa e alla ricerca dell'assistenzialismo. Mentre invece la musica è una necessità. Su questo continuo a insistere. Il difetto che abbiamo noi per primi è sostenere che dobbiamo fare Bach o Beethoven perché fanno cultura. No, ne abbiamo bisogno. Ne abbiamo così bisogno – e anche in questo sarò antipopolare di nuovo nei confronti della mia categoria – che non è un caso che resti Beethoven e sparisca Hummel. Non è un caso che Beethoven criticasse Mozart e facesse i complimenti a Hummel. Chi lo ascolta Hummel? Sì, io, chi studia per mestiere. Ma questo non è un caso: rimane quella musica che diventa necessità umana, che puoi declinare come vuoi, in senso religioso, o per l'anima o per il cuore, per la pancia, per la testa, per quello che vuoi. È una necessità, non è un fenomeno prettamente museografico a cui per forza bisogna dare un aiuto perché ci deve essere. Questo è il mio pensiero. E quindi la responsabilità è quella di farla vivere, non di tenerla nella teca come il frac e il vecchiume. Questo è il lavoro che faccio ogni giorno perché io credo in questo.

La responsabilità di farla vivere. Come si fa praticamente?

Intanto mettendosi in gioco, come faccio io, però senza compromessi, io non faccio compromessi di nessun genere sulla musica. Non mi interessa far sentire un movimento di una sinfonia in una televisione, mi interessa farla sentire tutta. Una cosa di cui nessuno si è accorto, che neanche Bernstein aveva mai fatto – mi dispiace dover fare un paragone con Dio – però nessuno si è accorto che io avevo un ospite, che dovevo intrattenere con l'orchestra lì, dovevo raccontare, e di colpo alzavo la bacchetta e partivano. Lo capisci che quello è prendere un rischio? Non c'era lo stacco, non c'era il paracadute. Allora quando io sento uno che neanche si accorge di questo, eppure è un esperto di musica classica, lo prenderei a schiaffi. Perché è quella cosa lì che fa la differenza. Sai qual è il mio camerino? Il bar fuori dal teatro. Sto lì, se è bel tempo, sto lì. La gente mi chiede: «Ma non ti concentri da solo?». Io mi concentro con la gente intorno, infatti io non avrò mai il problema del *metoo* perché tanto sto sempre con l'orchestra. Perché tanto quello che ho da dare ho solo da dare. Poi certo ho il mio rito dell'ultimo momento, ma non sono quello che sta in camerino isolato. Io ho bisogno di sorridere e di essere cosciente che sto andando a fare la cosa più bella che esiste, che è dare, e di star lì per far la festa per tutto il lavoro che abbiamo fatto. Non ho niente da dimostrare. Per me bisogna ritornare allo scambio. Nello statuto che abbiamo fatto, nella casa che vorrei, tutti partecipano perché di fatto tutti partecipano e completano il fenomeno della musica. Lo completano attraverso che cosa? Attraverso la cosa più profonda che esiste: il silenzio condiviso. Come dico spesso in alcuni miei concerti: «Prendetevi la responsabilità del silenzio del vostro vicino. Non del vostro», un po' petrolinianamente. Però sei tu responsabile, sei tu che devi spiegargli cosa succede a stare in silenzio, a non guardare il telefono, a spegnere il telefono. C'è un esempio che mi fa buffo: c'era una delle prove, gente che parlottava e si sentiva «schhhh, schhhh». Allora mi sono fermato e ho detto: «Vedete? Questo "schhh" è peggio di quelli che parlottano. Perché? Perché è più forte della musica. Se io vi grido di stare zitti, voi fate più forte». «Piano, piano» glielo devi dire sottovoce, loro non ti sentono e fanno più piano. Se ti sentono, fanno più forte e se sono musicisti, suonano più forte. Queste sono le cose educative sulla capacità di ascolto di uno e dell'altro. A questo servono le prove aperte. Tutte aperte. Non queste finte prove aperte che adesso fanno tutti: «venite alla prova aperta». Quella non è una prova aperta, quello è un finto spettacolo. Io voglio far sentire quanto siamo scarsi all'inizio e quando il fiore sboccia. Questa è la mia natura. Ma questo non posso farlo dappertutto. Vorrei con la mia orchestra, con cui lo facciamo sempre, vorrei una casa dove questo accadesse sempre. Dove chi viene da me, viene con quel rischio, perché è un rischio. Perché, di nuovo, fare bene, fare fino in fondo, significa prendersi un rischio. Fare come più o meno si fa sempre, viene comunque bene. E questo è un altro difetto della bellezza: una partitura è bella comunque, pure quando è chiusa. Come la fai, la fai, è sempre bella. La Quinta di Beethoven sempre bella è. Che la faccia Bosso, che la faccia un altro, che la faccia un grande direttore. Il problema però è: averne cura, avere amore, rispettarla, viverla. Quello è proprio un altro paio di maniche. E per me quella è l'unica strada per darle il suo ruolo naturale all'interno della società. Io credo che se dovessimo parlare in termini sociali, avremmo già fatto il passo avanti: un posto aperto, con le porte aperte, dove le persone possano andare a trovarsi, dove non trovano pregiudizio per due ore, ma trovano soltanto senso dell'ascolto, quindi uniscono la piacevolezza, la profondità, la narrazione. Aspetta, no, con la storia della narrazione ci fregano sempre. Però trovano un altro ascolto, trovano la storia, trovano se stessi e tornano poi a lavorare: questo è il mio teatro ideale. La musica con il teatro intorno, con le persone che entrano a farne parte.

È una visione molto popolare in senso positivo. Belli i Carmina Burana*, ma li hai scelti tu? Perché non vengono poi molto proposti…*

No, me li hanno proposti. È che gli intellettuali pseudo di sinistra idioti dicono che era il brano preferito di Hitler, che non era assolutamente vero, e allora per forza che non li vuole fare nessuno. Il povero Carl Orff è stato soggetto di quelle mazzate!

Io penso invece che la forza di Orff sia stata quella di rimanere proprio neutrale.

Ma no, anzi!

Sì dopo, quando i nazisti lo stroncarono.

L'avevano manipolato, ma ce l'avevano per qualche cosa d'altro, perché lui in realtà arrivava dai socialisti aperti, dagli internazionalisti. Il suo progetto era un nuovo linguaggio che non fosse assolutista, e che superasse il linguaggio wagneriano e straussiano, ritornando al passato e ritornando a una lingua condivisa che era il latino. E in questo pensava di aver trovato in Schönberg il suo sodale. Poi Schönberg lo abbandonò, si dedicò alla dodecafonia e lui ci restò anche un po' male.

I Carmina *sono un po' una presa in giro dei nazisti?*

Se tu ci pensi è una forma di satira ben precisa. Pensa al cigno che viene «magnato». È anche molto profondo. Intanto bisogna ricordare che Hitler all'inizio veniva chiamato «la fortuna della Germania». Comunque è molto complesso, i piani di lettura si moltiplicano. Io, come sempre, lo sto studiando e sviscerando: se tu la associ alla musica, questa fortuna così negativa, di fatto non positiva, una fortuna che apre e dopo aver fatto un viaggio enorme, perché dentro c'è un'intera opera, c'è l'amore, la liberazione, e però rifinisce con la fortuna, come dire: ATTENZIONE! Chiude con una richiesta perentoria di attenzione. E poi c'è anche dell'altro, c'è l'indolenza di aspettare la fortuna, c'è anche un percorso dalla vecchiaia a lui che torna giovane e ripercorre il suo mondo. C'è molto. Io l'ho impostato così musicalmente e anche sull'amore che aveva per Monteverdi, che se non c'era lui nel 1930, Monteverdi non ce l'avevamo neanche noi e poveretto si è preso del nazista tutta la vita, cosa che non era vera. Si rifiutò di partecipare alle Olimpiadi con la sua scuola, non andò lui e non scrisse nulla per il regime e gli venne vietato il flautino per tutti perché era considerato uno strumento bolscevico. Ormai voglio bene a Orff, anche se all'inizio non ero entusiasta.

I nazisti poi non capirono mai fino in fondo quanto l'arte li prendesse per il naso. A partire dai Carmina Burana.

Assolutamente, hanno anche quel misto di satira antica, già solo l'idea di mettere il testo di questi clerici vaganti è già uno spirito antinazista di fatto. Questi che portavano il sapere a tutti, la cultura a tutti, che scambiavano e puntavano il dito sulle malefatte della Chiesa e del potere.

Secondo te la musica ha la forza di solleticare la coscienza civile e l'impegno da sola o ci sono stati musicisti di impegno civile?

Ci sono esempi, mi viene in mente la difesa di Furtwängler per i suoi musicisti ebrei, ma di base l'impegno civile si fa con la musica, perché appartiene alla mia competenza. Tra l'altro la mia competenza mi fa venire i miei dubbi, io continuo a chiedermi se sono adatto, se va bene.

Gli artisti e musicisti che dicono la loro di politica non ti piacciono?

Quello che non mi piace è la manipolazione, mai, neanche forse quando dà ragione al mio pensiero. La musica per me è sacra, proprio sacra. Esattamente come non si manipola un testo sacro per aver ragione. Allora se uno vuole esprimere il proprio pensiero politico, chiarire la propria posizione, lo può fare, ma come diceva Camilleri, bisogna riflettere mille volte prima di pensare, e fare attenzione perché si può cadere nell'incompetenza assoluta, perché il marchio di musicista non ti dà l'onniscienza. Metti zucchero? Vetro o ceramica? Alle scuole medie al diploma di educazione civica c'era questa bellissima frase che diceva: «Ogni gesto che fai è un gesto politico», da dove butti la carta in poi.

Allora anche la musica è politica?

La musica è politica, come parte della società è *polis*. E poi spesso nasce nella politica: la polifonia è nata per mettere d'accordo le correnti diverse della Chiesa. E nel momento in cui io ti parlo di società ideale e di esempio per la società, stiamo parlando di politica, nel senso di idee, di visioni, è questa la politica, noi stiamo confondendo il tifo con la politica. Questa è soggettivizzazione, parliamo di un nome invece di un altro solo per dire se ha ragione o ha torto.

Citando flautini, Muti e scuole medie, mi è venuta in mente la polemica di Muti sugli infami flautini.

Ah, io l'ho già detto, mi vien da dire che infame è qualche cosa d'altro. Infami sono lui e Morricone. Io sto dalla parte di Orff. Un bambino comunque con un flauto in mano ha già uno strumento in mano ed è uno strumento che gli dà due cose: l'accesso a un suono uguale per tutti, mille lire costava, e poi stava al Maestro far ascoltare tante cose. Però gli dava l'accesso a leggere la musica. E denigrarlo così, dal mio punto di vista, col massimo rispetto, è sbagliato, perché so cosa vuole dire non poter avere un pianoforte in casa perché i tuoi genitori non hanno i soldi neanche per affittarlo. E non si può pretendere che lo faccia lo Stato perché non esiste uno Stato che mette un pianoforte in ogni casa.

Ma l'alfabetizzazione musicale com'è in Italia? Adeguata?

Ma non può essere adeguata perché non è adeguata in nessun Paese al mondo. Non stiamo a girarci intorno. Il motivo per cui insisto a fare quella trasmissione è per far vedere che esiste quella possibilità e perché la televisione ha un ruolo fondamentale nell'educazione delle famiglie e degli insegnanti, che sono altre famiglie e quindi anche dei ragazzi. Si deve partire dalla televisione, specialmente quella di Stato, perché è la televisione di Stato, non è un'azienda privata che fa quel che le pare. O al limite si fa una legge che anche quelle aziende hanno degli obblighi nei confronti del Paese. Il ruolo della televisione nella divulgazione l'ho capito sulla mia pelle. È la televisione che mi ha portato nelle case degli italiani. Poi dopo c'è internet, ci sono i social, ma quelli sono solo luoghi di scontro. Ma, tornando al punto: in prima serata di concerti non se ne fanno proprio, si usa la scusa di Rai5 dove si danno due concerti ammuffiti, con tutto il rispetto bellissimi, e poi i documentari sul rock, qualcosetta così, in un canale in cui molti italiani ancora non ci vanno neanche, tanto sempre 1, 2, 3, qualche volta 4, 5, 6 lo saltano, 7. Vorrei fare una prova sui telecomandi degli italiani per vedere come sono consumati.

Quando parlavo di alfabetizzazione musicale penso a mio figlio che ha dieci anni, è bravo e sa tutto da Lucy a oggi, ma non sa una mazza di musica perché è proprio il programma scolastico che funziona così.

Ma chi fa il programma scolastico guarda che cosa ha intorno, mantiene le cose che c'erano. Se poi non c'erano e se non lo vedi intorno, non lo metti. È un fenomeno cognitivo. Se io nella quotidianità, nei giornali, nei telegiornali non ho delle pagine che parlino di questo, è un po' inevitabile che si spenga quella luce. La colpa è anche di chi vuol tenere la musica soltanto come fenomeno. Forse i miei peggiori detrattori sono proprio quelli: io mi sono sentito dire che portavo gentaglia a teatro, nel teatro di questa città dove l'altra sera c'erano venti spettatori per vedere un concerto: però erano tutti contenti e sui loro social hanno scritto: *grande successo,* ma andiamo a vedere quanta gente c'è a questi grandi successi. E poi, pur di riempire, si fanno cose che sono contro la natura del teatro stesso, penso al musical, perché io sono un tradizionalista, pensando per far pubblico a inseguire estetiche che non ci sono.

Quando hai detto «tradizionalista» mi è venuto spontaneo associarti a Wojtyla che era divenuto ultrapopolare, ma poi rispetto ai dogmi della Chiesa era ultratradizionalista e conservatore. Il peso dello stereotipo è forte e la distinzione tra personaggio e persona non credo sia sempre semplice da gestire.

Io credo di non essere mai diverso, solo che quando faccio musica sono più allegro e felice di quando sono in casa. Il problema è la percezione del personaggio dell'altro, che decide che personaggio sei, spesso lo decidono le persone che personaggio sei nella loro vita. Per esempio in quella sciacallata che mi è stata fatta sul pianista malato, ero tornato il pianista malato. Ovviamente è paradossale, ma è difficilissimo da spiegare che ogni volta che ho quell'attenzione così addosso, a me arriva tristezza, ansia, bruttezza, non la voglio. Sono strariservato.

Ma come è nata 'sta cosa?

È nata perché ho detto a una di non rompere più le scatole con 'sto pianoforte, che lo suonavo male prima, adesso ancora peggio, ma in realtà si parlava del voler bene alle cose, cioè di che cosa è voler bene in realtà, di che cosa è la stima, di che cosa è il rispetto. E invece, non so bene perché, qualcuno ha sentito altro, non è stato in grado di ascoltarmi. Poi è montato un momento di delirio e isteria collettiva, creato ad arte con il cinismo per portare a clic, anche se non c'era nulla da dire. Ma lì è stata anche un po' colpa mia perché non sapevo che

'sta Fiera del Levante fosse così importante, non avevo capito
che occupasse così tanto spazio mediatico, non immaginavo e
forse era anche un momento sgombro di notizie. L'altro giorno
ho fatto la battuta che era un periodo che Salvini non aveva
bevuto e quindi non c'era niente da dire. Quell'annuncio lì
poi l'avevo già fatto tranquillamente con gli stessi giornali su
cui poi è riuscito. Allora lì c'è proprio un problema di cogni-
zione, lì ho scoperto un problema cognitivo grave del Paese.
Proprio grave, gravissimo. Al di là della manipolazione di ciò
che avevo detto, ho visto proprio il problema cognitivo di persone che conoscevano benissimo le mie condizioni, le rivede-
vano in funzione di come era stata data la notizia, chiedendomi: «Ma come? Ma cosa è successo?». Poi siamo arrivati
all'apice quando quel medico su un noto giornale nazionale
mi ha fatto la diagnosi senza conoscermi. A me veniva da ridere. Un medico che parte dicendo che cosa ho, mi sembra
una cosa gravissima e contraria a ogni deontologia, quindi secondo lui dovrei avere la SMA perché di solito prende prima
le dita. Ora: o te stai facendo finta o sei il medico più coglione
che esista sulla faccia della terra perché sono su una sedia a
rotelle quindi forse prima ha preso le gambe. Capisci che è
gravissimo. Allora è proprio un coglione nel senso medievale
del termine, cioè pende senza sapere cosa fa e questo è im-
pressionante. Pur di scrivere di qualche cosa, andare anche
contro ai principi più naturali. E poi sono ancora tutti dietro
a questa cosa anche perché subito dopo tutti si sono messi a
dichiarare che stavano malissimo. Ma per me è stato un danno
emotivo, la tristezza di doverne parlare continuamente, le persone che si sono preoccupate, il danno quando la notizia è diventata che mi ritiravo, quando di fatto dai concerti per pianoforte mi ero ritirato solo da tre anni perché a mio avviso
non suono abbastanza bene e a me che uno mi dica: «Ma
non ha importanza, l'importanza è il cuore» ovviamente mi
ha spinto a rispondere che del cuore bisogna parlare un po'
di meno e se poi veramente vuoi usare il cuore, allora smetti

di suonare perché non stai suonando abbastanza bene. E ho detto anche una cosa abbastanza violenta, cinica, sarcastica: «Ho capito che vi viene la lacrimuccia, ma a me sta venendo il dubbio che vi venga la lacrimuccia, perché mi vedete star male». Per questo smetto di fare concerti al pianoforte. Non ce la faccio neanche più, ma il pianoforte è un fatto privato, perché stavo spiegando che non potendo più studiare otto ore al giorno, sarebbe anche naturale smettere di suonare in pubblico e poi sono passato totalmente alla direzione e bisogna studiare. Come dico a tutti i miei amici violinisti che vogliono mettersi a dirigere: «Allora smetti di studiare il violino». Perché diciamo che viene lo stesso, ma poi se vuoi proseguire e avere davvero la tecnica, ti ci devi dedicare tutto il giorno, se non sei tra l'altro un naturale, come diceva il mio Maestro. I movimenti fanno male, il polso è un punto debole dei direttori, e a un violinista fa malissimo e comincia poi a non riuscire a tirare tutto l'arco, perché comincia a farti male, quindi cominci a suonare male. A un certo punto devi scegliere. O fai l'uno o fai l'altro. È naturale. Almeno nella mia musica. Perché poi invece i vari cantantucoli pop, usciti dai vari cosi, che cantino bene o male è uguale. È questa la grande differenza, è lì che divento tradizionalista. Da me no, la musica si può fare solo in un modo: bene. Tutta, con tutta la dedizione, tutta l'esperienza e specialmente quando devi emettere un suono. Un cantante è sempre uguale, sono lì per vedere lui. Io sono lì per fare ascoltare Beethoven. Io quando eseguo Bosso, eseguo un morto perché per me è passato. Se eseguo una mia partitura del 2009, non sono più la stessa persona, io sono una persona morta e rinata. È anche difficile affrontare uno che conoscevo.

Viene eseguita la tua musica in giro?

Sì, sì, viene usata, eseguita, richiesta. Io ho fatto una scelta su una cosa che mi disse Kurtág che è che se non posso esserci, non la lascio. Non ho editori. Non è pubblicata. La do io a chi voglio.

Ti piace come la suonano?

A volte sì, a volte no. Però tendo davvero a non darla se non posso esserci. Avrei potuto dare tutti questi pezzettini per pianoforte, ma dato che è una musica molto complessa, tutti si sarebbero messi a fare *Following a Bird* e per me è diseducativo. Quindi rinuncio a soldi, tanti soldi, ma per me è diseducativo. Ne parliamo poi quando sarò passato a miglior vita. Finchè sono vivo, non voglio essere diseducativo anche perché capita già, ci sono quelli che la trascrivono, a me non piace perché poi sembrano cose apparentemente facili ma c'è tutto un lavoro di pedali, delle timbriche… Sono scelte che uno fa, mi piacerebbe solo che fossero rispettate, come le scelte di non andare ospite in tutte le trasmissioni, di aver deciso di andare in una certa direzione. Sono scelte. Perché potevo prendermela comoda e fare il fenomeno. Dico più no che sì.

Ezio fa la domanda: «dove stai a Roma?». Gli viene chiesto se conosce la zona. Ezio risponde.

Sì, la conosco. Io ho vissuto tanti anni a Roma. All'inizio stavo a Ponte Milvio, non c'era il ponte della musica, c'era soltanto la Pallotta, il fornaio e basta. Poi ho vissuto a Borgo Pio, poi la maggior parte degli anni a Monteverde Vecchio. Mi manca Roma, sto cercando una casa in centro. La verità è che sto cercando anche a Verona. Vincerà la casa.

E Londra? Com'era Londra?

Bellissima, si stava benissimo. Io tornerei là, ma c'è il Brexit e non posso. In realtà il Brexit, come ha scritto Pierluigi Sacco, un economista della cultura, è il risultato di una legge xenofoba votata dal Parlamento tra il 2014 e il 2015. Questa è la realtà. Io ero là a lottare contro quella legge che era assurda, che faceva sì che se avevi una malattia cronica non potevi chiedere il permesso di residenza permanente, era xenofoba, ma andava bene finché era applicata a tutti i cittadini della comunità europea, adesso quella legge viene applicata a tutti i non inglesi, inclusi gli altri europei. Questo è il precedente di cui bisognerebbe parlare e non di Boris Johnson perché quella legge terribile non l'ha fatta lui. L'hanno fatta i laburisti. Noi eravamo in piazza contro quella legge che ci vedeva portar via amici, collaboratori, perché per rimanere chiedeva di dimostrare un guadagno di ventiseimila sterline, quando il guadagno medio di un insegnante di musica era di ventiquattromila. Un fenomeno populista come il Brexit non nasce così, ma da più lontano, allora facciamo gli intellettuali fino in fondo e cerchiamo le ragioni profonde delle cose, non fermiamoci alla confezione del pacco. E conosciamole le cose. Perché adesso è tutto uno scandalo, ma ai tempi io c'ero. Ho cercato di dirlo più di una volta, ma non serve, piace la semplificazione del Boris Johnson scemo, Brexit cattivo. A me così non interessa la politica, come quando mi chiedono di parlare di Greta e io chiedo di parlare di ambiente. Nessuno che parli di questi famosi campi di server. I campi di server sono impressionanti, sono un problema. Ma ci chiediamo mai come vada avanti internet? Dove vengano conservati i milioni di milioni di foto cretine chi facciamo tutti i giorni? Capannoni su capannoni in terreni disboscati e, ciò nonostante, non reggono più il traffico. Pensiamo mai alla quantità di energia che ci serve per mantenere questo giochino della finta condivisione? Parliamone in maniera costruttiva.

Tanto rumore per nulla

Intervista integrale di Giuseppe Videtti
per «la Repubblica» nel giardino dell'Hotel
Locarno di Roma, considerato con Camponeschi
a piazza Farnese, «l'ufficio di Bosso a Roma»,
luogo di tutti gli appuntamenti
o col caffè o col rituale birrino pomeridiano.
Ottobre 2019

L'intervista vede Ezio reduce da quel cortocircuito mediatico per il quale una sua onesta e ingenua dichiarazione rilasciata in un incontro pubblico alla Fiera del Levante in Puglia, divenne per giorni e giorni «la notizia», benché fosse a tutti gli effetti una non-notizia o, per la precisione, una notizia data a Giuseppina Manin del «Corriere della Sera» due anni prima. Ezio prima stupito, è poi sempre più irritato e sofferente per una comunicazione che riesce sempre a incentrarsi sui dettagli superflui e non sul cuore del suo messaggio.

Appunti iniziali di Giuseppe Videtti: vorrebbe parlare della Quinta *e della* Settima *di Beethoven che dirigerà a Roma, con*

l'orchestra di Santa Cecilia, il 21 e il 22 dicembre. Vorrebbe rac-
contare del programma Strauss-Beethoven che sta preparando.
Vorrebbe gridare di gioia pensando al progetto Grazie Claudio!,
registrazione del concerto per i cinque anni dalla morte di Ab-
bado, lo scorso gennaio, che dovrebbe presto uscire in cd. Ma-
gari autocompiacersi un po' per i trionfi all'Arena di Verona,
per le centomila persone che nel 2019 hanno assistito ai suoi
concerti e per il successo di Che Storia è la Musica, *un «tutto-*
Beethoven» in prima serata su Rai3. Invece Ezio Bosso è ancora
lì a smaltire rabbia e delusione dopo l'assalto mediatico che ha
fatto seguito alla nota vicenda di Bari: qualcuno gli chiede di
suonare il pianoforte, lui garbatamente risponde che non riesce
più a farlo come dovrebbe perché due dita non rispondono ai
comandi, che ormai da tre anni dirige soltanto. Delle sue diffi-
coltà, d'altronde, non aveva fatto mistero nella memorabile ap-
parizione a Sanremo 2016, e della decisione di fare il direttore
d'orchestra a tempo pieno aveva parlato dettagliatamente su «la
Repubblica» in numerose interviste.

Una non-notizia dunque, ma il web ha la memoria corta, e il
giorno dopo tutti lì a ipotizzare il ritiro, a far diagnosi infauste,
a sollecitare risposte che erano già state date a suo tempo con
l'onestà intellettuale tipica dell'artista. Un corto circuito o un
deficit cognitivo? «Guardi, il deficit cognitivo può essere dato
da un corto circuito», commenta il Maestro mentre si gode il
tiepido sole dell'ottobrata romana.

Se lo aspettava tanto rumore per nulla?

Certo che no! C'è una parte cinica, legata all'ossessione del
clic, e c'è quella forma di affetto che induce a reazioni isteri-
che. Questa emotività sbandierata, non vissuta, sfocia spesso
in considerazioni incontrollate. È come prendere una confezione, guardarla e non aprirla per vedere cosa c'è dentro. Il
problema è che questo sta diventando la regola.

*Dev'essere stato duro essere costretto a rivivere pubblicamente
situazioni e decisioni già dolorosamente rese pubbliche.*

Eh sì, ci sono rimasto male, non solo per l'evidente forma di
stalking nei miei confronti, ma anche per il poco rispetto verso
la musica. Di che stiamo parlando? Del nulla. Emotivamente è
terribile: si va a toccare una sfera intima, privata, che per tutti
dovrebbe essere sacra e inviolabile. Tutti lì a fare diagnosi: partendo dalle due dita, senza nemmeno accorgersi che sono sulla
sedia a rotelle – ma si può fare di questo un oggetto di discussione? Mi viene da ridere. Casomai è un soggetto di discussione.

*Esiste una legge sulla privacy, che riguarda anche i defunti e la
patologia che induce la morte. Dovrebbe essere un diritto sacro-
santo anche per i vivi.*

È sintomo di un'ipocrisia, perché non c'è neanche il minimo
rispetto delle conseguenze emotive. Il problema è che si è passati da un concetto preciso e musicale – non posso più suonare
il pianoforte con la velocità di un tempo e l'abilità che la partitura richiede e quindi è giusto che io faccia un passo indietro,
già fatto da anni – a un problema, anche questo cognitivo, per
cui si pretende di voler far suonare il pianoforte a uno che non
lo fa più volentieri, semplifichiamola così. Io di mestiere ormai
faccio altro, l'ho sempre detto! Se tu insisti, mi paralizzi la carriera, perché a quel punto per lavorare sarò sempre costretto
a mettere il pianoforte al centro del palcoscenico, facendo del
male a me stesso e, quel che è peggio, alla musica.

Magari glielo hanno chiesto per affetto.

Questo non è voler bene, attenzione! È aggressione egoistica.
Ci rifletta, lo stalker pretende che tu sia come vuole lui, non

ha rispetto per la tua libertà, se ne frega della tua libertà. È difficile spiegare allo stalker che io mi sento libero e felice quando dirigo, non quando suono il pianoforte. Ma ne avrei ben di peggio da raccontare a proposito di mancanza di rispetto. Succede spesso, Bari non è un episodio isolato. In quei giorni anche i suoi colleghi continuavano a chiedermi, quando torni con la tua musica? Che vuol dire, quando riprendi a suonare il pianoforte? Ma son tre anni che non suono più, possibile non ve ne siate accorti? Quando poi continuo a leggere titoli tipo *Il pianista malato*, ci soffro: primo, perché non sono un pianista; secondo, perché convivo con una malattia, non sono un malato. Malato è chi scrive queste cose. Come quel signore che mi ha chiesto: qual è la relazione tra handicap e talento?

Cosa ha risposto?

Che l'handicap è solo negli occhi di chi lo vede, il talento è talento, le persone son persone, non sono migliori o peggiori perché sono sulla sedia a rotelle; contano l'esistenza, le emozioni, il vissuto. Quando i giornalisti si esprimono in questo modo, compiono un gesto autoritario, violento, dichiarano loro stessi fregandosene dell'altro, non pensano alle conseguenze.

Dunque il day after *Bari è stato devastante.*

Un inferno: impresari che telefonavano chiedendomi se per caso avrei cancellato concerti, giornalisti che chiamavano a ore impensabili per chiedermi se confermavo il ritiro. La parola «dolore» è stata ampiamente manipolata, non si trattava di dolore fisico, ma della reazione emotiva alla richiesta di una persona che non si è evoluta, bloccata nei suoi pregiudizi, che voleva vedere il pianista, «poverino», in difficoltà. È questo che fa male, il fatto che non sfruttiamo l'opportunità che ci dà la musica per diventare una società migliore, ma vogliamo a tutti i costi quella piccola emozione che ci conforta, per poi dimenticarla, volerne subito un'altra e un'altra ancora. Una droga. Questo mi ha portato a fare un'analisi profonda della situazione, e ho concluso che tutti siamo ormai affetti da un deficit cognitivo che nulla ha a che fare con l'istruzione, riguarda le persone semplici come i plurilaureati. E ho concluso che Twitter non è una forma di giornalismo liquido e veloce, ma un mezzo per aggredire violentemente. L'estrema soggettivizzazione dell'argomento non genera un dibattito, bensì uno scontro tifoso – che si parli di ambiente, di benessere, di musica, di valori. O sono con Greta o contro Greta. Ma Greta è una ragazzina, l'oggetto della discussione non è lei, è l'ambiente!

Gli haters l'hanno trasformata in una specie di mostro.

Dopo l'incontro con pubblico e stampa alla Fiera del Levante anch'io sono finito dentro questo non-dibattito violento. Avrei capito se fosse successo tre anni fa...

Che conclusione ne ha tratto?

Che la nostra società è ossessionata da un'aggressività emotiva che inevitabilmente genera devianze.

La musica ne soffre?

La musica è la cura, ti costringe a eliminare l'ipertrofia egotica di cui siamo vittime – l'ego ipertrofizzato davanti a uno schermo: io sono l'assoluto. Vorrei semplicemente essere giudicato per l'intellettuale che sono con la bacchetta in mano, cioè un direttore d'orchestra. Non ho niente da vendere e nulla da guadagnare dalla popolarità. M'interessa solo quel che serve alla musica, come il disco *Grazie Claudio!*, con le registrazioni del concerto per i cinque anni dalla morte di Abbado, che è lì che aspetta di uscire: è importante, bello, pieno di grandi musicisti. La realtà è che siamo qui a lottare ogni giorno per ottenere un concerto. Vorrei avere i mezzi per fare il mio mestiere con il rigore filologico che ormai non si usa quasi più. Ma anziché parlare di come lavoro e dei risultati, ci si sofferma sull'irritualità del mio giubbotto di pelle, del bracciale, degli anelli, del fatto che saluto con la mano anziché inchinarmi sulle solite ruote, delle due stupide dita...

Cosa la spinge ad andare avanti?

Continuare a crescere, a studiare. I musicisti che mi seguono. Il sogno di trovare una casa per la mia orchestra.

...Ma non sarà mica un problema anche l'abbigliamento...

...Potrebbe, in certi ambienti cosiddetti classici, ma non posso mica pretendere che il tempio accetti l'eretico. Allora, chi viene, deve accettare quel modo di fare musica che è diverso, che può anche non piacere, come non piaceva Harnoncourt, quando era uno scandalo presentarsi sul palco col lupetto. Ancora più penoso è quando finisci in un tritacarne come è successo a me, costretto a rubare tempo a ciò che mi fa stare bene, cioè lo studio. È stata una mazzata che mi ha fatto capire una cosa che tutti dovremmo riconsiderare: uno dei grandi errori della storia è stato quello di decidere che la musica classica era un genere, come il pop, il rock, il rap. Non lo è, è la base, è la musica, è la guida verso un'esistenza migliore, dove le uniche cose che davvero contano sono la disciplina e il sacrificio, come i grandi direttori del passato c'insegnano, Maazel, Claudio Abbado, von Karajan – la loro musica faceva la differenza per qualità. Oggi sembra che tutto questo sia secondario, tanto c'è la partitura che è sublime, è l'unione tra cielo e terra, basta e avanza – ma non è così. Bisogna tornare alle differenze, a come affrontare la partitura.

E qui vale la pena ricordare il pensiero di von Karajan: «Solo osservando noi stessi sappiamo come suonare».

È il principio dell'autocritica, diventare specchio di se stessi. Per questo mi piacerebbe incidere di più, il disco è la fotografia di un momento. A settembre abbiamo ripreso la *Quarta* di Mendelssohn, e mi è venuta voglia di registrarla di nuovo; era talmente cresciuta dentro di me e dentro l'orchestra da sembrare cosa nuova.

Sembra incredibile che queste opportunità vengano negate proprio a lei, che sta facendo sforzi inauditi per allargare il pubblico della classica, venga negato un teatro.

Anche a me, e fa male, ma serve a ricordarmi che sono un signor nessuno. Il che è vero, davanti alle partiture che eseguo, quando mi annullo nella mia felicità, ma è falso davanti alla presunzione di qualcuno che non vuol farmi lavorare in tranquillità. È così, è triste e fa male. È una lotta continua: per mantenere la mia orchestra, per rispettare i grandi musicisti che mi seguono, per ottenere i posti dove poter lavorare. Passo più tempo a immaginare delle cose che a realizzarle. Ho dovuto accettare di fare concerti per pianoforte per i quali mi offrono un sacco di soldi pur di finanziare l'orchestra. L'ho detto ridendo ai miei: siamo l'unica orchestra nomade al mondo, cacciati come i rom, ci danno il campo poi ci buttano fuori.

Di cosa hanno paura?

Non lo so, forse del fatto che io parlo troppo e spesso di crescere e studiare. Allora si chiedono: quanto tempo ci vorrà? Quando finirà? Ma io continuo a vedermi piccolo, uno che invecchia restando bambino. Non capiscono che solo la morte pone fine allo studio e alla ricerca. E poi se dovessimo fare della fantapolitica, affidare a me un teatro sposterebbe degli equilibri: li destabilizza riascoltare la solfa che la musica ha bisogno di tempi lunghi, di investimenti, che quando si parla di classica il «cotto e magnato» è contro natura. Poco gli importa che al concerto di Foggia, durante il bellissimo progetto di formazione all'ascolto fatto con la Regione Puglia, c'erano più persone in fila che per l'uscita del nuovo iPhone.

Ma noi viviamo nell'impero del tutto e subito...

...Che è contro qualsiasi forma di *humanitas*, perché il tutto e subito prevede la distruzione di qualcos'altro, e questo si ripercuote su ogni cosa, dalla solidarietà ai consumi e all'ambiente – per fare i nostri tweet e i nostri Instagram e i nostri Facebook usiamo campi e campi di server che occupano spazi immensi e hanno un enorme impatto ambientale. E tutto per comunicare il nulla; il problema delle due dita di Bosso occupa in rete più spazio di un trattato perduto di Schönberg e Orff.

Non è che il corto circuito è iniziato con la sua partecipazione a Sanremo, quando il pubblico che non conosceva la classica ha cominciato ad amarla... irritualmente?

Guardi, io sono figlio del corto circuito, i cattolici lo chiamano il disegno divino – e nella mia storia personale spesso son state mazzate. Per me il corto circuito è iniziato a sette anni, quando il Maestro di musica disse a mio padre, che con le poche possibilità che aveva, cercava un modo per alimentare il mio talento: siete operai, tuo figlio faccia l'operaio, non il musicista, tantomeno il direttore d'orchestra. Certo poi gli ho dato dei begli schiaffoni a quello lì, che è rimasto a suonare in fila, ci pensavo mentre facevo i *Carmina Burana* all'Arena, l'unico brano della mia carriera che ho suonato in tutte le posizioni, contrabbassista, pianista e direttore. Manca solo che lo canti da controtenore.

Il successo di Che Storia è la Musica *su Rai3 dovrebbe aver allargato gli orizzonti.*

Certo, a chi finalmente non si sente in colpa per non conoscere la classica e si rende conto che scoprirla è una bellezza. A chi non credeva che Beethoven potesse convivere in prima serata con una partita di Ronaldo. A chi si riempie la bocca con frasi tipo: il pubblico della classica vuole... Ma cosa vuole? Non lo so neanche io ancora cosa voglio!

Cosa si auspica per l'immediato futuro?

Insisto, avere una casa per la mia orchestra, registrare il più possibile tutto quello che facciamo. E andare avanti. Viviamo in un mondo strano. Continuo a non capire quale sia il pensiero dominante nella discografia come nell'imprenditoria musicale, a quanto pare pochi investimenti e molti pregiudizi... Passo più tempo ad augurarmi e a immaginare delle cose che a realizzarle. Ho dovuto accettare di fare concerti per pianoforte per i quali mi offrono un sacco di soldi pur di finanziare l'orchestra.

Riesce la musica a compensare le amarezze?

Sempre. Quando poi ho la bacchetta in mano e la partitura davanti, affondare in questa meraviglia, magari anche nel dolore più profondo di chi ha scritto, trascendo. Dimentico i pregiudizi, e anche quella lurida storia delle due dita. E spero sia stato chiaro: mentre tutti si affrettavano a darmi per morto, io ero in prova con l'orchestra ed ero il bambino più felice del mondo.

Per fare musica seriamente
c'è bisogno di tempo

Testo per «Il Venerdì di Repubblica»
di Ezio Bosso.

N.d.C. Nonostante le evidenti differenze, Ezio e il direttore greco Teodor Currentzis, cresciuto in Russia e fondatore dell'orchestra-comune MusicAeterna di Perm, venivano spesso associati da alcuni media italiani, avendo in comune un'estetica di rottura, un culto assoluto per l'orchestra e il lavoro con la medesima, l'ossessiva maniacalità nell'approccio con la partitura e in ultima sintesi anche la scrivente come ufficio stampa.

Tra di noi spesso Currentzis era oggetto di lunghissime conversazioni perciò quando «Il Venerdì di Repubblica» dedicò a Teodor la copertina, chiesi a Ezio di scrivere questo testo, dandone la sua personalissima visione che, come al solito, risultò infinitamente più originale e centrata di tanti fiumi d'inchiostro.

272

Ancora oggi il tema centrale sollevato da Ezio non viene dibattuto.

Il presupposto doveroso è che di un collega non si parla, ma c'è un aspetto di Currentzis che va oltre la sua persona, che riguarda la produzione della musica e ciò di cui la musica ha bisogno per vivere di vero, autentico respiro, e cioè il tempo. Al di là delle valutazioni artistiche ed estetiche, soggettive e opinabili, Currentzis ha sollevato un tema fondamentale che nessuno pare scorgere o voler vedere: per fare musica seriamente c'è bisogno di tempo, tanto tempo; tempo di studio, tempo di prove, tempo di relazioni umane tra il direttore e i professori d'orchestra, tempo di riflessione, sperimentazione, tempo anche per sbagliare e correggere, tempo di riposo. Grazie al mecenatismo del governo russo, discutibile su tanti fronti, ma non certo nel ruolo filantropico verso la cultura, Currentzis ha avuto modo di sviluppare le sue idee musicali, di plasmare la sua orchestra con un agio che noi in Occidente non possiamo nemmeno immaginare. Non pretendo che si trascorra un mese intero a provare un'unica sinfonia, anche se Beethoven provò la Nona per cento giorni, o si registri tre volte un'opera finché non si giunga alla perfezione desiderata, ma tra l'enormità di tempo che Currentzis ha ottenuto con le sue idee produttive e gli investimenti economici adatti e il poco con cui dobbiamo lavorare ora, si potrebbe trovare il giusto equilibrio. Il grande messaggio di Currentzis, che piaccia o non piaccia sul fronte delle scelte musicali, dovrebbe essere per tutti questo: dobbiamo dare alla musica i tempi produttivi corretti e connaturati a essa, altrimenti la porteremo alla sua fine. Invece vedo che spesso, mentre lui mostra la luna, la gente gli guarda il dito inanellato, la casacca stravagante, le candele, l'interpretazione diversa, insomma la teatralizzazione delle scelte, ma non la scelta di fondo, che invece è a mio parere l'unica cosa davvero rilevante anche in una prospettiva

273

storica. E non è una scelta estetica, ma un modo di pensare e fare la musica che prescinda da altre considerazioni che non siano la visione d'arte, oggi vera utopia in terra. Questo mi spiace, anche per ragioni personali: io sono un direttore che ha bisogno di tempo, il mio modo di lavorare ha bisogno di tempo, studio, dedizione; io provo molto con la mia orchestra, noi proviamo molto ma come decisione volontaria, a nostre spese. In Italia il tempo è ancora la luna, perché significa denaro da investire nelle orchestre, fondi che immancabilmente non ci sono. Il messaggio di Currentzis, importantissimo, rimane ancora poco dibattuto. O forse nessuno ne parla perché solleva temi spinosi.

La musica, materia immateriale

Bozza dell'intervista di Valeria Potì
per il numero zero della rivista pugliese
«Officine Photography and
other states of mind».
23 ottobre 2019

Lei parla del desiderio, volontà, di avere sempre le porte e le finestre aperte, immaginiamo viva in una condizione in cui la luce è sempre dominante. Cos'è per lei la luce? Protagonista o antagonista del buio, cioè la vive di necessità primaria o per contrastare l'oscurità?

È soprattutto legato all'essere stato chiuso al buio per molto tempo e periodicamente doverlo fare di nuovo. Parlo fisicamente, praticamente. Non è solo una metafora. Poi metaforicamente penso che si abbia bisogno di entrambe per avere equilibrio.

Spesso ama raccontare come sia la musica a sceglierci e non il contrario. Parla anche molto di battaglie, le sue battaglie. Crede che la musica l'abbia scelta perché puntava sul più forte per vincere battaglie, le sue e quelle della musica stessa?

No, sono un uomo semplice e pratico. Credo profondamente nella musica e penso semplicemente mi abbia scelto lei perché ne avevo più bisogno degli altri. Come dico sempre. Il resto è vivere per ciò in cui credo e farlo penso possa fare del bene.

In una visione più ampia e approfondita, crediamo sia indubbio che la musica abbia in sé una funzione sociale. Cosa diventa la musica quando si discosta da questa sua funzione? È possibile che ciò avvenga?

Accade sempre. Commercio, manipolazione, pura estetica algida. Ma per me non è musica, è una forma anche rispettabile, ma non è ciò di cui parlo o in cui credo.

Governare il tempo, attraverso la musica, è un atto che si produce nel presente, può far rivivere il passato e anticipa il futuro. Sembra un'azione che si approssima ad azioni quasi divine. Cosa ne pensa?

È in assoluto la materia immateriale. Ed è in assoluto la forma attiva che, sia con uno strumento o senza, più ci avvicina e ci fa partecipare al divino, al mistero: in fondo è nata con questa funzione.

Questa sua forte volontà di aprire la musica classica (che con lei diviene «musica libera» come ama definirla) a un pubblico più ampio, certamente meno edotto in materia, ha incontrato una sorta di ostracismo da parte di quella vecchia classe elitaria da teatro che ritiene la musica classica sia un privilegio di pochi?

È naturale, triste ma naturale. Il percorso divenuto tempio per pochi, se cerchi di aprirlo, diventi un eretico.
Gli eretici non saranno mai ben accetti nei «templi».

Lei parla dell'orchestra come di una comunità che muove secondo i principi di una società che definiremmo ideale. Le domande sono due: come si realizza concretamente una comunità di questo tipo? Nello schema compositivo, il direttore d'orchestra è il leader della comunità o piuttosto il codice univoco di un linguaggio riconosciuto da tutti i membri della comunità?

Lead vuole dire «guidare». L'orchestra è composta da differenti competenze e rispetto delle stesse e delle conseguenti gerarchie. Ma soprattutto è composta da un fondamentale senso della responsabilità oggettiva e rispetto a ogni componente.
Tutti possono crescere e trovare il loro spazio ideale dentro l'orchestra. Il merito è palpabile. L'impegno di ognuno è diverso, un direttore vero lavora dieci volte per tutta la famiglia senza farlo pesare e gioendo di ogni singolo miglioramento.

Spesso i bambini, nella prima infanzia, percepiscono la musica classica come musica triste. Poiché i bambini sono delle casse di risonanza senza filtro, ci restituiscono ciò che vivono e sentono, è lecito domandarsi se la musica classica ha come fondamento imprescindibile una sorta di malinconia che, in alcuni momenti, cerca di dominare e, in altri, di rivelare. Cosa ne pensa? Crede che la musica classica sia quanto di più efficace possa arrivare diritto al centro delle emozioni?

I bambini sentono con semplicità, ma non sono d'accordo che la trovino soprattutto triste. Probabilmente percepiscono triste come gliela si presenta e quindi è colpa degli adulti.

Per questo, quando si parla di didattica e divulgazione per i bambini, io rispondo per tutti fino ai cento anni: perché sono le famiglie, gli adulti di riferimento che trasmettono al bambino noia o gioia, se non sono educati gli adulti, non lo saranno i bambini.

Poi la musica classica comprende ogni tipo di sentimento e quindi aiuta profondamente il processo di crescita emotiva.

Casualmente una sua intervista online, è stata anticipata dallo spot di un'automobile che così recitava «leggende si diventa, non si nasce, arrivando dove nessuno è mai arrivato». In tutta sincerità sente di essere arrivato dove nessuno è mai arrivato? Perché a noi pare di sì.

Non si arriva mai, non basta mai e questo è il bello. Noi musicisti continuiamo a crescere per tutta la vita e siamo sempre piccoli davanti alle partiture che affrontiamo a qualsiasi età. Ci mettiamo in gioco fino all'ultimo respiro. Ci sacrifichiamo senza fatica. Chi si reputa arrivato direi che può cambiare mestiere perché non ha più nulla da trovare e quindi da svelare.

Leggendo e ascoltando diverse sue interviste, parlando di musica, lei evoca spesso i concetti relativi alle emozioni, di uno in particolare non abbiamo trovato traccia e vorremmo chiedere: cosa è l'amore in musica? Cos'è l'amore per Ezio Bosso?

Dedicarsi senza limite, prendersi cura fino a trasfigurare e divenire parte di quell'amore.

Durante una prova narrata, spiegando un tecnicismo al pubblico,
ha parlato di «difetto pregiato», quasi un ossimoro, soprattutto
per chi come noi pensa che l'esecuzione di un brano sia la ricerca
dell'assoluta perfezione, eppure quel difetto pregiato ha generato
un sussulto d'emozione in chi ascoltava, ha permesso un ascolto
più consapevole. Cosa rende pregiato un difetto?

Veramente intendevo un difetto che viene considerato un pregio ma resta un difetto. Un difetto esposto con consapevolezza perde la sua natura. Da non confondere con il solito ipocrita: «basta il cuore…», perché il cuore senza studio, senza impegno, senza fatica è solo un banale inganno.

Grazie Claudio!

Prima bozza non editata
per il booklet dell'album *Grazie Claudio!.*
28 novembre 2019

Quello che avete tra le mani non è un disco, già sapete che a me il termine disco non piace, anzi, quasi mi fa paura e sembra che porti a pensare ad altro, ad altri generi, ad altre realtà a cui non appartengo. Mi piace chiamarli «album» perché lo associo a quei vecchi album di fotografie che sfogliando ti fanno rivedere la vita in un istante a ogni pagina. Ma la registrazione della musica va oltre questo. Continuo a stupirmi per quanto la musica sia una magia sempre maggiore rispetto a quello che immaginavi.

Perché la musica registrata, questa musica, è un'altra forma di magia; vi dirò di più: è la dimostrazione che l'alchimia, ovvero la trasformazione degli elementi, esista.

Per esempio a catturare un tempo della vita, a farci sentire il suono di un passato remoto come di quello prossimo e a renderlo presente, a far avere la certezza, ogni volta che la si attiva, che persino ogni respiro e movimento è fatto per produrre un suono, a fermare un pensiero e la sua genesi, l'affetto e il sudore, i giorni insieme, il lavoro duro, e poi davvero altre forme magiche, come i segnali elettrici che diventano note, la partitura che prende un'altra forma, che si imprime in ogni nota non solo nell'aria ma nella materia.

Ma questo album, mentre lo sfoglierete, va persino oltre questa magia, perché racchiude persino il futuro, è come la testimonianza di un evento che sarebbe accaduto solo dopo. Un presagio nel senso più bello.

È intriso di gratitudine, di nostalgia. Racchiude l'esperienza, l'affetto e il sentimento di generazioni diverse nei confronti di una persona che è stata così importante per tutti coloro che hanno preso parte a questa follia.

Sarebbe facile dire che è la commemorazione di un grande musicista attraverso alcuni dei brani da lui amati, con i musicisti che insieme a lui sono cresciuti, nelle accezioni più vere che questa frase racchiude. Non solo crescere nel senso temporale di maturazione, ma di crescere nell'oltre, nel migliorare se stessi cercando e trovando una strada difficile da non mollare mai.

Crescere inaspettatamente, ovvero con lo stupore di vedere un giorno quanto in alto sei andato e tenerlo dentro.

Questo album è iniziato con un sorriso ritrovato. Con quel «grazie di aver ricordato papà».

Questo album racchiude l'impegno di non cedere mai e continuare a lottare perché la musica sia beneficio per tutti. Che sia ovunque, persino o laddove nemmeno si immagina.

Che sia, come è la sua natura, il gesto concreto del bene che possiamo fare e che ci facciamo con essa.

E questo album racchiude tutto il mio di affetto e di gratitudine. Quello di quel bambino che vide quel grande musicista dirigere e che capì che quella era la sua strada, racchiude lo stupore della prima volta come contrabbassista ragazzo nella sua orchestra e tutto il nutrimento a ogni gesto e parola.

Questo album, mentre lo sfoglierete, racchiude le passeggiate e le parole di un'amicizia, lo studio costante e ancor più approfondito dettato anche dalla mancanza di quel sentirsi e raccontarsi i punti di vista.

Racchiude i viaggi a Berlino a sfiorare quelle partiture fatte insieme per sentirsi ancora. Racchiude il sogno del fare insieme e sentirsi in famiglia.

Giri una pagina ed ecco che scopri che racchiude quegli amici giovani, figli di ogni angolo del mondo che si rincontrano dopo vent'anni e ritrovano lo stesso sorriso.

Racchiude cinque dei giorni più belli della mia vita, anche se venivo insultato perché mi prestavo a quel giorno. [*N.d.C.* Ezio qui si riferisce alle persone che non volevano fosse coinvolto nel ricordo di Abbado.]

Racchiude le lacrime delle cattiverie subite.

Racchiude il perché di quella bacchetta tesa verso il cielo a dire grazie.

Racchiude il rialzarsi grazie alla mano tesa di chi non c'è più.

Racchiude la commozione di una festa perché questo volevamo.

Racchiude tanti sogni che si realizzano, quello di trovarsi, quello di un attore e un direttore che, dopo venticinque anni di attesa, finalmente fanno qualcosa insieme.

E racchiude il futuro, perché quei giorni e questo album mi hanno insegnato che non è la nostalgia il motore che mi fa andare avanti, ma proprio il fare, che fa sì che anche se te ne sei andato, sei ancora con noi a indicarci delle vie migliori da percorrere.

Perché quel 20 gennaio racchiuso dentro questo album, come dicevo, ha davvero una magia di quello che poi resti senza parole: una magia così evidente e semplice.

Perché quel giorno è nata un'orchestra come avresti fatto tu, era come se ci avessi detto «e adesso andate avanti», in fondo, come abbiamo sempre fatto. E ci siamo guardati e abbiamo cominciato, quel giorno è nata la Europe Philharmonic Orchestra mettendo insieme tutti gli insegnamenti e i desideri di come vivere insieme.

Quel giorno è nata un'altra realtà per cui vivere e per combattere ancora un giorno. E dal quel giorno è passato un anno oggi e noi, soprattutto io, vado avanti.

E mi manchi.

Grazie Claudio!

50enario beethoveniano

Bozza dell'intervista di Simona Antonucci
per «Il Messaggero».
16 dicembre 2019

In una precedente intervista mi raccontò che la sua carriera co-minciò proprio a Roma, con il contrabbasso. Però, a Roma, ci torna di rado. Come mai?

Chi fa il mio mestiere va dove viene invitato, perciò questa è una domanda che dovreste porgere alle istituzioni musicali romane, non a me. Anche se mi sento di poter dire che con l'Accademia Nazionale di Santa Cecilia si sia ormai conso-lidato un rapporto di continuità che non può che rendermi felice, data l'enorme qualità dell'orchestra e i tanti cari amici di anni che vi lavorano e con cui adoro fare musica. In ogni caso sarà il mio ritorno da cittadino ufficiale: ho vissuto e lavorato a Roma tanti anni, avevo una casa che ho amato molto a Borgo Pio e dei ricordi splendidi – e anche folli – con gli amici e colleghi musicisti dell'Opera di Roma. Eravamo davvero punk, inconsapevolmente.

Che programma proporrà a Santa Cecilia?

Il 16 dicembre, compleanno di Beethoven, si è aperto il 250enario beethoveniano e dirigerò quella Quinta e Settima sinfonia che ho portato in televisione a giugno con la mia orchestra e ora propongo con Santa Cecilia, un omaggio dovuto e una specifica richiesta della direzione di Santa Cecilia, perché le svelo un altro segreto: io ascolto le richieste di chi mi ospita e cerco sempre di venire incontro ai loro desideri, con spirito di servizio, in quella logica di annullamento del mio ego che a mio parere sta alla base del fare bene musica dall'inizio alla fine. Anche se ora sogno organici più ampi di quelli tradizionalmente beethoveniani, diciamo del Beethoven di oggi, passato attraverso il filtro degli studi filologici. Sogno Mahler.

Il suo percorso e il suo amore per Beethoven: come evolve?

Per chi fa il mio mestiere lo studio non finisce mai, finché non finisci proprio tu.

Il processo di approfondimento delle partiture è infinito, ogni volta che vi rimetti gli occhi sopra, trovi sempre qualche cosa che non avevi ancora indagato a fondo, nuove strade, stimoli, spunti di riflessione. In questi giorni sto studiando tanto, proprio perché nessuno, io per primo, dovrebbe permettersi il lusso cattivo di cadere nella routine del «tanto l'ho già fatto, tanto la so», ma la vera evoluzione si scoprirà dal vivo coi concerti.

Lei dice che la musica è di tutti: come restituisce Beethoven a tutti?

Facendolo al meglio delle mie possibilità perché è difficile imbruttire una partitura così bella, ma oggi più che mai, ogni volta che sali sul podio devi dare tutto te stesso per renderla indimenticabile perché il pubblico continui ad amarla anche tornato a casa, continui a cercarla nei giorni seguenti, perché diventi parte della sua vita futura. Qui il tema non dovrebbe essere «io», ma «noi» tutti.

Il mondo della classica spesso è molto imbalsamato, critica chi ha un approccio diverso: lei che cosa risponde?

Rispondo lavorando o, meglio, non rispondo affatto. Lavoro e credo che questa sia la migliore risposta che si possa dare sempre. Comunque vedo che le prove si aprono sempre più spesso e forse dopo le critiche qualcuno ha fatto riflessioni meno superficiali e emotive e ha trovato che certe strade aperte potevano essere percorribili tutti insieme. Anche se mi piace sempre puntualizzare che aprire le prove, non significa aprire la generale, dove i giochi sono fatti. Significa aprire le prove dalla prima lettura e così mettersi a nudo davanti al pubblico, che lo sente, lo capisce, che ti esponi.

L'esperienza in Arena: in quale modo è stata preziosa?

Al momento è stato nella mia carriera l'organico più grande che abbia affrontato e il pubblico più grande che ho affrontato, trecentosessantaquattro musicisti quindi è stata una sfida doppia dove mi ha colpito la dedizione dei cori, dell'orchestra e dei solisti e il silenzio teso, attento, quasi irreale di quattordicimila persone. Quando poi sono scoppiati in un vero tuono liberatorio è stato incredibile. Si figuri che io ero così concentrato sulla direzione che non mi ero minimamente accorto né delle bellissime proiezioni sulle scalinate areniane né delle fiamme alte cinque metri alle mie spalle sulla chiusura dei *Carmina*. Non vedo l'ora di tornare per la Nona ad agosto.

L'esperienza in tv: che cosa conserva e che cosa cambierà?

Sul futuro non mi sbilancerei troppo, ciò che invece conserverò sempre è la bellezza che siamo riusciti ad amplificare per milioni di persone, senza fronzoli, senza orpelli, senza mondanità, eventi, solo musica in un contesto scarno, fin troppo scarno, ma che nella sua semplicità mette al centro di ogni casa la musica, almeno per una sera e speriamo anche per i giorni a venire.

Poco tempo fa, il suo sfogo contro chi l'aveva frainteso: l'abbandono del pianoforte, l'addio alla musica… Pensa che prima o poi riuscirà a liberarsi da queste fake news che la perseguitano?

La vera domanda non è se me ne libererò io, la vera domanda è se se ne libererà la società occidentale, l'Italia, l'Europa, tutto il mondo. È un male che ci affligge tutti, farne una questione personale sarebbe davvero riduttivo, temo comunque che sia un processo lento. E non ancora iniziato.

Quanto si può, e si deve fare, per divulgare la musica classica in Italia?

Si dovrebbe fare tanto, moltissimo perché sempre di più mi convinco che la musica cosiddetta classica sia la migliore scuola all'ascolto che esista e che l'ascolto del prossimo oggi sia uno dei problemi sociali del nostro mondo, quindi una politica illuminata dovrebbe porla al centro degli sforzi non solo come tema culturale in senso stretto, ma proprio in senso lato. Detto questo, poi bisogna confrontarsi con un sistema fossilizzato che difficilmente reagirà prontamente alle sfide necessarie nel futuro. E di una politica che non parla mai di cultura. Eppure la cultura occidentale siamo noi.

Un anno fa stava lavorando per cercare una casa alla sua orchestra: qualche passo avanti?

No, ancora no, non è facile ma non demordo. Anche se a volte lo scoramento è difficile da vincere.

Arena di Verona, tv, Santa Cecilia: qual è il prossimo debutto che la emoziona?

Mi piace pensare a un debutto sul repertorio e non sul territorio. Ma il vero debutto sarebbe a una stabilità e una tranquillità del lavoro costante senza sempre l'ansia di riempire le sale e di essere così nomadi. Vede, da quando sono tornato sul podio, io in stagione, voglio dire con gli abbonati, non ci vado mai. Con me si fa sempre «evento», che tradotto significa che il riempimento della sala è tutto sulle mie spalle e sul mio lavoro. È una responsabilità pesantissima, che sogno un giorno di evitarmi, per vivere meglio, dare meno interviste, espormi meno.

A gennaio uscirà l'album live registrato a Bologna lo scorso anno per ricordare con Mozart14 di Alessandra Abbado i cinque anni dalla scomparsa di Claudio Abbado in quella che fu la sua ultima sede, come ricorda quei giorni di lavoro?

Sono stati giorni bellissimi, ci siamo ritrovati fra amici di vecchia data che da tanto tempo non tornavano a fare musica insieme, è stata una festa, una vera iniziativa collettiva, ci siamo divertiti facendo bene, al meglio delle nostre possibilità e coinvolgendo i giovani della EUYO per tenere viva la fiamma che Abbado aveva acceso in tutti noi tanti anni prima. Spero che chi non poté esserci, e presto potrà ascoltare quella serata, percepisca la semplicità delle intenzioni e del contesto dominato dalla potenza assoluta della musica, come sempre nostra unica e migliore messaggera.

Anarchia

Registrazione su cellulare da passeggiata,
appunti per il futuro.
Cremona, autunno 2019

Sono un anarchico, per esattezza un anarchico malatestiano. Ecco, appena lo dici, la gente pensa che tu voglia semplicemente andare in giro a sfasciare vetrine, che con le ruote poi diventa a metà strada tra situazionismo e grottesca beffa. Invece l'anarchia è l'esaltazione, la sopravvalutazione da parte di una società ottimista, dell'uomo etico, perché si basa sul principio a me più caro: il principio di responsabilità. È il sogno utopistico, ma per me neanche tanto poi, di una società in cui il singolo si comporta bene non perché se no viene punito, ma perché sente su di sé la responsabilità del bene, suo e della comunità. Nasce nell'Ottocento, in un periodo storico in cui l'uomo crede in se stesso, nella propria capacità di migliorarsi, di ubbidire a un'etica superiore alla sua stessa vita. È il pensiero di una comunità di intellettuali che si sente giovane, non fisicamente ma intellettualmente, culturalmente. Che si sente pronta a un percorso duro, implacabile, ma di miglioramento.

Alla fine di questo miglioramento del singolo, di tutti i singoli che formano la collettività, c'è il miraggio anarchico: la responsabilità personale come unica guida. L'esatto opposto di ciò che viviamo oggi. Sacrificio, responsabilità, svalutazione dell'idea della propria vita in sé, per sé. Chi ormai ritiene che esistano valori superiori alla sua stessa vita? Nessuno. Non ha vinto l'anarchia quella sfida ottocentesca, l'ha vinta lo Stato padre e padrone nella doppia e solo apparentemente opposta declinazione di Stato comunista e Stato capital-liberista. Non l'ha vinta nemmeno la Chiesa, anzi l'ha proprio perduta e anche male. Non la vincerò certo io nell'inseguire la mia utopia di un'orchestra indipendente, modello vivente e risuonante e mangiante di società ideale, che abbia una casa aperta a chiunque voglia provare a vedere un pezzo di cielo; a chiunque, pur non conoscendone nemmeno l'esistenza, senta l'esigenza di trascendere dalla sua crudele immanenza, sempre più crudele, sempre più bassa, meschina, triste, grigia, invece di guardarsi riflesso in un rettangolo nero di plastica.

Che presuntuoso sarei, eh? Se volessi illudermi di vincerla, questa sfida? Non la vinco, ma non mollo, ci provo, sono un rompiscatole. Morirò provandoci, così almeno qualcuno non avrà voglia di farmi «santino», ma si ricorderà delle spine di Ezio Bosso, che non accettava la crudele immanenza e infatti chiedeva, chiedeva, mendicava, con cattiveria, con umiltà, con pazienza, con rabbia, ma chiedeva, mendicava. A quanti abbiamo chiesto, eh? Se lo ricorderanno poi quante volte mi hanno chiuso la porta in faccia o si ricorderanno solo il selfone da postare sui social? Non gliene frega niente a nessuno. Ecco. Ma a me frega e te non so come mi sopporti sai? È che

291

sei rompicoglioni, anarchica e testarda anche te, ma meno di me. Io di più…

Ecco, perché tu di meno. Perché guardi indietro e dici: «Abbiamo fatto progressi, abbiamo ottenuto questo e quello». Per me indietro non esiste. Esiste solo la cosa che voglio, ma non per me, per la musica, che ancora non c'è. Che poi la musica è politica in sé, quindi non ho bisogno di prendere una sponda politica per essere «impegnato». Se faccio Strauss, sono impegnato. Se faccio Strauss per tutti, sono impegnato. Invece se lo faccio per pochi o male, senza rispetto, sono impegnato lo stesso, ma sul fronte opposto, anche se ho in tasca la tessera del partito giusto e rilascio interviste col core in mano.

Non me lo faranno mai fare. Hanno paura. Mi sorridono perché così mi depotenziano. Mentre io ci credo nella rivoluzione coi sorrisi, che poi mi passa anche la voglia di dirlo, che sembro sempre un buonista del cazzo. È una cosa buona, non sono buono io. Macheteloddicoaffàchegiàcelosai! Anche questa frase della «rivoluzione coi sorrisi» mi toccherà smetterla di dirla. Smetto?

2020

Ezio, la teologia e i cani

Da una registrazione WhatsApp durante
la pausa caffè delle prove di *Grazie Claudio!*,
dopo una lunga «conversazione» di sguardi
con un Labrador.
Bologna, 19 gennaio 2019

Se il metro della vicinanza a Dio è l'amore, allora il cane, e non l'uomo, è la creatura più vicina a Dio, perché il cane ti ama senza limitazioni, non gli interessa che tu sia ricco, povero, che tu viva in una villa o in una stamberga, che tu sia bello o brutto, simpatico o antipatico, brillante o ottuso, il cane ti ama e basta, incondizionatamente. La teologia dovrebbe rivedere i propri parametri se vuole continuare a considerare l'uomo, e non il cane, come la creatura più vicina a Dio. Oppure deve abdicare al criterio della logica. Io poi sono convinto che mi considerino uno di loro, anche quando non mi avvicino o si avvicinano, i cani mi guardano sempre come se ci conoscessimo, come amici perduti che rincontri per caso in strada passeggiando e guardi a lungo prima di capire che quel volto lì è proprio quello della persona che frequentavi anni fa.

N.d.C. Ezio ha avuto una Whippet femmina, Astra, che però lasciò ai genitori durante una delle tante, lunghe tournée giovanili, e quando tornò la ritrovò che sembrava «uno scaldabagno sulle esili zampe» perché l'avevano viziata a cibi succulenti per mesi. Poi ebbe i Basset hound e infine il Bassotto Ragù o Ràgu, da quando scoprì che era un nome proprio indiano, chiamando il cane a Bologna in piazza Aldrovandi, per lui «Bagno Aldrovandi» perché andava a prendere il sole, e venendo raggiunto da un signore indiano che passava casualmente di lì.

Ezio e le Sardine

Bozza dell'intervista di Concetto Vecchio
per «la Repubblica».

Ezio viene visto come uno degli ispiratori involontari del Movimento delle Sardine e nonostante le proteste di Ezio che non ama parlare di argomenti lontani dall'ambito musicale, l'intervista ruota principalmente su quello che all'epoca era il tema di cronaca: le Sardine.

Maestro Ezio Bosso, cosa intendeva con quel «buona sarditudine» rivolto alle quarantamila Sardine di Bologna?

Era un gioco per definire quel momento. Era una crasi tra moltitudine e Sardine. Ho sempre presente la lezione all'educazione alla leggerezza di Italo Calvino, e quindi il mio è un invito implicito a non alzare i toni, a non cadere nel tranello dell'uso sloganistico, a non avere paura dei concetti più complessi.

Sono nati proprio per questo, no?

Sì, e hanno realizzato una cosa bella.

Che consiglio darebbe ora a questi ragazzi?

Non è di buon gusto dare consigli, soprattutto quando non sono richiesti. E poi perché lì chiama ragazzi? Sono uomini e donne di trent'anni, in molti casi. Adulti. Sanno benissimo cosa fare. Direi loro di continuare a stare in piazza, condividendo lì idee, progetti, visioni. E di non cedere troppo alle sirene della televisione, che vive di scontri verbali. Anch'io vado ogni tanto in tv, ma poi sparisco, perché quella non è la realtà. È una deformazione della realtà che non fa bene a nessuno, in primis a chi la fa, poi anche a chi la vede.

È un rischio che corrono?

Le trasmissioni sono fatte per gli ascolti, detto con estremo rispetto, hanno una natura eminentemente commerciale, specie quelle di dibattito politico e mirano a fare guadagni. Il codice impone una forma teatrale, fatalmente votato alla semplificazione. Mentre le Sardine hanno posto sul tappeto un nuovo modo di affrontare la complessità, stanchi di una certa retorica spiccia. Meglio andare a ripulire un bosco che avventurarsi nell'ennesima comparsata in tv. La tv è una sirena da non seguire.

La tv alla lunga snatura?

Occorre tornare al valore della competenza.

Io sono un musicista non perché suono con il cuore, anche, ma soprattutto perché ho studiato, e studio. Se lei mi chiede un giudizio politico non glielo so dare. Bisogna riconoscere i propri limiti.

Linguaggio a parte, qual è il loro merito?

Di avere posto sul tappeto il tema della cultura, l'Italia potrebbe diventare ricca grazie alla sua arte: lo ripetono sempre all'estero, dove ci invidiano. Invece nei programmi dei partiti questi temi non figurano mai o non sono centrali. La politica non riconosce alla cultura quel ruolo di coesione sociale che invece ha sempre avuto, nel bene, e a volte nel male.

Come vede l'Italia di oggi?

Mi colpisce il linguaggio aggressivo, sempre polarizzato, mai dialettico, come se la sintesi fosse impossibile.

I sovranisti le fanno paura?

Già Beethoven era paneuropeo. E nella mia orchestra ci sono musicisti da tutta Europa. Vogliamo tornare indietro? Ma il sovranismo è uno dei problemi, non è il solo problema.

Pensa che le Sardine debbano fare un partito?

Non ho la competenza per rispondere. Non saprei. La piazza

è già di per sé politica. Stanno facendo un tentativo. La vita del resto è fatta di tentativi. Hanno capito che la politica è una cosa molto seria, che va fatta con studio e nelle istituzioni opportune. Non se ne può più di questi uomini del fare solo a parole.

La loro energia come andrebbe convogliata? Presentandosi al voto?

Sapranno bene loro cosa è giusto fare. Io non sono né tutor né Maestro di nessuno e nemmeno voglio esserlo. Però il «partito delle Sardine» mi fa un po' ridere. Ovviamente la mia è una battuta.

Che Paese è diventato l'Italia?

È come se ci fossero due marce, due identità, due realtà.
   Da un lato c'è un Paese ricco di talenti, impegnato, solidale, all'avanguardia nel mondo del lavoro e dell'educazione, e dall'altra c'è n'è un altro, con delle lacune molto forti, proprio perché non si investe abbastanza sulle eccellenze.

Teme una vittoria della destra in Emilia?

Rischierei di darle una risposta da Bar Sport, e non mi va. Davvero, io faccio politica quando mi occupo della mia orchestra, quando studio una partitura, quando apro i teatri alle persone. Fuori da questo contesto rischio di scadere nel ruolo troppo abusato del tuttologo, che è di nuovo uno dei linguaggi più bassi che la televisione ha sdoganato.

A Mondovì hanno appena vergato una scritta nazista sulla porta di una deportata.

Non sono episodi da sottovalutare. Si può solo condannarli. I nazisti potevano deportarti anche solo per antipatia, non viene mai ripetuto abbastanza.

È ottimista?

Triste e ottimista. Vivo le mie paure, ma quando apro gli occhi mi sento fortunato.

Oggi esce il suo disco. Un omaggio ad Abbado.

Si chiama *Grazie Claudio!*. Lo presentiamo oggi a Bologna, alle 18, al Teatro Manzoni. È una testimonianza sull'importanza della memoria. Un ringraziamento ad Abbado. E un invito a non perdere memoria dell'importanza della musica nella società, e poi grazie a quel giorno è nata la mia orchestra, Europe Philharmonic Orchestra, EPO.

Nonostante il successo non avete un teatro?

Siamo nomadi. Abbiamo fatto due milioni di ascolti in tv, ventimila spettatori nei teatri solo negli ultimi tre mesi. Ma non abbiamo ancora una casa. Un paradosso, se ci pensa. Per fare le prove con gli archi ci siamo visti nel salotto di casa mia, trenta musicisti che hanno provato in piedi. Stipati come sardine. E non è stata l'eccezione, ma è la regola. E questa vede, è politica, è politica fatta e subìta, questa per me è politica.

Dirigere è il mio mestiere

Bozza dell'intervista a Ezio
per un progetto editoriale Rai.
11 febbraio 2020

La musica.
La salvezza, la realizzazione, l'appartenenza, la felicità profonda e il sentirmi utile. L'appoggio a cui tutta la società dovrebbe affidarsi. Sempre.

Non lo so dire, penso solo ad amare qualsiasi compositore esegua e a dedicarmi ore e ore di studio e ascolto, cercando di comprenderlo nel senso più profondo.

Ad appartenere. Sono tutt'uno con la musica e anche due vite purtroppo non sempre insieme.

E non credo di dare valori aggiunti alla musica, penso solo a fare meglio e a studiare, a rispettare, ad amare e a dedicarmi a essa.

Abbandono pianoforte.
Ho smesso di suonare in pubblico perché non posso garantire la qualità che è rispetto per la musica e per il pubblico, non potendo studiare abbastanza.

Suono a casa e quindi non mi manca, anzi, sto meglio dirigendo, essendo dirigere il mio mestiere, e faccio molta meno fatica fisica.

Sono molto più felice e realizzato ora.

Direzione.
Sempre responsabilità, nei confronti della musica e del tempo che ti viene dato da chi è con te.

Insegnamento. Cosa insegna la musica.
Sono tante le cose. Come sa, ma specifichiamo che non vale per tutta la musica.

Ci insegna ad ascoltare, ad ascoltarci, ad avere autocritica e quindi ad approfondire e alla fine, a essere più liberi.

Insegna la disciplina e il senso dell'impegno profondo.

Maestro di vita?
Non mi piace, perché non lo sono.

Faccio il mio dovere con lo spirito e l'entusiasmo e il sacrificio che credo sia – o dovrebbe essere – la regola per tutti i musicisti.

Rabbia.
La superficialità e l'aggressività del linguaggio di questi giorni mi fanno rabbia.

Più che rabbia, tristezza. La rabbia passa subito e la tengo a casa sorridendo.

Cosa la commuove?
I gesti puri.

Tempo libero.
La musica è il mio vero tempo libero. Il resto è un lavoro. Faticoso. Anche rispondarle è un lavoro faticoso.

Malattia/insegnamento.
La malattia non è un Maestro. Se si vuole imparare, bisogna predisporsi e studiare, ascoltare, osservare, allora forse anche la malattia ci insegna qualcosa. Ma solo forse.

Frequento Bologna da...

Bozza dell'intervista sul tema «imprenditore»
di Matteo Menetti Cobellini
per la rivista «Espansione».
24 febbraio 2020

Frequento Bologna da molti anni, dal 1990 se non ricordo male. Da sette vivo tra Bologna e Londra. Più che altro vivo qui per affezione. Ho molti amici bolognesi, gente sincera, gente onesta. Sono molto legato a questa città, anche perché, per i miei movimenti, è un centro geografico molto importante. Ma non è detto che io rimanga in Italia ancora per molto. Con l'Europe Philharmonic Orchestra al momento sembra impossibile trovare un teatro stabile in Italia o anche solo un luogo per provare le partiture, per studiare, per non perderci, per non trascurare ogni volta il lavoro fatto, tornando indietro. Sto seriamente pensando di trasferirmi all'estero. C'è stato un avvicinamento da parte di un noto teatro della Romagna, recentemente, ma al momento tutto è bloccato. Forse è tutto finito.

Il successo non aiuta.

Non so quando accade e perché. Sembra che il massimo che possa ottenere, e per carità mi fa molto piacere, siano le cittadinanze onorarie. Ne ho quattro, l'ultima a Busseto, paese Natale di Giuseppe Verdi. Ma non è quello di cui ho bisogno. Ho bisogno della mia orchestra.

Orecchio assoluto.

In effetti è una malformazione genetica. È utile non fare confusione. Avere l'orecchio assoluto non significa riconoscere le note, ma percepire tutti i suoni scomposti. Si riesce a scomporre ogni accordo. E devi educare il tuo orecchio a un ascolto ricreativo che se no sarebbe impossibile poiché riesci a comprendere, magari tra venti violini, quello che sta suonando stonato. Non sempre è facile.

Le persone vengono a vedere Ezio Bosso che suona Čajkovskij oppure vengono ad ascoltare solo Čajkovskij?

La domanda è assurda. Le due cose non sono un ossimoro. Le persone vengono ad ascoltare Ezio Bosso che fa Čajkovskij. Ci troviamo di fronte a un momento storico talmente teso al narcisismo e all'edonismo che vediamo sempre tutto separato. Il direttore dà la sua impronta. Una volta che hai davanti la partitura, le persone sono davanti alla partitura. Esistono solo oggettività e tensione. Se ti adegui a tali principi il pubblico lo percepisce. Non devono capire: devono sentire. O più semplicemente ascoltare. Noi siamo solo un tramite, pensare di essere altro è assurdo. Siamo un ponte, tra passato e futuro, un ponte tra sogno e realtà. E comunque, posta così, la sua è una domanda offensiva, probabilmente senza che lei se ne renda nemmeno conto.

Orchestra metafora di impresa.

Intanto bisogna intendere che hai davanti un gruppo di cinquanta, cento persone, con competenze, capacità simili e differenti. La principale funzione del direttore d'orchestra o del manager, non è portare il risultato, ma fare in modo che tutto il gruppo illumini il progetto. Curare la collettività. Il buon manager ha in fondo questo ruolo: dare luce a chi la richiede, aiutare chi è più in ombra.

Il più grande insegnamento che ho imparato nella mia vita è la gestione della fatica: nel caso di un direttore d'orchestra è d'obbligo comprendere quando la squadra è affaticata. Spesso nel mondo imprenditoriale questa cosa si dimentica, s'innesca una competizione deviata che conduce a grandi cadute.

Il manager di un'azienda deve lavorare solo su stesso?

Al contrario, un buon manager deve rinnovarsi, lavorare su se stesso, in modo da cambiare anche la routine del gruppo. Noi suoniamo le stesse note da trecento anni. E ogni volta che lo facciamo avviene un cambiamento nello spazio, nel tempo. L'aggiornamento del dirigente, definiamolo così, è alla base di tutto, poiché attraverso l'evoluzione del «leader» il gruppo migliora per un processo di osmosi. L'orchestra è un grande ufficio in cui esiste una sola scrivania, cui sono seduti tutti: diventa una catena di montaggio tra un momento creativo e uno riflessivo, in cui ogni persona è coordinata con gli altri, ma soprattutto con se stessa.

L'errore. Un buon direttore d'orchestra, o un buon manager, deve punirlo?

Piuttosto deve prevederlo.

E come?

Nel mio lavoro, ci riesco, o almeno ci provo, con l'attenzione, con l'energia, con l'ascolto, la precisione certosina e dirigendo sempre tutto a memoria. E con la bacchetta. Ottengo il risultato facendo suonare di meno chi ha bisogno o sta andando verso l'errore. Uso anche gli occhi, lo sguardo, il corpo. Un bravo direttore anticipa ciò che accade, recupera anche l'errore, ma lo fa diventare opportunità. Un bravo dirigente deve avere il talento di rendere meno percettibile, alleggerire e lavorare come opportunità e confronto ciò che potrebbe essere disastroso. Il pubblico vuole eccellenza, anche se oggi viviamo in un mondo deviato in cui il marketing decide cosa vogliamo. Un manager deve essere rigoroso nel non dare al prossimo ciò che pretende, ma non rigido.

La Fondazione Scuola di Musica di Fiesole

4 marzo 2020

Il 30 aprile 2018, annunciando la direzione dell'Orchestra Gio-vanile Italiana di Fiesole al Teatro Romano di Fiesole, in occasione della Festa della Musica, Ezio aveva dichiarato:

Ho vissuto tanti anni lavorando in orchestra e ancora oggi continuo a sentirmi «orchestrale». Ho sempre massima stima dei miei colleghi e un affetto istintivo perché ne conosco le pene, le fatiche ma anche le gioie. A maggior ragione coi ragazzi di Fiesole cercherò di essere un fratello maggiore, una guida dolce e amica e spero che lo spirito che di certo animerà la nostra settimana insieme si rifletterà nell'energia e nell'en-

309

tusiasmo del concerto quando finalmente potremo dare noi stessi e il frutto del nostro lavoro al pubblico che vorrà festeggiare con noi.

Il 4 Marzo 2020 scrive la seguente proposta offrendosi per la carica di direttore artistico della Fondazione Scuola di Musica di Fiesole.

La Scuola di Musica di Fiesole e la sua orchestra giovanile italiana nascono con lo scopo di divulgare la cultura musicale dalle basi sino alle massime eccellenze, creando e crescendo tali massime eccellenze, affinché esse divengano messaggere e portabandiera del messaggio collettivo: la musica serve alla società e per servire, portando il suo messaggio etico nel mondo, deve essere fatta con la massima cura e la migliore qualità possibile.

Il progetto qui in oggetto vuole quindi portare la scuola e l'Orchestra con il suo corpo docente a una formazione e un'alta attrattiva internazionale, restituendole appieno il suo ruolo di eccellenza formativa riconosciuta, vessillifera di un messaggio chiaro, portabandiera di un percorso educativo che farà sempre più adepti solo ed esclusivamente se saprà comunicare se stessa nel modo più efficace e chiaro possibile.

In primis va supportata l'idea di Fiesole come progetto di formazione unico a livello europeo, anche per recuperare quel degrado formativo generalizzato, nato dal fiorire di pseudo-orchestre giovanili in tutto il Paese e volte ad altri scopi nei fatti: l'OGI non deve né può permettersi di essere confusa con una giovanile o orchestra di Conservatorio, perché essa è il frutto di alta specializzazione, mentre oggi nel sentire comune è percepita come un'orchestra giovanile fra le tante. Essa si deve porre come un luogo di altissima formazione grazie alla qualità dei docenti, così da attrarre studenti o neo laureati da tutto il mondo, divulgando il pensiero del Maestro Farulli sull'importanza della musica da camera nella formazione e sottolineando che esiste un suono italiano, che viene amato e stimato in tutto il mondo.

Tra i corsi di rilievo, oltre alle già eccellenti realtà presenti, propongo di sviluppare ancora corsi di musica da camera per varie formazioni (archi, fiati), potenziare il ruolo già centrale del quartetto, la musica di insieme sul repertorio del Novencento e i nuovi repertori, quindi le differenti potenzialità di prassi storiche, dal pre-barocco al classico, con accesso anche a strumenti adeguati; quindi corsi di orchestra da camera senza direttore, orchestra d'archi, corsi da spalla e prima parte, separando nettamente l'alto perfezionamento solistico da quello orchestrale. Un percorso pensato sempre in piena armonia col corpo docente, coinvolto anche sul fronte concertistico, al fine di creare opportunità di lavoro per le formazioni interne a marchio Fiesole nell'ambito dei tanti festival dedicati alla musica da camera in Italia e in Europa, pensando in primis alle realtà toscane più consolidate, come Amiata Piano festival, Piano e Opera Barga, Santa Fiora, ma anche Trame Sonore di Mantova, il Conservatorio di Milano, la IUC di Roma, il Salon Christophori di Berlino, L'Accademia Liszt di Budapest, la Salle Gaveau di Parigi.

Per quel che riguarda l'OGI suggerisco inoltre, in affiancamento periodico alla squadra residente e in piena armonia con essa, l'invito ciclico di prime parti dalle migliori orchestre europee ed extraeuropee come forme di master sotto selezione.

Quindi l'invito a importanti direttori, che possano sviluppare giornate di esecuzione e di lezione la cui attrattiva sarà conseguente al livello qualitativo generato.

E ancora un tutoring condiviso e attivo con la partecipazione dei tutor medesimi – interni e/o ospiti – anche nei concerti pubblici, per un'idea di stage in regime di studio/lavoro brandizzato Fiesole, dimostrando così che le eccellenze della scuola sono in grado di lavorare in perfetta armonia in un ambiente a tutti gli effetti professionale. Tali inviti andranno ovviamente concordati con il corpo docente e finalizzati a impegni concertistici di grande respiro in stagioni mediaticamente importanti del territorio italiano, come quelle del Conservatorio di Milano, del Lingotto di Torino o i grandi festival estivi in ambientazioni di ampio respiro internazionale, come la Reggia di Caserta, o nei tanti premi televisivi di Rai nelle principali location estive come Taormina.

Senza dimenticare l'impegno a una tournée europea e internazionale annuale, nonché a un festival annuale dedicato all'orchestra e alle sue formazioni o nel territorio Fiesole/Firenze o più diffuso sul territorio italiano.

A questo si aggiungeranno festival interni a cui partecipare.

Fondamentale in questi appuntamenti chiave sarà l'approfondimento e l'eccellenza dell'esito artistico, qualsiasi sia il repertorio scelto per la formazione triennale, coprendo il più possibile quei brani che poi faranno parte della vita professionale del musicista, affinché la qualità di Fiesole sia immediatamente riconoscibile al pubblico, ai media di riferimento e in grado dunque di dare il massimo risalto possibile alla

scuola come luogo di forgia di professionisti di indiscutibile livello qualitativo nel mercato attuale.

Inoltre, giacché al musicista italiano nel mondo è richiesta una perfetta padronanza del repertorio italiano
più celebre, cioè l'opera, propongo una serie di master-
class con grandi voci internazionali, quali Kaufmann,
Grigolo o Alagna, al fine di approfondire il rapporto
di orchestra e voce e al contempo diffondere la buona
fama della scuola, del suo corpo docente e infine della
sua orchestra attraverso alcuni dei personaggi più in-
fluenti nell'ambiente musicale mondiale.

Queste sono solo alcune delle idee che vi sottopongo
e sarei ben lieto di poter approfondire con tutto lo staff
della scuola.
Coi miei migliori saluti

Ezio Bosso

Il lockdown

Testo raccolto da Giuseppina Manin
per il «Corriere della Sera».
6 aprile 2020

Ezio soffre il lockdown e non ne vorrebbe parlare, invece è il tema di attualità. Testo raccolto e pubblicato da Giuseppina Manin sul «Corriere della Sera», riportato qui con le note di Ezio tagliate per mancanza di spazio o aggiunte dopo con il nostro celeberrimo «Spirito della scale», cioè capire dopo ciò che veramente andava detto prima.

La prima cosa che farò è mettermi al sole. La seconda sarà abbracciare un albero, quando si apriranno le gabbie.

Da quanti giorni non vede il sole?

Sono ai domiciliari dal 24 febbraio. Se poi calcolo il periodo delle cure precedenti, dal 9 febbraio per le solite terapie, i mesi di clausura sono ormai più di due.

Una condizione che implica la massima prudenza.

Non è per quello, non sono rinchiuso per prudenza. Se non metto il naso fuori non è per paura, ma per sconforto. Bologna deserta, quattro pietre, due persone dall'aria triste... Che esco a fare? C'è più vita a casa mia.

Una casa peraltro grande e bella.

Con un solo difetto, non ci entra mai il sole. Neanche da una finestra. Ma per il resto non mi lamento.
Vivo bene la solitudine, a dividerla con me ci sono la mia compagna Annamaria e i nostri due Basset hound e un Bassotto. I più felici sono loro. Non gli par vero di averci vicini giorno e notte.

Niente più concerti e tournée, come sono cambiati i suoi ritmi di vita?

La malattia mi ha allenato a soste forzate ben peggiori. Stavolta però non è il mio corpo a trattenermi, ma qualcosa di esterno, collettivo, misterioso. Sono giorni strani, affollati da strane sensazioni. Il tempo e lo spazio si sono fatti elastici, a volte le ore sono eterne, a volte volano. A volte ti senti in prigione, a volte scopri la «Dodicesima stanza», quella che ti libera. Era il titolo di un mio vecchio album.

Cosa l'aiuta a far fronte a questa nuova situazione?

La disciplina della musica. Le note lunghe, le scale, ti educano all'ordine interiore. Non ho cambiato le mie regole, anche se non devo uscire, mi alzo presto, mi faccio la barba, mi vesto. E mi metto a studiare. Approfondisco e metto in dubbio ciò che ho fatto; approfondisco partiture che probabilmente non dirigerò mai e non per mia volontà, ma perché non me le faranno fare. Approfondisco le singole parti, i processi tecnici e storici necessari. Esercizi che di solito pratico anche all'aperto, in posti affollati, per costringermi alla concentrazione. Adesso ci provo in casa.

Le giornate sono tutte uguali?

Solo in apparenza. Il tempo è elastico così come lo spazio. Variano anche in funzione di come sentiamo e ci sentiamo. Questo è un tempo senza scansione, ma da non confondere. Bisogna pensare a costruire un tempo e a me manca il tempo della musica fatta.

Saremo migliori dopo?

Non certo per merito del coronavirus! Diventare migliori è una scelta, non una conseguenza, richiede un impegno quotidiano forte con se stessi. Star chiusi in casa non basta. Tutta questa retorica vuota che ci circonda è ormai insopportabile. Così come tanta cattiveria sparsa nel web, l'ottuso complottismo di chi vuole un colpevole a ogni costo. L'unica cosa di cui possiamo approfittare in questo momento così buio è cercare di approfittarne per migliorarci, pensando agli errori commessi e francamente non è l'attitudine che vedo in giro.

Cosa le manca di più?

Fare musica e ritrovarmi con i musicisti della mia Europe Philharmonic Orchestra, loro sono i miei fratelli, i miei figli. Ci sentiamo moltissimo, ma non è lo stesso. Alcuni di loro stanno vivendo un periodo di grande sofferenza, non possono più suonare, non hanno più un reddito.

Come sarà la musica «dopo»?

Ci stiamo ragionando insieme. Le nuove regole sulla distanza incideranno sul repertorio. Forse per un po' il mio amato Beethoven lo coltiveremo più nella parte cameristica che nelle sinfonie, strumentalmente troppo affollate.

Dobbiamo ridisegnare delle mappe, sto lavorando in proposito con tecnici del suono e architetti.

Ripartiremo, ma in un altro modo. Con un valore aggiunto, la musica classica deve essere un elemento di crescita del Paese, può insegnare alle persone a stare insieme con ordine e disciplina.

La musica è una missione, una responsabilità dell'altro. Non mi faccio una ragione che non sia compreso da chi chiede unità nazionale: l'unità della Nazione passa del riconoscimento di un'identità culturale. Negarlo è antistorico, inutile, eppure lo negano e negandolo CI negano. Tutti noi.

Cosa ascolta in questi giorni?

L'ascolto di diletto è per me complicato, sentendo tutto separato, e suona più dentro ciò che leggo o studio e quindi altro dall'esterno potrebbe darmi problemi. La Quinta di Mahler mi sta martellando in testa, la studio.

Cosa legge?

Testi di storia antica, sulle abbazie carolinge, su come si ascoltava la musica mille anni fa. Ho la fortuna di avere amici colti. Professori universitari con cui parlo di diritto canonico o storia medievale.

Guarda la tv?

Il meno possibile. Hanno trasformato il coronavirus in un prodotto da spendere in ogni momento. Per creare confusione, per vendere spazi pubblicitari. E poi basta con questo lessico bellico, il virus non è un nemico, non c'è una guerra in corso. Non lo sconfiggeremo ma, come per altre malattie, da l'aids al cancro, ci dovremo convivere. Come abbiamo sempre fatto.

Il linguaggio della tv è stato peggiorato dal virus e sembrava oggettivamente impossibile peggiorarlo, eppure ce l'hanno fatta, per guadagno, ma poi ci rimarrà come danno anche quando non ci sarà più da farci soldi, un altro gradino verso il basso per la collettività.

Qualche canale manda in onda concerti e opere, mai così tanta musica in tv.

Se esiste è perché l'abbiamo fatta, ma le teche si stanno esaurendo. È un patrimonio che va alimentato. La musica in tv ci tiene compagnia, ci fa sperare di risentirla presto in una sala. Perché, come il teatro, anche la musica classica ha senso solo dal vivo.

E il cibo? Tutti sembrano esser diventati cuochi.

Sui siti si postano solo foto di pani, pizze, torte. Prima erano tutti celiaci, adesso sembrano tutti guariti. In questo momento a me il cibo fa pensare solo a chi non ce l'ha.

La sua voglia matta?

Abbracciare gli amici. Che però ho imparato ad abbracciare anche quando non ci sono. Di natura sono timido, riservato, e con il corpo ho un approccio particolare. Non abbraccio chiunque, solo chi amo. Mai per forma, sempre avvolgendo l'altro totalmente. Questa astinenza forzata mi pesa. Sarà interessante ritrovare un rapporto fisico. Magari ci sarà un po' di imbarazzo, magari un po' di paura. Ci metteremo a ridere o ci spunteranno le lacrime. No so come sarà. Qualsiasi cosa sia, sorrideremo. Felici di essere vivi.

Guarda cosa vuol dire

8 aprile 2020

Ezio riceve alle ore 7.52 dalla violinista polacca Anna Kuk una sorpresa davvero inattesa: il video in cui ogni musicista della EPO *recita un suo testo a verso libero pubblicato su Facebook il 2 aprile 2020. I musicisti hanno volto il testo su se stessi.*
Questo gesto commuove Ezio oltre ogni dire. Il video verrà poi trasmesso a Propaganda Live.
Alle 10.22 Ezio mi manda il link con le seguenti tre righe:

Oggetto: guarda cosa vuol dire

Il più bel regalo della mia vita
Questa è la nostra orchestra, Alessia

320

Ecco chi siamo e il perché tanto lavoro...

Di seguito il testo recitato.

Sono in ogni nota che ho curato
Esisto in ogni nota insieme
Alle mie sorelle e fratelli
Figli o nipoti
Sono ogni nota studiata
Suonata e donata
Amata
perché non c'è nota che non ami
E che non abbia amato
Sono rinato
Nota dopo nota
Una nota alla volta
Fino ad abbracciarle tutte
Mi mancate
Quel sorriso che mi date
È dura
Il corpo non distratto dalle vostre note
Cura e terapia
E in ogni nota che sto curando
Preparando, studiando
Ci siete
In ogni nota
E saremo
Ogni nota

Quando Ezio mi chiamava per nome, era per me il campanello d'allarme che il tema era essenziale, altrimenti usava «noi».
Da quel momento la necessità, fisica e psicologica, di tornare a lavorare con la sua orchestra, anche piegandosi all'odiato streaming, diventa pensiero dominante su qualsiasi altra consi-

derazione e inizierà quel lavoro millimetrico per la precisione
e martellante per l'urgenza, che porterà al progetto di seguito e
alla lettera al Quirinale.
La musica deve essere considerata attività produttiva.
Dobbiamo riprendere a produrre musica.
Se le istituzioni non ci credono, parleremo coi privati.
Questi i tre concetti reiterati in tutte le nostre seguenti conver-
sazioni.

L'insegnamento civile dell'orchestra

Bozza dell'intervista per «Artribune»
con Ofelia Sisca.
23 aprile 2020

Agli amici e colleghi – per lui non c'è grande differenza – che gli telefonano dice simpaticamente che perfino per chiedere l'elemosina un musicista deve esibirsi, in qualche modo si dovrà ritornare a suonare!

È riuscito ad avvicinare il grande pubblico alla musica classica, e non in maniera edulcorata o semplificata, ma nella sua versione più pura e integrale, quella ritenuta più ostica. I numeri di Che Storia è la Musica, *programma da lei ideato per Rai3, ne sono un esempio lampante. Quali sono gli ingredienti di questi risultati?*

Il rispetto è il motore di ogni risultato straordinario e l'amore per quello che fai. Il rispetto per la musica, ma anche il rispetto per l'altro. Il fatto di non avere una preparazione accademica, appannaggio di pochi – pochissimi considerati anche quelli che la millantano – non vuol dire avere un minore valore.

La partitura musicale ci insegna proprio questo, tutti davanti allo spartito diventiamo piccoli e uguali, dottoroni e operai. Beethoven, Brahms, nessuno è svantaggiato, preferito, agevolato. Siamo uguali e abbiamo uguali potenzialità.

Crede sia necessaria una componente umana di condivisione che permetta all'ascoltatore, alla persona comune, di approcciarsi con meno diffidenza all'universo classico?

Per natura sono portato a pensare che se ho un giardino meraviglioso la porta la tengo aperta...

Quello che faccio è raccontare, e lo faccio con la gente comune così come con i musicisti, do loro le motivazioni che determinano i perché, per esempio perché un compositore vada suonato o ascoltato diversamente da un altro. Tecnicamente, ma anche attraverso aneddoti e chiedendo al diretto interessato qual è la sua sensazione. È un metodo empatico, empirico, ma la musica è fondata su questo. Non sopporto la supponenza che sembra dover obbligatoriamente permeare il mondo della musica classica. Il musicista dovrebbe essere sempre umile, nel momento in cui crede di essere superiore agli altri ha smesso di essere un buon musicista.

Qual è il peso della responsabilità pubblica e dei mezzi di comunicazione rispetto alla divulgazione della cultura, della musica classica e delle arti performative che ne condividono la sorte in qualche modo?

Nel caso della mia esperienza, in Rai il direttore Coletta si è trovato concorde con le mie proposte e abbiamo lavorato bene. In generale è sotto gli occhi di tutti che i media, la televisione, che nonostante le nuove frontiere della comunicazione in Italia detiene ancora un ruolo informativo determinante, non presta l'attenzione che meriterebbe al settore, e non parlo dei canali tematici, ma di quella considerazione quotidiana, che permetterebbe di ridare alla musica, alla cultura, quel ruolo integrato nella vita sociale dei cittadini. I modi per farlo ci sono. Ed è comprovato, come visto per la musica classica, che l'elitarismo può essere solo controproducente. Il concorso di colpe nell'involuzione delle cose è uguale solo al concorso di pregi nella loro evoluzione.

Azzardo questa citazione anche se so che lei è un beethoveniano convinto, Stravinskij diceva di ascoltare Beethoven ogni settimana, Bach due volte a settimana, ma Mozart ogni giorno. La musica non solo accompagna, ma può determinare e dare senso al percorso delle nostre giornate, dettare i tempi della nostra intera esistenza?

Come fenomeno ricreativo già lo fa, è pochissima la gente che non ascolta musica, tuttavia sembra che non riusciamo più a discernere tra quello che è intrattenimento e quello che invece è vitale, o più poeticamente è il cibo per l'anima. Cosa vuol dire in termini pratici? Riconoscere quanta importanza ricopre l'interrogarsi sui perché della musica. Stravinskij in qualche modo ci dice che abbiamo bisogno della musica (anche se simpaticamente mi permetto di dissentire, bisogna ascoltare tutto, soprattutto Beethoven!!!). Di natura tutti noi andiamo alla ricerca di musica. Il problema è l'offerta. Se io vado in cerca di pomodori, ma trovo solo arance, mangerò solo arance. L'offerta deve essere vasta, libera ed educata, insomma se c'è una cosa che la musica non fa è inquinare! Abbiamo bisogno di grandi quantità di musica, e insieme di un'educazione che permetta di capirne la rilevanza.

L'Associazione Mozart14 di cui è testimone e ambasciatore internazionale, oggi diretta da Alessandra Abbado, è fondata sui principi sociali ed educativi del Maestro Claudio Abbado. Quali sono i valori di cui lei si fa portavoce?

I valori che ho imparato dai grandi musicisti come Claudio Abbado, con i quali sono cresciuto, come uomo e come musicista, sono gli stessi che porto avanti oggi, primo fra tutti quello della musica come coadiuvante sociale, la necessità della musica è evidente quando per esempio si guarda ai cori dei detenuti, dai quali emergono dati oggettivi sull'aumento del benessere, di miglioramento persino comportamentale. È un po' come scoprire l'acqua calda, dirai, tuttavia non è facile essere riconosciuti. E questo vale per la musica e per l'arte in genere, è difficile affermare anche l'ovvio quando istituzionalmente si stenta ad affermarsi.

Quindi come società siamo indietro sul percorso della comprensione e assimilazione di questi valori?

La musica non è solo ascolto, ma una pratica attiva, vedi cantare insieme, per esempio, o la musicoterapia; insomma, la musica riesce a portare la società perfino in quei contesti dove la socialità è negata. Io credo nella musica, perché la musica ti cambia la vita, di più, ti salva la vita, e io ne sono un esempio, quando però si vedono le tante realtà come Mozart14 lasciate sole con le proprie forze mi viene da pensare che nonostante i risultati oggettivi ancora molti non credono nella musica.

Può essere considerata l'orchestra un esempio di società in miniatura?

La musica mi ha regalato una vita meravigliosa che secondo certi stilemi non avrei dovuto vivere. Il figlio di un operaio fa l'operaio, questo mi sono sentito dire sin da bambino. E la musica ha abbattuto anche questo pregiudizio idiota. Che però ancora c'è. Quindi intanto in generale la musica ha il potere di liberare. Poi l'orchestra è assolutamente una forma rodata e funzionante di società ideale.

Cosa possiamo imparare dall'orchestra in termini civili?

Quello che possiamo imparare dall'orchestra, attenzione, da una buona orchestra, e voglio citare a chiare lettere l'esempio della Europe Philharmonic Orchestra, è intanto il principio della meritocrazia. Ma non la meritocrazia del vincitore, perché spesso confondiamo la meritocrazia con la vittoria della gara, no! Intendo la meritocrazia delle competenze, quella competenza che non porta alla competizione, ma al mutuo soccorso, continuo.

Cioè: io riconosco la competenza dell'altro, le sue peculiarità e mi affido, e allo stesso tempo a mia volta aiuto. Dall'ultimo dei violini al primo dei flauti, ogni strumento ha peculiarità tecniche e personali diverse che vengono rispettate fino ad arrivare al direttore.

Nell'orchestra ideale, grazie alla partitura, non ci sono «raccomandati». Questa è la natura dell'orchestra. Proprio per questo mi fa sempre piacere aprire, dalla prima prova, per mettere davanti agli occhi di tutti la centralità del dialogo, del raccordo delle parti.

Ovviamente ogni modello può essere deviato, e questo purtroppo accade, anche nel mondo dell'orchestra, soprattutto quando c'è incompetenza.

Non possiamo non parlare della situazione attuale di isolamento. Ognuno di noi è invitato alla riflessione e l'arte e la cultura sembrano fungere da accompagnamento di fondo, iniziative social, dal teatro ai concerti, dalle grandi mostre online ai piccoli spazi che si associano, hanno l'aria di espedienti terapeutici per alleggerire pensieri di certo gravosi. Che posizione ha in merito? Arte effetto placebo o ci vede delle prospettive?

Quello che è diventato insostenibile è questa retorica assurda sullo stare a casa, sulla bellezza del riprenderci la nostra interiorità e quant'altro, quando la verità è che siamo soli, senza musica, senza la presenza reciproca. Per di più in un'orchestra come quella che dirigo è importante non solo suonare insieme, ma anche mangiare insieme…

È un principio anarchico, in cui la responsabilità del singolo diventa la responsabilità di una comunità. Ma la cosa più drammatica in questo momento negata ai musicisti è il non poter provare!

Mancano le prove più dei concerti?

La musica è fatta principalmente di prove, non di concerti. Questa privazione sta addolorando tutti i musicisti. Prova non vuol dire provare a fare, ma mettere alla prova ciò che hai studiato, tutto il tuo sapere, le tue idee, provare se funzionano insieme agli altri. Il valore sociale dell'aggregazione, negato in questo momento di cattività, causa profondo disagio. Anche i piccoli video che circolano sono comprensibili e utili, degli sfoghi diciamo… Quello a cui invito però è a fare attenzione, perché tutti questi video da casa sembrano dire che la musica te la puoi fare da solo, e la funzione si relega a quella di far passare il tempo, in un momento in cui il tempo non passa. Ma la musica ha un valore profondo, così l'arte, il teatro… Non svalutiamo la qualità. La cura. Non dobbiamo mandare all'aria tutto, relegando l'arte a mero accompagnamento di una vita presunta altra e «reale».

In questa famosa Fase 2 i settori produttivi stanno man mano riaprendo, ma per arte e spettacolo si vocifera di una ripresa che potrebbe addirittura slittare all'anno prossimo.. e oltre. Si sta smascherando nel Paese della cultura per eccellenza una leggerezza pericolosa?

Mi chiedo se manchi la visione di un Paese. Tralasciare la musica vuol dire non riconoscere la storia di questo Paese. Fatta di musica, di arte, di teatro. Se non riconosco intanto questo, vuol dire che non ho visione sociale del Paese. Tutto sembra essere diviso per compartimenti economici. E anche in quest'ottica si potrebbe rispondere che cinquecentomila lavoratori e la relativa movimentazione di denaro connessa fa anche del settore dello spettacolo un reparto economico, eccome. Quindi torno a dire che forse è proprio la visione in genere che manca; se penso ai 460.000.000 del FUS mi interrogo su quanti FUS dovrebbero esistere per far fronte alle reali necessità solo del settore delle arti performative. È scellerato.

Quanto ci potrebbe costare la scarsa prospettiva?

Potrebbe costarci soprattutto la perdita dell'*ethos*. L'*ethos* è l'insieme delle cose che creano un ambiente favorevole alla vita di un essere vivente. Sentiamo dire che ormai questo virus è un fenomeno che è entrato nella nostra prassi quotidiana, insomma nel nostro *ethos*. Ma quanti virus ci sono ormai nel nostro *ethos*? Dobbiamo assolutamente riconoscere che il benessere di un essere umano non è solo una pastiglia o un vaccino. È fatto anche di sole, di saluti, di musica, di arte, di sentirci tutti uguali. Un'altra banalità che stiamo sentendo è che il virus ci rende tutti uguali, ma non è così, c'è chi ha una bella casa, e chi sta in cinque in quaranta metri quadrati.

L'emergenza sanitaria c'è, ma anche questa nuova realtà va raccontata, sì alla disciplina nel gestirla, ma chi più di un artista conosce la disciplina!? È tra i valori fondanti della propria quotidianità.

Il Cura Italia presta attenzione a «tappare i buchi», per Cultura e Spettacolo per lo più si va dal rimborso biglietti per gli utenti, ai sussidi per i lavoratori dello spettacolo, ma progettualità future? Vede un piano B, possiamo immaginare un domani?

Se il domani lo posso immaginare? Il domani lo posso e lo devo immaginare, e progettarlo finché quel giorno non arriva, ma se io penso che il domani sia un oggi reiterato, fatto di non realtà, chiusi in casa, io non sto immaginando un domani. La responsabilità di chi amministra, ma anche mia, è quella di continuare a immaginarlo un domani, che sia peggiore o migliore, forse addirittura non importa, ma che sia un progetto che punti a modificare l'inattività attuale e che soprattutto porti all'espressione della natura umana e non alla rassegnazione a una «nuova normalità», che è un concetto aberrante, perché la normalità non esiste, esiste la natura delle cose! Ed è nella natura dell'uomo vivere socialmente.

Ci sono secondo lei delle azioni che già oggi si possono intraprendere per non far precipitare definitivamente la situazione?

Intanto non fare dichiarazioni criminali con le quali si rimanda ogni possibile ripresa delle attività al 2021, anche seguendo i progressi della scienza possiamo studiare formule verosimili di riapertura. Io non arrivo a capire perché possono stare duemila persone a lavorare nella stessa fabbrica e non trecento persone a distanza di sicurezza ad ascoltare la musica. Disconosco quelle interviste attribuitemi in cui la chiosa sembra sempre dover finire nella retorica e nel dopotutto è giusto così...

Scarsa lungimiranza o disinteresse per questo settore della cultura? Incapacità o malafede?

Dovrei dare una risposta un po' da opinionista, e non saprei proprio farlo... Quello che mi sento di dire è che quando si ha paura si tende a stare immobili e a eliminare ciò che si pensa superfluo, ma per me è un concetto così lontano pensare la cultura superflua, ritengo l'arte o la musica chiaramente una necessità, non riesco a concepire qualcuno che né scientemente né incurantemente possa eliminare questo a favore di altro.

Pensa di impegnarsi in prima persona per portare queste urgenze alle orecchie delle istituzioni?

Mi sono offerto di fare da consulente, di mettere a disposizione le mie competenze, ma non vengo ascoltato, per cui... continuo a fare il beone da casa! Per me non basta prestare attenzione al futuro delle fondazioni lirico-sinfoniche. Siamo mezzo milione di lavoratori e non si può essere tutti dipendenti dalle decisioni che prenderanno le fondazioni, bisogna distinguere. Ci sono società di concerti, istituzioni concertistiche orchestrali, l'Italia non è fatta solo di teatri d'opera, che pure hanno tutto il mio rispetto, ma non sono la totalità. C'è anche Vivaldi, non solo Puccini e Verdi. Forse sono troppo poche, hanno una mole di gestione troppo vasta, anche questa è una prospettiva del problema. Ecco, non dimentichiamo di guardarci intorno.

«La musica è una vera magia, non a caso i direttori hanno la bacchetta come i maghi.» Parole sue, ci vorrebbe la bacchetta magica proprio ora?

Vivere è una cosa pratica, a volte anche faticosa, non una favoletta, e per usare quella bacchetta, che sia magica o meno, bisogna fare tanta fatica. Una cosa la so per certo, a tutte le peggiori nefandezze che sono successe nel nostro Paese nei secoli, l'arte è sopravvissuta, questo deve farci trovare la forza, e quel puntino di luce che si sprigiona all'apice della bacchetta ci può dare la forza per sopravvivere, o meglio, di vivere! Vivere sempre come pratica quotidiana, non come poesiola. Vivere è un impegno quotidiano, fare arte è un impegno quotidiano, fare musica è un impegno quotidiano.

La musica come
«attività non produttiva
e quindi inessenziale»

Il lockdown culturale di febbraio 2020, ben prima di quello generale di marzo, aveva tolto a Ezio la sua linfa vitale, la sua cura: il fare musica, cioè ormai tutta la sua vita. Al dolore psicologico, ben prima che fisico, che questa privazione gli procurava, si aggiungeva per lui lo smacco supremo, la rabbia profonda, implacabile, l'umiliazione di sentir definire dal governo e dalla comunità scientifica che ne guidava le decisioni, la musica come «attività non produttiva e quindi inessenziale». Per Ezio fare musica era attività produttiva ed era essenziale, soprattutto in un momento di crisi profonda della società. Anche in questo caso però la rabbia venne incanalata in azione e tutte le sue forze vennero dedicate al progetto medico sanita-

rio per riportare le orchestre a suonare in sicurezza, in primis la sua in uno studio romano dove voleva proporre in streaming Le Metamorfosi *di Richard Strauss, pubblicando online il protocollo scaricabile da chiunque, prestigiosa istituzione o orchestra non professionale che fosse, gratuitamente.*

Per realizzare questo progetto mi diede mandato di elaborare un testo professionale, che stesi nella sua complessità con la collaborazione dell'amica Giada Missaglia, e che fu mandato nel mese di aprile ad alcune selezionate aziende per trovare fondi e in un ultimo disperato tentativo, la sera prima della morte di Ezio, al Quirinale per chiedere al Presidente Mattarella il suo illuminato sostegno.

Qui si riporta solo il cuore del testo, quello ancora non complicato dalle necessità di marketing, dettatomi da Ezio in una delle lunghe telefonate di quei giorni e da me solo parzialmente normalizzato in quanto ancora in fase di bozza.

Ezio Bosso e l'Europe Philharmonic Orchestra

Progetto live test per un protocollo medico-sanitario per tutti i musicisti del mondo: un esperimento pilota per liberare la musica con creatività e responsabilità.

Per me da sempre la musica è la mia e la nostra cura, cura dell'anima in un momento in cui tutta la popolazione mondiale è soggetta a pressioni psicologiche mai provate prima, di natura completamente diversa da tutto ciò che abbiamo sperimentato in passato, nonché da gravi preoccupazioni per il futuro.

D'altro canto per me l'orchestra è da sempre la metafora perfetta della società ideale, composta, disciplinata, unita dalla volontà di miglioramento reciproco attraverso lo studio, l'impegno e la crescita con e nella partitura, intesa come carta costituzionale a cui aderire tutti, superando le singole differenze.

Ed è la società internazionale per antonomasia, con musicisti provenienti da tutto il mondo, giovani e donne, professori di grande esperienza e ragazzi in carriera, tutti uniti nell'aiuto reciproco per onorare la responsabilità di cui ci si carica quando si porge arte, cura e sollievo al pubblico, a sua volta musicista silente che è, per me, parte integrale del concerto, membro dell'orchestra stessa.

Infine, a differenza di letteratura e arti visive, la musica è l'unica arte della civiltà umana che, se non performata, non esiste.

Senza dimenticare che in tutto il mondo essa è un comparto produttivo di vitale importanza sia per il gran numero di persone coinvolte sia per la ricaduta turistica in tutti i territori.

La nostra idea è dunque molto semplice e, dopo due mesi trascorsi a studiarla insieme ad amici medici e ingegneri del suono, sono pronto a presentarla: un testo di protocollo medico-sanitario per le orchestre, che verrà esemplificato dal vivo in uno studio di registrazione di Roma durante una settimana di prove aperte e concerti trasmessi in streaming su abbonamento, seguendo il modello narrativo del celebre format tv inventato da Bosso per Rai3 *Che Storia è la Musica*.

Un test live che potrà servire come modello per tutte le orchestre e *ensemble* del mondo, di qualunque repertorio si tratti, tutti bloccati e in attesa di una ripartenza assai incerta in assenza di un protocollo simile a quello della filiera produttiva industriale; una proposta di grande concretezza e positività che riporterà l'Italia al centro del dibattito culturale non per la pandemia, ma per l'uscita creativa dai laccioli imposti dalla medesima.

Lo streaming a pagamento sarà funzionale al fine di:

• Supportare economicamente i musicisti freelance fermi da febbraio e privi di altro sostegno economico al momento, nonché quelli in cassa integrazione provenienti dalle orchestre istituzionali, anch'esse ferme sempre da febbraio

• Ricordare che la musica è un lavoro e va retribuito al fine di mantenerla viva dopo mesi di fruizione gratuita da parte del pubblico a causa degli streaming liberi provocati dall'onda emotiva Covid-19.

Senza la musica
siamo tutti malati

Bozza dell'intervista per Simona Antonucci
de «Il Messaggero».
11 maggio 2020

Ezio pensa di potersi recare a breve a Firenze e Napoli, su invito dei rispettivi assessori alla cultura, per poter parlare di ritorno alla cultura e all'arte come necessità primaria negata durante la pandemia. Spera di poter così sensibilizzare la politica all'esigenza di riprendere la produzione della musica, per lui vulnus *imperdonabile del lockdown. Ma il nervosismo è palpabile.*

L'occasione della chiacchierata è la ripartenza estiva di Arena di Verona, che Ezio attende con la massima speranza e tensione emotiva.

L'orchestra al centro di un'immensa platea con un coro disteso, tutto intorno, quasi ad abbracciare i musicisti. Il suono sarà speciale, nuovo, come la situazione in cui ci troviamo a suo-

nare. Ezio Bosso, 49 anni, Maestro torinese in grado, con la mu-sica classica, di accendere tempeste emotive in folle da stadio, dopo aver debuttato in Arena l'estate scorsa dirigendo i Car-mina Burana, *annuncia la sua disponibilità a tornare nell'an-fiteatro monumentale di Verona, nell'ambito del progetto «Nel cuore della Musica».*

Maestro Bosso, per l'orchestra sarà una disposizione inedita. An-che il suono sarà inedito?

Sarà un'esperienza nuova. La musica è sempre nuova. E sarà bellissimo. Ogni allestimento è diverso dall'altro. Quanto ai musicisti, la posizione cui siamo abituati è recente. Siamo tutti un po' viziati da un gusto di fine Ottocento. Le dispo-sizioni delle orchestre di Bach, Mozart o Beethoven erano differenti e poi l'orchestra sempre si adatta allo spazio con umiltà. Ma aldilà del suono, la cornice sarà incredibilmente suggestiva. E simbolica. Una ripartenza, dalla bellezza. Si è discusso tanto, in questi mesi, sul diritto alla salute, al lavoro, ai parchi e alle spiagge. Noi suoneremo per ricordare che LA bellezza è una necessità. Oltre di principio un diritto. L'arte è necessaria per vivere.

Esiste un repertorio che si presta maggiormente alla situazione?

Non esiste un repertorio più adatto. Esistono tanti brani che possono essere simbolici in questo momento. Esiste un con-certo costruito intorno a una narrazione. Come sempre mi piace fare tutto.

Mi sento figlio di tutti e come dico sempre, siamo tutti ni-poti di Bach. Vediamo. Deciderò insieme con la sovrinten-dente che si è battuta sin dal primo giorno per non spengere la luce dell'Arena.

La musica è una necessità. Nei giorni di isolamento sono state le note a farci uscire virtualmente dalle case con i cori dai balconi, i concerti online. Lei ha partecipato?

No. Mi sono rifiutato. Tutti gli eventi estemporanei cui assistiamo rischiano di diventare molto pericolosi. Perché veicolano il messaggio che la musica si possa fare con una chitarra in mano davanti a un telefono. Capisco lo sfogo di questi giorni. Le esplosioni di emotività. Ma sono profondamente contrario all'idea che il suono sia distrazione. La musica è una produzione alta. Abbassarla non è una risposta, se non in un momento di leggerezza, ma allora non è musica, è distrazione.

L'assenza di pubblico dal vivo, che può applaudire o fischiare, ha dato il via libera a ogni tipo di performance?

Il gradimento del pubblico si può esprimere anche con i like. Non è questo il punto. La musica non è un quadro da museo. Un concerto nasce dopo giorni di prove e duro lavoro. La presenza degli spettatori cambia addirittura il suono. Se in questo momento è complicato esibirsi dal vivo, allora torniamo in sala di registrazione, inventiamo contenuti d'eccellenza e differenti sfruttando lì le nuove tecnologie. Mi spaventa l'idea di una musica che non dimostri attenzione.

Il Governo si sta muovendo nella direzione giusta per sostenere la ripartenza della cultura?

Non sono un politico. Per dare una linea serve uno sguardo complessivo. Penso però che la cultura sia parte integrante del benessere del Paese e non un accessorio cui si può usufruire da casa. Una sinfonia non si può fare con dodici violini ognuno nel suo salotto. Non si può mistificare la realtà. Non si può normalizzare una vita non normale. Siamo in un'emergenza sanitaria globale. È vero. Ma bisogna studiare il modo di rimettere insieme i corpi artistici e dare una visione del futuro. E non la sensazione che al momento il futuro non ci sia più. Abbiamo tecnologie ottime che ci consentono moltissimo, non usiamole per svilire, per abbassare l'asticella, lasciamoci sfidare dai tempi e inventiamo nuovi format. È immorale giocare al ribasso con l'arte, con la bellezza.

Si sente ripetere che questi giorni di isolamento siano serviti anche a nuove riflessioni...

Non diciamo idiozie. L'introspezione è una pratica quotidiana cui sono abituato. Ma la vita è un'altra cosa. E deve ripartire. Come la musica. Che è la mia vita. Senza musica siamo tutti malati.

La malattia
non rende nessuno migliore

Un non-giorno in un non-luogo,
perché sempre e ovunque.

«La malattia non rende nessuno migliore» da ripetute conver-
sazioni telefoniche sulla curiosità morbosa per le sue condizioni
fisiche e sulla ricorrente interpretazione in chiave migliorativa
del dolore.

È come un fiume carsico, per un po' scompare, ti sembra
scomparso, poi riaffiora e spesso non dai nemici, ma proprio dagli amici, anche quelli che nel fondo lo sai che ti vogliono bene. Fa rabbia. Mi fa rabbia. Razionalizzo, mi dico
che se per secoli per essere più buoni, ci siamo messi il cili-
cio, ci siamo fustigati, abbiamo digiunato, rinunciato alle cose
belle della vita, allora è impossibile estirpare questa idea che

il dolore redima, migliori, ci renda esseri superiori, come se la vita, che tanto veneriamo, in sé fosse peccato. E chi sono io per negare una convinzione radicata nei millenni, per dire che gli stiliti non erano migliori solo perché emaciati. Che il dolore innervosisce, e nessuno è più buono se soffre. Anzi. Il dolore, come la paura, non migliora nessuno, di certo non me; questo equivoco ricorrente, che mi insegue strisciante, detto e non detto, a volte secondo me manco si accorgono che lo dicono, gli scappa proprio con la disinvoltura d'abitudine di un «ciao». Per alcuni nemici poi il dolore sembra un privilegio: ha successo perché soffre. Bestialità. Svilimento di ciò che faccio. Nessun rispetto, per se stessi in primis. Ma poi, anche lì, chiunque non stia bene si espone, lo dice, comunicati stampa di gente, di «artisti» che parlano di malattia invece che di ciò che fanno. La lista è lunga. Ci marciano. E allora perché io dovrei essere diverso da quelli. C'è una logica. Pessima. Ma pur sempre logica.

Indice

2018

2019

2020